SEMPRE É TEMPO DE APRENDER

Pelo espírito
Marius

Psicografia de
Bertani Marinho

SEMPRE É TEMPO DE APRENDER

Pelo espírito
Marius

Psicografia de
Bertani Marinho

LÚMEN
EDITORIAL

Sempre é tempo de aprender
pelo espírito Marius
psicografia de Bertani Marinho

3ª edição – março de 2012

Direção editorial: *Celso Maiellari*
Coordenação editorial: *Fernanda Rizzo Sanchez*
Revisão: *Mary Ferrarini*
Projeto Gráfico: *Estúdio Japiassu Reis*
Capa: *Ricardo Brito – Designdolivro.com*
Imagem de capa: *Andrii Iurlov / Dreamstime.com*
Impressão e acabamento: *Cromosete Gráfica*

Dados Internacionais de Catalogação na Publicação (CIP)
(Câmara Brasileira do Livro, SP, Brasil)

Marius (Espírito)
Sempre é tempo de aprender / pelo espírito Marius ; psicografia de Bertani Marinho. – São Paulo : Lúmen, 2011.

ISBN: 978-85-7813-037-4

1.Espiritismo 2. Psicografia 3. Romance espírita
I. Marinho, Bertani. II. Título.

10.13021 CDD 133.9

Índice para catálogo sistemático:
1. Romance espírita : Espiritismo 133.9

Rua Javari, 668
São Paulo – SP
CEP 03112-100
Tel./Fax: (0xx11) 3207-1353

visite nosso site: www.lumeneditorial.com.br
fale com a Lúmen: atendimento@lumeneditorial.com.br
departamento de vendas: comercial@lumeneditorial.com.br
contato editorial: editorial@lumeneditorial.com.br
siga-nos nas redes sociais:
twitter: @lumeneditorial
facebook.com/lumen.editorial1

2012

Impresso no Brasil - Printed in Brazil

Sumário

Introdução

O CASO DE MAURÍCIO BENEVIDES apresentado nesta obra mostra-nos de maneira clara e simples a importância do equilíbrio entre a razão e os sentimentos que expressamos no cotidiano. Não basta o uso efetivo do bom senso – como chamava Descartes a razão –, é necessário que aliado a ele estejam as emoções e os sentimentos. Se – como dizia o filósofo – a razão é aquilo que define o Homem como Homem e o distingue dos animais, ela é uma das asas que permitem ao ser humano voos transcendentais. A outra são os sentimentos autênticos.

Quando fazemos uso isolado da razão, corremos o risco de nos tornarmos frios e calculistas. Por outro lado, quando nos pautamos apenas pelas emoções, destituídas de uma reflexão racional, podemos enveredar para o terreno escorregadio das paixões incontidas. Os anais judiciários e o grave ambiente dos tribunais estão repletos de casos que confirmam a veracidade da nossa assertiva.

Como já afirmava Aristóteles, a virtude situa-se entre dois extremos, como o meio-termo que equilibra e harmoniza os pontos extremados. "Um mestre em qualquer arte", diz ele, "evita o excesso e a falta, buscando e preferindo o meio-termo." Quando nos vemos a caminhar, seja para o excesso, seja para a escassez, é necessário que nos detenhamos por alguns momentos e meditemos na busca do justo meio, que nos possibilite encontrar a bússola norteadora a nos endereçar para o equilíbrio, a harmonia e a pacificação.

Entretanto, a história de Maurício revela-nos ainda outro aspecto de fundamental importância: o perigo de nos encapsularmos em nosso próprio interior, deixando de estabelecer vínculos reais com aqueles que nos cercam. E o que é pior: o risco de descumprirmos o mandamento primordial, magistralmente resumido por Jesus – *amar ao próximo como a nós mesmos* –, não servindo ao semelhante e petrificando os mais nobres sentimentos de que é capaz o ser humano.

Desde que Jesus afirmou que "o Filho do homem não veio para ser servido, mas para servir" (Mc. 10:45) e que demonstrou essa disposição pelo exemplo de sua vida, não podemos nos furtar a seguir as suas pegadas, encerrando-nos numa cápsula de egoísmo, orgulho e presunção. É necessário que rompamos as amarras individualistas de uma existência voltada exclusivamente ao próprio ego, estabelecendo laços de união que nos aproximem dos semelhantes, fazendo parte da rede milenar que nos concilia com Deus chamada por Gregg Braden de "Matriz Divina", e da qual procede tudo o que existe. Até mesmo a literatura leiga, aparentemente alheia à espiritualidade, tem hoje no *best-seller* de James Hunter, O *monge e o executivo*, o exemplo de uma liderança voltada para o serviço aos semelhantes. A "liderança servidora", como ele a denomina, parte do princípio de que os fundamentos da liderança não estão no poder, mas na autoridade, alcançada com amor, sacrifício e dedicação. "Quem é o maior líder?", pergunta Simeão, o monge, que responde: "Aquele que serviu mais". Outra personagem conclui esse pensamento: "Parece que a liderança se reduz a uma definição de quatro palavras: *Identificar e satisfazer necessidades*".

Se numa obra dedicada aos executivos das corporações contemporâneas o termo "servir" é a matéria-prima de todas as considerações, não menos certo é encontrá-lo num livro de aconselhamento moral e espiritual, como *O Evangelho Segundo o Espiritismo*, de Allan Kardec, onde o *serviço* é expresso pela palavra "caridade". É ali que lemos a bela convocação de um espírito iluminado: "Chamo-me caridade: sou o caminho principal que conduz a Deus. Acompanhai-me, pois sou a meta a que todos deveis visar".

Que fique claro que não estamos pregando a autoanulação em favor dos outros. Se não nos amarmos a nós mesmos, como nos orientou o Divino Mestre, não poderemos amar ao semelhante. Contudo, dedicando-nos o devido amor, estaremos aptos a transbordá-lo da nossa taça para o proveito daqueles que nos cercam. Nesta acepção, assevera-nos o espírito Ermance Dufaux, que em sua última encarnação colaborou com Kardec para a segunda edição de *O Livro dos Espíritos*: "O mais genuíno ato de amor a si mesmo consiste na laboriosa tarefa de fazer brilhar a luz que há em nós. Permitir o fulgor da criatura cósmica que se encontra nos bastidores das máscaras e ilusões". A partir daqui, estamos preparados para a divina missão de servir ao semelhante, amando-o como a nós mesmos.

Que a história de Maurício Benevides e das demais personagens de *Sempre é tempo de aprender* possa converter-se num chamamento para a expressão genuína do amor próprio dignificante, que abre as portas para o amor sincero a todos os nossos irmãos.

Boa leitura!

Bertani Marinho
Verão de 2010

1

A decisão

MAURÍCIO BENEVIDES ERA O SEU NOME. Casado, cinquenta e seis anos, tinha dois filhos. Ricardo, o mais velho, era advogado, estava com vinte e sete anos e era casado com Renata, formada em administração. Luísa, com vinte e cinco, era pedagoga e trabalhava na escola de pré que inaugurara havia pouco tempo. A esposa, Adélia, cinquenta e dois anos, gerenciava sua própria loja de miudezas. Ele era professor universitário. Graduara-se em Filosofia e fizera mestrado e doutorado na mesma área. Seus filósofos prediletos: Sócrates e Platão. Inconscientemente, ele procurava aparentar uma fisionomia austera, própria de quem vive a refletir, onde quer que estivesse. Contudo, professor respeitado e admirado na faculdade em que lecionava, tornara-se coordenador do Departamento de Filosofia. E, como coordenador departamental, tinha entre as suas várias funções admitir e demitir professores, o que fazia com ponderação e segurança.

Estava às voltas com um caso rotineiro de demissão. Julgava que o professor Ademar e a professora Suzana, contratados havia quase três meses, eram sentimentais além do tolerável, o que, no seu entender, prejudicava o estabelecimento de uma didática racionalista. É bom que se diga, ele costumava dividir a humanidade em dois tipos básicos: os *racionais* e os *sentimentais*. Racionais eram todos aqueles que para tomar uma decisão, para fazer uma escolha ou mesmo relacionar-se com alguém no cotidiano usavam exclusivamente o intelecto, o raciocínio, a reflexão. "A razão", gostava de dizer, "deve ser o guia primordial do homem em todas as áreas em que uma indagação ou investigação seja possível. É a faculdade que melhor caracteriza a natureza do ser humano. É ela que o distingue dos animais. Portanto, por que não usá-la como guia das nossas ações?."

Sentimentais, para ele, eram todos aqueles que para decidir se apoiavam apenas nas emoções, nos sentimentos, sem o devido uso do intelecto. Repetia sempre que os sentimentos turvam a razão, impedindo-a de manifestar-se em toda a sua correção e justeza. "As emoções soltas, desgovernadas", dizia, "são o alimento nutritivo dos crimes passionais."

Assim raciocinando, Maurício, tendo optado pelos chamados *racionais*, pregava a contenção dos sentimentos contra a sua expressão, que ele denominava simplesmente de sentimentalismo ou servidão. Não tolerava os *sentimentais* e buscava não se aproximar dessa categoria de pessoas. Talvez, para não ser contaminado...

"Toda a história do pensamento humano", completava, "fundamenta-se na reflexão crítica, na lógica. Do paleolítico à era da comunicação em que vivemos, o progresso só conseguiu estabelecer-se pelo uso do intelecto. Tivesse a humanidade se apoiado na emoção e continuaríamos na barbárie dos povos primitivos, sem atingirmos o elevado nível de civilização que conquistamos."

E agora tinha em suas mãos justamente o caso de um professor e de uma professora, tipificados por ele como sentimentais. Ambos, no seu entender, davam mais valor à criação de um clima emocional caloroso e agradável em sala de aula do que ao conteúdo pedagógico do programa que tinham o dever de cumprir.

"É claro que não devemos criar um clima tenso em sala de aula. Isso viria a prejudicar a aprendizagem. Mas daí a ficar aplicando jogos e brincadeiras, como se professor e alunos estivessem num salão de festas, vai muita distância. Não sou contra o uso de dinâmicas de grupo, desde que contidas pelo uso da razão. Desde que sejam um instrumento para o aprendizado, e não o seu fim."

O juízo de Maurício a respeito dos professores, entretanto, não era justo e imparcial. É verdade que eles usavam de muitos jogos e dinâmicas em suas aulas, mas a serviço do conteúdo que ministravam, do plano de ensino que buscavam seguir. No entanto, a intolerância patológica do coordenador, em relação aos sentimentos e às emoções, cegava-lhe o raciocínio. Ele caía na sua própria armadilha sem o perceber. Afinal, era uma emoção descontrolada que tomava conta de sua mente quando o tema era justamente o puro uso da razão.

Dessa forma, procurando demonstrar a sua imparcialidade, ele convocou os referidos professores para uma reunião a respeito do tema. Eles buscaram justificar-se, mostrando que precisavam conseguir credibilidade da classe, principalmente porque eram muito jovens e aquela era a primeira oportunidade que tinham para iniciar-se na carreira do magistério superior. Não que estivessem ali por proteção. Ambos já lecionavam no ensino médio e eram considerados os melhores professores do colégio. Mas, na faculdade, suas idades emparelhavam-se com as idades dos alunos, o que dificultava um pouco a credibilidade dos seus ensinamentos. E para isso nada melhor que a terna proximidade, conseguida por meio dos jogos e dinâmicas, que costumavam aplicar. As dinâmicas não eram, portanto, um fim em si mesmas, mas um meio para conseguirem a confiabilidade dos alunos, além da sua função precípua de servir de instrumento para o entendimento do conteúdo explicado em sala de aula. Conseguido esse intento, eles demonstrariam as suas competências a partir do próprio conteúdo programático de cada disciplina, que ministravam com muito amor.

Maurício, entretanto, não se convencia e contra-argumentava, dizendo que a maneira correta e única de se conseguir a credibilidade dos alunos era seguir o programa de aulas, apresentando racionalmente o conteúdo planejado. Até o plano de ensino eles haviam mudado. Já estava arrependido por ter consentido as alterações introduzidas.

Queria agora que ambos acabassem com o que chamava "jogo da ciranda, cirandinha", e que dessem aulas como os antigos professores, que também não eram favoráveis a tanta "lenga-lenga e pouco resultado". Bem, a reunião foi mais um monólogo do coordenador, que procurou justificar o seu entendimento usando pensadores como Sócrates, Platão, Aristóteles, Descartes e Spinoza e não deixou quase nenhum espaço para a defesa do professor Ademar e da professora Suzana, encerrando com a seguinte consideração:

– Eu quero nesta casa professores, e não babás de alunos mal-acostumados e emocionalmente dependentes.

Apesar do discurso intempestivo, Maurício não chegou a demiti-los, como era sua intenção. Ficou de pensar por mais um dia. "A resposta é clara", pensou enquanto voltava para casa, "somente eles não a percebem. Por incompetência, apenas por incompetência desses professores inexperientes, tenho o dever moral de demiti-los. Os seus sentimentos descontrolados obscurecem a sua razão. Como estava coberto de razões o velho Spinoza quando deu a sua célebre definição de 'servidão humana': a impotência para moderar e conduzir os afetos. Com efeito, quando submetido aos afetos, o Homem está sob a autoridade não de si próprio, mas do acaso. Há muitas pessoas que agem assim em franca desconexão entre a razão e as emoções, enfraquecendo a lógica para fortalecer os sentimentos. Mas numa faculdade, num curso superior, isto tem de ser banido. Não posso compactuar com esse tipo de gente. Para o bem da qualidade do ensino, não posso mesmo."

Antes de adormecer, ele ainda alinhavou uma última análise a respeito do desempenho dos professores. "Não quero ser tachado de injusto nem de intempestivo. Eles conseguiram conquistar a simpatia de alguns colegas. Assim, é necessário que eu possa deixar claro e irrefutável o motivo da demissão." E, por longo tempo, refletiu sobre as qualidades e os defeitos dos jovens professores. Concluiu que os defeitos superavam as virtudes e que eles insistiam em permanecer no erro. "*Errare humanum est, sed in errore perseverare dementis*", pensou, traduzindo para si mesmo em voz inaudível: "Errar é humano, mas perseverar no erro é loucura!".

Dormiu quando o cansaço conseguiu superar a análise crítica que se esforçava por tecer em relação àqueles casos de demissão. Passara grande parte do dia refletindo sobre a situação. Tivera outros problemas para resolver na faculdade, de modo que, alguns minutos de reflexão intensiva foram suficientes para fazê-lo adormecer profundamente.

Nessa noite, antecedida por muitas conjecturas, ele teve um sonho que, ao acordar na manhã seguinte, deixara-o profundamente intrigado. Sonhou que ganhara de alguém uma semente. Levara-a para casa e, ao entardecer, plantara-a no fundo do quintal, afofando a terra e regando-a com cuidado. No dia seguinte, ao levantar-se, olhou o quintal pela porta da cozinha e, para sua surpresa, verificou que a semente germinara e começara a estender o seu caule verde e fino para fora da terra. Alguns minúsculos galhos começaram tenramente a formar-se. Achando que poderia se tratar de erva daninha e que nada de bom poderia vir daquela planta pequenina e misteriosa, arrancou-a do solo, jogando-a num canto qualquer do terreno, onde certamente iria morrer.

Ao acordar, recordou-se do sonho, aparentemente sem nenhum significado. No entanto, um sentido surgiu imediatamente, como uma intuição, que o deixou preocupado. Não pôde deixar de relacionar o conteúdo do sonho à situação que estava vivendo em relação aos dois jovens professores. "Eles também estão começando a estender o caule verde e fino para fora da terra", pensou. "São como a semente que foi lançada ao solo." E outro pensamento aflorou-lhe à mente: a parábola do semeador. Não que ele fosse muito religioso. Não era. Mas conhecia o Evangelho, que aprendera na infância e adolescência com a sua mãe, esta sim, muito dedicada à religiosidade. E foi relembrando: "Um semeador saiu a semear. E, quando semeava, uma parte da semente caiu ao pé do caminho. Vieram as aves e comeram-na. Outra parte caiu num solo de pedregulhos, onde não havia terra o bastante, e logo nasceu, porque não tinha terra funda. Mas, vindo o sol, queimou-se e secou-se, pois não tinha raiz. Outra parte caiu entre espinhos, que cresceram e a sufocaram. Por fim, outra parte caiu em boa terra e deu fruto: um a cem, outro a sessenta e outro a trinta" (Mateus, XIII, 3 a 9). "Quem tem ouvidos para ouvir, ouça (Mateus 11:15)."

A passagem evangélica parecia-lhe não se encaixar muito bem no problema que tinha em mãos, porém, surgia o pensamento: "Estarei lançando sementes fora do canteiro? Ou serei como os espinhos ou os pedregulhos, a impedir o livre desabrochar de duas almas que necessitam do solo fértil para dar bons frutos? Será que estou arrancando as plantinhas e jogando-as fora, sem permitir que cresçam e frutifiquem? Não, não posso envolver-me com o sentimentalismo ridículo de pessoas despreparadas. Como é possível deixar medrar em mim o defeito que condeno nesses professores?". Assim pensando, sepultou o sonho no inconsciente, de onde viera para atormentar-lhe a vida. E, sem dar tempo para que pudesse ressurgir, decidiu pôr em prática a sua decisão "racional e isenta de emoções": "Demiti-los-ei o mais rápido possível. Não devo permitir que dois jovens inexperientes ponham a perder as regras e a disciplina que venho impondo para o bem do ensino e o bom nome da faculdade. Não quero que se pense em nossa instituição como um local de diversões, onde todos se distraem, alguns adquirem conhecimentos por seu próprio mérito e ninguém fica sem o seu diploma no fim do curso. É hora de dar um 'basta' a essa situação!".

Assim, levantou-se da cama com a ideia fixa da demissão dos jovens professores, procurando não dar espaço para que outros pensamentos pudessem neutralizar a sua decisão. "*Alea jacta est*", murmurou enquanto escovava os dentes. "A sorte está lançada!"

2

A outra face da moeda

ADÉLIA ERA BASTANTE DIFERENTE de Maurício. Viera de uma família de classe média baixa, tendo começado a trabalhar desde a adolescência. Conseguiu concluir o ensino médio. O seu sonho era cursar uma faculdade e tornar-se professora, mas o falecimento da mãe fez com que tivesse de arcar também com as responsabilidades da casa, dificultando a realização do seu intento. Assim, com o passar do tempo, acostumou-se à ideia de encerrar os estudos. Após o casamento, para ajudar o marido, montou pequeno bazar de miudezas, aonde levava os filhos quando não estavam na escola. Acumulava, portanto, as tarefas, de modo tal que nunca mais passou por sua mente a possibilidade de concretização do sonho juvenil. No entanto, agora que os filhos estavam crescidos e o casal tinha condições financeiras estáveis, pensava em cursar letras. Nessa altura da vida, já não mais queria enveredar pelo campo do magistério, mas, pelo menos, teria oportunidade de desenvolver o seu lado cultural, que ficara comprometido com a interrupção dos estudos. Era, como ela dizia, uma forma de elevar a autoestima.

Sensível, aberta e cordial, ela conseguia atrair pessoas à sua volta com muita facilidade. A sua extroversão facultava-lhe o dom do diálogo, de modo que não tinha nenhuma dificuldade em encontrar-se com outras pessoas e estabelecer contato interpessoal proveitoso.

– Você tem de agir com mais discernimento, Adélia – dizia Maurício. – Você pensa muito nos outros e se esquece de si mesma. Isso não é lógico.

– Mao, não é bem assim. Veja como nossa loja é lucrativa!

– Isso é verdade. Você tem aptidão para o comércio. Tem o grande dom de atrair pessoas. Admiro muito isso. Acho apenas que você precisa ser mais racional em suas atitudes e em seus atos. A emoção pode ser prejudicial. Aqui entre nós, ela é quase sempre nociva.

– Será que assim eu continuaria a vender tão bem?

– É. Você está certa.

Nesses momentos, Maurício excluía Adélia da categoria de sentimentalista. Ficava, porém, sem opção, pois não podia simplesmente colocá-la entre os racionais.

– Sabe, Adélia, você está fora de qualquer classificação.

Ela ria e perguntava se não haveria um meio-termo.

– Aristóteles dizia que a virtude está no meio. Buda falava igualmente a respeito do caminho do meio. Até aí, você está certa. Mas em nosso cotidiano, precisamos muito mais da razão. Não dá para ficar no meio. Isso não seria como ficar "em cima do muro"?

– Realmente, não creio.

– Você sabe que Spinoza, o grande filósofo holandês-judeu, afirmava que é pela razão que nos tornamos capazes de moderar as nossas paixões e chegar a um estado de felicidade? E mais: é dele a famosa afirmação: "Nem rir nem chorar, mas entender".

– Não, eu não sabia. Aliás, em termos de filosofia, você é o doutor, não é mesmo?

– Desculpe-me, Adélia, não quis menosprezá-la. É que não consigo conversar sem me lembrar de algum pensamento esclarecedor, elaborado por um filósofo de renome. Tudo o que estou fazendo é para convencê-la de que a razão é a rainha e as emoções são suas súditas.

– Tudo bem. E você acaba de lembrar mais algum pensamento que possa esclarecer o que estamos discutindo?

– Você adivinhou. Não vou enchê-la de pensamentos. Apenas não posso me furtar a dizer mais alguma coisa.

– Fale, meu querido, ou você acha que vou deixá-lo às moscas?

– Kant, que é considerado um dos maiores filósofos que a humanidade já teve, dizia que a maior parte das pessoas vive num estado de menoridade, ou seja, devido à preguiça e à covardia, é incapaz de se servir do próprio entendimento, passando a depender da direção de outra pessoa. Ele insistia em que devemos deixar a menoridade e entrar na maioridade, isto é, devemos fazer uso da razão, tornando-nos esclarecidos, de modo a poder fazer uma análise crítica de tudo quanto nos é oferecido pela cultura em que vivemos. Só assim podemos aceitar o que é verdadeiro e rejeitar o que é falso. E concluía afirmando que a razão deve dominar acima de tudo e de todos. Ela deve ser a déspota absoluta.

– Concordo com a parte inicial do pensamento, mas a parte final não é extremista?

– Não penso assim. Mas gostaria de encerrar, citando outro dos luminares da filosofia: René Descartes. Dizia ele que a melhor ocupação do ser humano é cultivar a razão. Isso é o que melhor podemos fazer. Acredito que cursando letras no próximo ano, o contato com o mundo acadêmico vai torná-la menos ingênua.

– Ingênua, eu?

– Com certeza. Reflito muito sobre isso e penso que se eu fosse desta para melhor, você poderia ter dificuldades. Afinal, é muito boazinha. E pessoas assim acabam por apanhar muito na vida.

– Em primeiro lugar, quem disse que você vai partir? Aliás, quem disse que você vai partir para melhor? Não está gostando da vida que tem levado comigo? Em segundo lugar, sei muito bem tomar conta de mim mesma. Não se esqueça de que administro a loja, sozinha.

– Não me entenda mal. Não quis dizer que nossa vida não é boa. Fomos feitos um para o outro. O meu temor é vê-la nas mãos de pessoas inescrupulosas. Você sabe que há tantas por aí! Mas a sua resposta foi clara e lógica.

– Você está com ciúme, Mao?

– De modo algum. Não modifique minhas palavras.

– Está sim. O homem de aço foi tomado por uma onda inesperada de emoção inferior.

– As emoções são sempre inferiores, Adélia. E tem mais: eu nunca disse que sou homem de aço.

– Estava brincando, meu bem. Sei que por trás dessa fortaleza inexpugnável, bate um coração terno e suave.

Por conta dessas discrepâncias de personalidade, Maurício demorou para expor à esposa o problema com o qual se defrontava na faculdade. Lá no fundo, uma tênue voz dizia para que ele reconsiderasse a decisão para a qual pendia, ou seja, demiti-los.

Mesmo tendo dito a si mesmo, antes de adormecer, que a decisão estava tomada, na verdade a interrogação continuou acesa em sua alma. O sonho que teve foi resultante dessa situação, que teimava em tirar-lhe o equilíbrio necessário a uma decisão racional e justa. A esposa dissera-lhe, com toda segurança e tranquilidade, que um ser humano que só expõe a sua racionalidade e bloqueia as emoções e os sentimentos não é completamente um ser humano. Quem vive sob o domínio exclusivo das emoções descontroladas desequilibra-se e se expõe a agir das maneiras mais destrutivas, como é o caso, por exemplo, dos criminosos passionais. Por outro lado, quem se atém unicamente ao domínio da razão, perde o colorido e o calor das emoções e torna a sua vida acinzentada e fria. Quem faz uso demasiado da razão, reprimindo seus sentimentos, torna-se cerebral, burocrático e robotizado. Na verdade, tudo isso era do conhecimento de Maurício. Afinal, ele era doutor em Filosofia. Mas uma coisa é conhecer e outra, bem diferente, aplicar os conhecimentos adquiridos. Era aí que ele deixava a desejar. Teoricamente, sabia que o "homem integral" não pode prescindir dos sentimentos. Todavia, ele sempre agira tendo por fundamento a razão quase desvinculada das emoções e poderia parecer sinal de fraqueza mudar de ideia, justamente agora que todos já previam a sua decisão. Se perscrutássemos o seu íntimo, perceberíamos que era mais questão de teimosia. A sua situação assemelhava-se a um jogo de "braço de ferro". Ou ele dobrava o braço alheio e tornava-se vencedor ou teria o braço dobrado, configurando-se como derrotado. Com essa metáfora em mente, tornava-se extremamente difícil pender para a decisão mais justa. Outras situações como a presente haviam acontecido em sua vida acadêmica. Já demitira muitos professores nesses vários anos como coordenador departamental, assim como admitira outros tantos. Nessas ocasiões, apenas relatava a Adélia o que iria fazer ou o que já havia feito. Desta vez, no entanto, as coisas aconteciam de maneira diferente. Embora dissesse estar convicto da ação a executar, ainda não se persuadira o suficiente para pôr em prática sua decisão. O problema não era tanto em relação à categoria em que inserir os professores. Isso parecia claro. Eles eram mesmo sentimentais. A dúvida prendia-se ao comportamento a ser adotado por ele. Ao conversar com a esposa, sabia que ela não seria favorável à demissão. Afinal, ela estava mais próxima dos sentimentais do que dos racionais.

Maurício conhecia a sua fama de durão. E, justamente por esse motivo, sempre mantivera no seu departamento professores experientes e metódicos. Portanto, não era aconselhável mudar agora. Os próprios colegas dos dois professores já conheciam de antemão o fim da história. Ademar e Suzana seriam demitidos sumariamente. Então, por que a dúvida persistia na sua mente? Se tudo era lógico, evidente e insofismável, como parecia ser, por que aquela nuvenzinha preta num céu que deveria ser todo azul? Alguma coisa lhe dizia, bem lá no fundo do coração, que ele estaria sendo injusto se demitisse os jovens que, bem-intencionados, procuravam tornar as aulas mais agradáveis. Seria verdade? "O que está acontecendo comigo?", perguntou-se quando, no dia seguinte, deixou a sua casa rumo à faculdade. "O que está acontecendo comigo?"

3

A viagem

MOMENTOS ANTES DE DEIXAR a residência, quando tomava banho, Maurício sentiu forte dor no peito. Foi tão forte que se apoiou na parede do boxe, permanecendo ali, encolhido, por algum tempo. "E ainda mais isto?" Nunca sentira nada anormal. Nem dor de cabeça. E agora aquela dor que, de incômoda, tornara-se quase insuportável. No entanto, depois de algum tempo, foi passando até desaparecer, como viera. Não quis contar nada a Adélia. Sabia das preocupações dela em relação à saúde dos membros da família. Achava até que era exagerada. Exigia exames médicos periódicos e, se algum dos filhos começava a tossir, lá vinha com algum tipo de chá, comprimido ou ambos. Embora fosse preocupada com todos os que conhecia, a atenção e o cuidado em relação aos familiares era extremada. Para ela, a família era o que havia de mais sagrado na face da Terra. Dizia Maurício que a esposa tinha um amor que transcendia o âmbito da própria pele. "A maioria das pessoas", argumentava, "circunscreve o seu amor até os limites do seu corpo com o meio ambiente. É um amor que não ultrapassa o próprio indivíduo. E por ser um amor deficiente, já que o verdadeiro amor atinge o semelhante, deixa mesmo de ser amor para constituir-se numa forma de patologia". Segundo a sua conjectura, Adélia estava isenta desse transtorno, caracterizado pelo egocentrismo, pelo egoísmo que assola a humanidade. O seu amor rompia as barreiras do individualismo e se expandia em direção a qualquer ser humano que se apresentasse à sua frente. Mas abarcava, sobremaneira, o círculo familiar, o esteio da sociedade, como ela o chamava. Com referência aos filhos e a ele próprio, esse cuidado radical chegava à beira da neurose. Daí resolver silenciar, nada comentando a respeito do episódio incomum do qual acabara de ser o protagonista. No entanto, dado o costume de tudo dizer à esposa, acabou deixando escapar a notícia sobre o ocorrido, o que a deixou em polvorosa. Teve de sair às pressas, antes que ela o fizesse ir imediatamente a um cardiologista.

"Deve ter sido por eu ter dormido de bruços", ponderou. "Adélia até reclamou dizendo que ronquei. Imagine só! Eu, roncar? Mas é verdade, foi por essa razão que senti a dor. Hoje dormirei virado para o lado direito. Como sempre faço." Assim, pegou o carro na garagem, depois de dar um beijo superficial na esposa, e partiu para mais um dia de trabalho. O trânsito estava mais tranquilo naquela manhã. Até aquele momento não havia grande número de veículos na rua. Contudo, se existia calma entre os carros que transitavam pelas ruas e avenidas, o mesmo não acontecia no interior de Maurício. Uma intranquilidade generalizada tomava conta dos seus pensamentos, antes tão claros, objetivos e racionais. Ele caminhava por entre um deserto em que areias movediças poderiam traí-lo, quando menos esperasse, e onde qualquer passo em falso significaria o fim da trajetória. Não que a decisão a respeito dos jovens professores pudesse abalar a sua carreira. Essa já estava bem consolidada. O que balançava a sua afetação costumeira era o orgulho ferido diante de uma indecisão que não era peculiar à sua personalidade. Em meio a essa circunstância extraordinária, embaralhavam-se sentimentos inusitados e insuspeitos. Sem que se desse conta, a semente germinando aflorou-lhe à mente. Um caulezinho frágil começava a apontar para o céu. "Uma plantinha como essa precisaria de água e sombra", pensou quase a contragosto. "Se fosse relegada ao sol abrasador, com certeza murcharia e viria a morrer. Haveria necessidade de um jardineiro dedicado, que cuidasse dela com todo desvelo. Isso feito, ela cresceria naturalmente, tornar-se-ia adulta, enfeitar-se-ia de flores e, por fim, daria muitos frutos. E o jardineiro diligente poderia contemplá-la feliz." Um *motoboy* buzinou, a reclamar por Maurício não lhe estar dando passagem. "Queira desculpar-me. Não pude deixar de apreciar a árvore carregada de frutos atrás daquele muro amarelo." E riu por ter pensado assim.

Fazia dez minutos que dirigia quase automaticamente.

Não via as ruas, os carros, os prédios nem os pedestres. Seguia maquinalmente, obedecendo aos semáforos sem sequer pressentir a sua presença nos cruzamentos. Era como se não estivesse ao volante de um automóvel. Parecia mais que estava caminhando a pé, distraído com os próprios pensamentos. Entretanto, mesmo no interior obscuro da massa confusa de pensamentos que lhe assomavam à mente, uma decisão começava a ganhar terreno em seu íntimo. Não era aquela que ele gostaria de tomar. A sensação era estranha, mas sentia como se tirasse um peso da consciência. "Não sei bem por quê, mas não vou demitir os professores. Pelo menos não vou fazê-lo desta vez. Preciso conversar mais com eles. Vou dar-lhes nova chance para que se expliquem melhor. Não quero cometer uma injustiça com Ademar e Suzana."

No vermelho de um semáforo, Maurício pegou o celular e ligou para Adélia:

– Meu bem, você conseguiu desestruturar-me.

– O que você disse?

– Ainda não vou demitir Ademar e Suzana. Quero conversar mais com eles antes da decisão final. Talvez eu esteja sendo muito intransigente. É possível que eu não esteja entendendo os seus propósitos.

– Muito bem. Gostei do que ouvi.

– Preciso desligar agora. Conversaremos depois. Eu a amo, Adélia. Um beijo.

Ela nem teve tempo de perguntar sobre a dor no peito. Maurício não queria falar sobre isso. Era preciso continuar rumo à faculdade e esquecer o ocorrido. Afinal, não deveria ser nada grave. Se, porventura, acontecesse novamente, aí sim, procuraria um médico. Mas agora, nada de preocupações.

Seguiu mais calmo, apenas preocupado com os dois jovens professores, cujo julgamento seria realizado naquele dia. Mais alguns minutos e Maurício já estaria na faculdade. "Começo a ter certeza de que os dois vão escapar do cadafalso", pensando assim, fez uma ligação para o diretor e anunciou sua decisão. Sentiu-se mais aliviado. A verdade é que, depois das considerações da esposa e de algumas pessoas, ele passou a ter dúvidas a respeito das suas próprias conclusões. Não lhe parecia razoável que apenas ele estivesse certo e os demais equivocados. Era verdade que os professores mais antigos o apoiariam, mas eles eram a minoria. Assim, naquele momento, a sua racionalidade ajudou-o a deduzir logicamente. Essa foi a brecha que o levou a mudar paulatinamente de ideia até ter a certeza de que deveria conversar novamente com os dois professores. Mas, desta vez, haveria de fato diálogo, e não um monólogo, como antes. "Eles não tiveram muito tempo para falar. E, quando falaram, não foram bem escutados por mim. Hoje, farei tudo certo. Estou pronto para isso. Se, de fato, eu estiver errado, eles permanecerão em seus postos. A bem da verdade, é isso mesmo que eu quero. Parece que estou ficando velho, de modo a não entender mais os jovens. Até outro dia mesmo era o que eu falava dos idosos e agora estou agindo do mesmo modo? Não, isso não vai acontecer mais. Como dizia Heráclito, na Grécia antiga: 'Um homem nunca entra duas vezes no mesmo rio'. Se me banhei nas águas turvas da incompreensão e da intolerância, elas já passaram e eu também já sou outro, em certo sentido. Creio que estou amadurecendo. E Adélia tem muito a ver com isso."

Novos e arejados pensamentos passavam pela mente de Maurício, que sorriu feliz com a mudança que começava a ocorrer em seu interior. No entanto, a poucos minutos dos telefonemas, sentiu uma grande pontada no peito. Tão forte como a que sentira no banheiro. Talvez até mais intempestiva, pois percebeu que não conseguiria continuar ao volante. Freou devagar o carro e procurou um local onde pudesse estacioná-lo. A dor tornou-se tão violenta que ele tirou a mão direita do volante, levando-a instintivamente ao peito. A vista escureceu. Completamente confuso e assustado, retirou também do volante a mão esquerda, levando-a sobre a direita, que apertava desesperadamente o coração. Não enxergou mais nada à frente. Apenas ouviu o som agudo de uma buzina e percebeu que o carro se chocava com a sarjeta. Quis dominá-lo, mas não conseguiu. O automóvel fora estacionado de modo indevido. Contudo, por mais que se esforçasse, o volante não se mexia. O táxi, que seguia atrás, bateu de leve na traseira e o motorista saiu para verificar o que acontecera.

– Desculpe-me, foi a dor – respondeu automaticamente.

– O que houve? – indagou assustado o motorista. – Ei, amigo, o que houve?

– Nada, nada. Senti uma dor aguda no peito e não

conseguí estacionar bem. Desculpe-me. Se o seu carro estiver amassado, fique tranquilo. Acionarei o seguro.

Um motoqueiro parou ao lado, olhando com curiosidade para Maurício. Nesse momento – e só aí – ele notou que a dor passara. Respirava normalmente, até com mais desenvoltura. Sentia-se mais leve.

– Desmaiou – disse o motoqueiro para o taxista, que abrira a porta do automóvel e tocava no rosto de Maurício, debruçado sobre o volante.

– Não sei, não. Está tão esquisito. Precisamos tirá-lo daqui e levá-lo rapidamente para um hospital.

– Eu estou bem – protestou Maurício. – Foi só o susto.

Após dizer isso, notou que sua cabeça jazia inerte sobre o volante, de um modo desajeitado, com os braços soltos, pendendo imóveis.

– Esse sou eu! – gritou assustado. – Mas se estou ali, como é que estou falando aqui de cima?

De fato, o espírito Maurício pairava na altura do teto do automóvel, enquanto o corpo físico permanecia imóvel sobre o volante. O choque emocional foi muito grande e a confusão mental também. Antes que se acalmasse, viu chegar para junto do carro, onde já se aglomerava uma pequena multidão, um carro da polícia, que passava pelo local. Os policiais desceram, examinaram o corpo e chamaram o carro de resgate do Corpo de Bombeiros. Pegaram no bolso do paletó de Maurício a carteira com documentos e encontraram um cartão de visitas com o número do telefone da faculdade.

O resgate chegou rapidamente. O corpo foi levado a um hospital das proximidades, onde se constatou morte por parada cardíaca. Os policiais que atenderam à ocorrência ligaram para a faculdade e avisaram o diretor que, por sua vez, notificou Adélia. Na verdade, quando fizeram a ligação, os policiais não tinham certeza sobre o que acontecera com Maurício, embora achassem mesmo que falecera. Quanto a ele, desorientado diante da situação inusitada, após constatar tudo o que diziam, gritou desesperadamente, com todas as forças que conseguiu juntar sem, no entanto, poder ser ouvido pelos circunstantes:

– Meu Deus! Será que morri?

4

Um novo horizonte

A PERGUNTA DE MAURÍCIO teria sido cômica, não fosse a gravidade da situação. Sentia-se tranquilo e, mesmo achando que morrera, não estava com medo. Via-se suspenso por sobre o próprio corpo físico e notava uma luz diferente iluminando a cena. Flutuava. Era assim que percebia os seus movimentos sobre o corpo, que continuava inerte. Nunca se sentira desse modo, leve, solto e sem as amarras que a existência costuma impingir a quem se encontra sob o seu jugo. Lembrou-se até das palavras de Sartre, o filósofo existencialista que destaca a liberdade como uma disposição característica do ser humano: "O homem é condenado a ser livre". No entanto, ainda teve tempo de discordar: "Sinto-me livre sim, porém isso não é uma condenação, mas uma bênção. Ainda bem que me sinto livre".

A viatura de resgate chegou. Seu corpo foi retirado do carro com muito cuidado pelos paramédicos e colocado sobre a maca. Haviam-no imobilizado com faixas. Ouviu um homem afirmar, sem nenhuma emoção na voz:

– Está morto. Deve-se levar o corpo ao necrotério.

– Bateu as botas! – disse em voz baixa um rapazola a seu amigo, que respondeu:

– Fechou a conta!

– Tirou passaporte pro outro mundo! – insistiu alguém, zombeteiro.

Maurício ficou irritado com a falta de respeito. Nunca dissera algo semelhante em relação a qualquer pessoa que tivesse falecido. Por que mereceria esse tipo de chacota? Só se acalmou quando uma velhinha concluiu, com a mão direita no peito:

– Descansou no Senhor!

Mas os comentários continuaram e uma mulher, segurando um carrinho de feira, cochichou com a amiga:

– Está melhor do que nós.

– É mesmo. Não precisa mais pensar nas contas a pagar. Eu estou com cinco aqui na bolsa.

– A morte tem suas vantagens – concluiu um homem de chapéu ensebado, sorrindo sem preocupação.

Agora, Maurício já não reagia aos comentários. Ouvia em silêncio. Era como se tudo isso não lhe dissesse respeito. Na verdade, o cenário parecia estar se apagando, como se fosse o *fade out* de uma filmadora. Uma leve neblina cobria o ambiente.

Sentiu-se deslocar sem saber para onde. A seguir vieram à sua memória esquecidas passagens de sua última existência. Viu-se no útero da mãe, nos seus primeiros meses de vida, na sua infância passada no interior. Cenas completamente esquecidas apareciam-lhe agora vívidas. Erros cometidos e acobertados faziam-se ver com uma penosa nitidez. Defeitos, falhas, deslizes, mas também alguns gestos nobres, grandeza de alma, virtudes, tudo se desvelava agora numa visão panorâmica da sua última encarnação. "Será isto o Juízo Final?", perguntou-se. "Mas onde está o juiz, o Juiz Supremo?" Nessa altura, todos os seus erros passados pesaram-lhe sobre os ombros. Peso que causou uma dor muito forte no peito. Sentiu uma vergonha intensa de seus atos menos dignos e um grave arrependimento. Tudo ao mesmo tempo, oprimindo-lhe o coração. A liberdade quase etérea que sentira momentos atrás já desaparecera. "Fracassei", pensou. "Minhas tarefas não foram cumpridas. E agora? O que fazer?". Lembrou-se do momento em que, no plano espiritual, antes da última reencarnação, pediu para nascer no seio da família Benevides, no interior de São Paulo. Solicitara também que pudesse estar com Adélia, com quem já tivera sérios desentendimentos em encarnação passada. Precisava reaprender algumas coisas em que fora reprovado na reencarnação anterior. E outros novos instrumentos de vida teria de aprender a manejar para poder crescer, para poder continuar a se desenvolver. Mas não conseguira dar conta do recado. Se, num aspecto, era professor bem-sucedido, noutro era aluno relapso e repetente. "Como pude perder tanto tempo, meu Deus? Como pude deixar de lado as lições mais importantes da minha vida, fixando-me na superficialidade em vez de ater-me ao essencial? Se eu tinha tarefas a cumprir, por que não me apercebi delas? Por que as menosprezei? Por que fui reprovado? Que professor fui eu que não consegui assimilar as provas que eu mesmo pedi a Deus?" E um choro sentido fez-se ouvir naquele estranho ambiente de luz alvacenta. Lágrimas escorriam-lhe dos olhos em abundância, como nunca acontecera nos últimos cinquenta e seis anos. Afinal, um digno representante do tipo "racional" não chora. Emoções e sentimentos não devem ser expressos. Não era assim que ele dizia? Pelo menos, era assim que pensava até o desencarne, que acabara de ocorrer. Mas agora tudo se apresentava de um modo diferente, desconcertando-o a ponto de fazê-lo debulhar-se em lágrimas copiosas.

Ficou voltado para o próprio interior durante muito tempo. Ou pouco? Ali, naquele espaço, naquela situação, tudo era diferente e inusitado. Quando começava a se recobrar, levantando-se e prometendo a si mesmo corrigir todos os erros cometidos a que tivera a angústia de assistir, como se fora na grande tela de um cinema, sentiu um leve toque no ombro direito e ouviu uma voz suave:

– Maurício, seja bem-vindo. Estávamos esperando-o.

Surpreso, ele se virou rapidamente. Uma senhora de meia-idade, com cabelos castanho-claros e roupas alvas sorria, olhando ternamente para ele. Parecia-lhe familiar, embora estivesse envolta numa luminosidade que ofuscava um pouco a sua vista. Em poucos segundos, porém, pôde fixar-lhe bem o semblante e gritou, num misto de aflição e alegria:

– Mãe! – e não pôde dizer mais nada. Uma onda de lágrimas tomou conta da sua face. Abraçou-a fortemente e desandou a chorar, vertendo lágrimas que lhe lavavam incessantemente o rosto. Era ela, dona Assunta, que tantas vezes já enxugara o seu rosto lamuriento. Ela, que já lhe dera tantos avisos, oferecera graciosamente tantos conselhos e o carregara maternalmente no colo, dando-lhe a proteção de que necessitava contra as agruras da vida incipiente, era a figura de quem mais necessitava naquele momento de dor e aflição.

Quando se recobrou, a mãe, afagando-lhe os cabelos, apontou para alguns vultos à sua frente, perguntando com um reconfortante sorriso:

– Não vai dizer nada a toda esta gente?

Maurício, que até aquele momento só vira a mãe, notou vários espíritos postados diante de si.

– Pai! Marina! Rodolfo! Lucas! – falou em voz alta. E outros nomes foram sendo desfilados de acordo com o reconhecimento que ia fazendo de cada um deles. Eram os irmãos, tios, primos e amigos que haviam desencarnado antes dele e com os quais havia mantido um relacionamento fraterno.

A angústia, por um momento, cedeu lugar à alegria, ao júbilo, à felicidade.

– Não esperava por isto. Não mesmo. Na Terra, não dei ouvidos a quem falava em vida após a vida. Se tivesse estudado o assunto, talvez tivesse me preparado melhor. Ninguém precisa ter medo da morte, não é mesmo?

– Conversaremos sobre isto, Maurício. Agora você precisa descansar.

Assunta concentrou-se e, em silêncio, aplicou-lhe suavemente um passe, tranquilizando-o com a brandura das mães que encontraram a paz em seu coração. Um sono inesperado desabou sobre ele. Mas ele não queria dormir. Queria estar com os olhos bem abertos para deleitar-se com a amizade de todos aqueles espíritos maravilhosos que tinham vindo recebê-lo no astral. Não, não queria dormir.

– Acalme-se, Maurício. Você terá tempo para falar com todos. Agora, tranquilize-se e deixe-se repousar. É para seu próprio bem. Relaxe... Relaxe...

Sua mãe colocou a palma da mão direita sobre o seu frontal, enquanto uma sonolência intensa fez desaparecer gradualmente de sua vista aqueles amigos maravilhosos, alguns dos quais ele ainda nem conseguira identificar. Maurício começou a adormecer suavemente.

5

Quem foi Maurício Benevides?

DEPOIS QUE MAURÍCIO SE DESPEDIU, Adélia foi arrumar-se para abrir a loja, que ficava a cinco quadras da sua casa. Estava com o coração opresso. Algo estranho. "O que está acontecendo com Mao?", pensou angustiada. "Aquela dor no peito não é coisa boa. Mais tarde vou ligar para o dr. Abrantes e marcar urgentemente uma consulta. Sei que Mao vai ficar muito bravo. Afinal, nem gripe ele pega. Mas com dor no peito não se brinca. Suportarei o seu mau humor. Ele não é mais criança. Precisa fazer exames periódicos, *check-ups*, enfim, tem de estar prevenido. Neste ponto, ele deixa a desejar. Deveria fazer como eu, que cuido muito bem da saúde. Mas, a partir de hoje, farei com que ele também tenha precaução."

Continuou a se preparar para sair. Não gostava de chegar atrasada. Tinha de dar o bom exemplo.

Quando se dirigia para a porta, seu celular tocou. Era Maurício. Dizia que iria conversar ainda uma vez com

Ademar e Suzana, antes de tomar a decisão final. Ela ficou satisfeita, pois gostava de ambos.

Entre ela e o marido não havia propriamente incompatibilidade. Entretanto, eles tinham tipos psicológicos diferentes e um desnível cultural, que Adélia queria diminuir, fazendo o curso de letras. Ele era fechado, ela aberta. Ele introvertido, ela extrovertida. Ele calado, ela falante. Nas horas de contenda conjugal, Adélia chamava-o de "seco". Em contrapartida, ele a apelidava de "melosa". Às vezes, acabavam até rindo dos nomes que um dava ao outro durante as discussões. Mas na ligação que Adélia acabara de receber Maurício estava diferente, mais afável, mais carinhoso. Chegou a chamá-la de "meu bem". Isso era totalmente incomum. Disse também, com uma voz que denotava sensibilidade aguçada, que a amava. "Há algo estranho", ponderou Adélia. "Foi uma despedida", segredou-lhe uma voz que ela não soube dizer de onde viera.

"Pelo amor de Deus! O que é isso? Levantei-me fantasmagórica? É melhor ir logo para o trabalho a fim de ocupar minha mente com coisa mais útil." Pegou a bolsa e saiu rapidamente.

Na loja, depois de ter atendido duas pessoas, surgiu uma cliente antiga, que gostava de um bom papo. Isso foi uma bênção para Adélia. Enquanto conversava com a mulher, não dava espaço para pensamentos intrusos. Depois de algum tempo, a senhora escolheu um presente para a filha, pagou e saiu da loja. Em seguida, o telefone tocou e foi atendido por uma das vendedoras.

– Dona Adélia, é da faculdade. Disseram que é urgente.

– Meu Deus, o que será? Nunca ligam para cá.

Correu até o telefone e ouviu do diretor a notícia de que Maurício desmaiara no trajeto para o trabalho e fora levado ao hospital.

– O senhor sabe o que foi realmente?

– Não. Fui notificado por um policial. Mas fique tranquila, dona Adélia, a esta altura, ele já deve ter-se recuperado.

Adélia anotou o endereço do hospital e foi rapidamente para lá. Ao chegar, indicaram-lhe a ala para onde deveria se dirigir. Antes que pudesse achá-la, topou com o diretor da faculdade, que já a conhecia. Vinha lívido, olhando fixamente para ela.

– Já lhe falaram sobre Maurício?

– Não. O que foi?

– Ele teve um infarto do miocárdio enquanto dirigia no trajeto para a faculdade.

– Infarto? E como ele está agora?

– Perdão, dona Adélia. Seja forte neste momento. O ataque foi fulminante. Ele já chegou morto ao hospital.

O corredor ficou escuro para Adélia, que não enxergou mais nada. Foi socorrida e obrigada a ficar parte da manhã no hospital, em repouso. Depois disso, o diretor da faculdade informou-a de que todas as providências estavam sendo tomadas. Com seu consentimento, o velório seria feito na capela da faculdade. Quanto ao local do enterro, a escolha seria dela.

"Então foi isso", pensou Adélia. "Mao despediu-se mesmo de mim ao dizer que me amava. E procurou fazer a minha vontade ao reconsiderar a sua decisão sobre Ademar e Suzana. Tenho de contar-lhes isso. Direi mais: ele estava inclinado a mantê-los. Senti isso em suas últimas palavras. O diretor também deve ficar sabendo."

O velório foi bastante concorrido, pois Maurício era muito respeitado entre seus pares, superiores e alunos. Seus livros *Introdução à filosofia*, *O pensamento lógico* e *O racionalismo hoje* faziam parte das referências de todos os cursos da faculdade. O atual diretor, prestes a se aposentar, já apresentara o seu nome ao Conselho. Queria que Maurício o substituísse na direção da faculdade.

"Agora tudo foi por água abaixo", pensou Adélia, enquanto o cortejo caminhava tristemente pelas alas do cemitério e ela era amparada pelos filhos. "Tantas diferenças entre nós, mas, acima de tudo, pairava um amor muito grande. Amor sempre expresso por mim e oculto em seu peito. Tudo poderia ter sido mais idílico, mais romântico, se nós tivéssemos nos aproximado mais. Entretanto, as diferenças falavam mais alto, às vezes. Um poderia ter completado mais o outro, exatamente devido a essas diferenças. Contudo, não posso me queixar."

Adélia ficou a lembrar de muitos outros momentos e, de vez em vez, suspirava fundo, limpando as lágrimas que escorriam pelo rosto, a demonstrar a tristeza e a fadiga que tomavam conta da sua alma.

O diretor da faculdade iniciou um discurso inflamado em que exaltava as qualidades intelectuais e morais de Maurício. Adélia conseguiu ouvir apenas as primeiras palavras, ditas num tom comovido e enfático.

6

No leito de um hospital

Ao abrir os olhos, Maurício viu uma ampla janela recoberta por uma cortina branca, que parecia feita de tule de seda ou gaze translúcida. Virou os olhos e notou que estava num amplo dormitório, pintado de um azul muito claro, que lhe infundia paz e tranquilidade. Assim ficou algum tempo a olhar distraído para a janela. Mas, ao ver as alvas peças que recobriam a cama, pensou, assustado: "Estou num hospital! Sonhei que morrera, mas estou num hospital. O que será que aconteceu comigo?". Olhou melhor a seu lado direito e viu um senhor de seus sessenta a sessenta e cinco anos, que o fitava com atenção.

– O que estou fazendo aqui? – perguntou angustiado. – Quem é o senhor? Onde estou? Onde está minha esposa? Meus filhos? Meus amigos?

Rindo, o senhor respondeu:

– Vamos com calma. Você está se recuperando numa

casa de repouso. Sou também seu amigo. Meu nome é Vítor. Conhecemo-nos há muito tempo.

– Não me recordo da sua fisionomia.

– Logo vai se recordar. Quanto a seus amigos, virão aos poucos visitá-lo, quando puderem.

– Mas eu pensei que estava bem. Nada me havia acontecido. Meu Deus! Foi tudo um sonho. Já não sei mais nada. Estou muito confuso. O que aconteceu comigo, afinal? Estou enfartado?

– Não – respondeu Vítor com suavidade. – Você não está enfartado. Mas também não está em pleno estado de saúde, como pensava.

– E minha esposa? Meus filhos? Por que não estão aqui?

– Haverá o momento certo de você encontrar-se com eles.

– Desculpe-me. Tornei-me tão confuso que não sei se morri mesmo ou se estou vivo.

– As duas coisas, Maurício. Como se diz na Terra, você morreu. Já se desfez do corpo carnal. Mas continua vivo, como percebe.

– Vida após a morte?

– Ou vida após a vida.

– Mas, se estou num hospital, o que é que tenho?

– Descanse agora. E alimente-se. Você está precisando. – Assim dizendo, foi até a porta e trocou algumas palavras com alguém, que Maurício não pôde ver. Minutos depois, entrou uma jovem com uma jarra onde havia uma espécie de suco. Encheu um copo e deu-lhe na mão.

– Vou deixar a jarra aqui para você beber mais quando sentir vontade – disse solícita. – Se precisar de mim, pode apertar este botão. Sou Júlia.

– Obrigado, Júlia. Se precisar, com certeza vou chamá-la. Muito obrigado.

O suco tinha um gosto agradável. Bebeu dois copos. Sentiu uma leve tontura, que logo passou. Não foi difícil, de início, ingeri-lo, pois não tinha o sabor amargo de alguns remédios terrenos. Vítor, ao vê-lo refeito, disse que tinha de sair e voltaria mais tarde. Estava contente por encontrar o amigo melhor.

Maurício notava em Vítor alguns traços que não lhe eram desconhecidos. Não conseguia, entretanto, situá-lo no tempo e no espaço. Quem seria ele? Como poderia ser seu amigo se nem sequer sabia dizer de quem se tratava? Em meio a essa dúvida, porém, ressaltava um fato: Maurício começava a sentir uma grande simpatia pelo novo (ou velho?) amigo.

– Só mais uma pergunta, Vítor: Quanto tempo ainda tenho de permanecer aqui? Preciso estar junto dos meus familiares. Uma enorme saudade bate em meu peito.

– O tempo de permanência nesta casa de repouso depende de você, Maurício. Se atender às prescrições que lhe forem passadas, não precisará demorar-se muito.

Maurício começou a sentir um sono muito forte, não conseguindo mais falar nem fixar-se no amigo. Em pouco tempo estava adormecido.

***

Maurício não soube precisar quantos minutos ou horas permaneceu dormindo naquela cama de hospital ou casa de repouso, como dissera Vítor. Da janela semicerrada pelas cortinas brancas continuava a sair uma luz alva, que lhe dava uma agradável sensação de paz.

– Como vai, Maurício? Sente-se melhor? – era a voz de Vítor.

Espreitou à sua esquerda e viu aquele senhor sorridente sentado a seu lado.

– Penso que sim. Há, porém, uma sensação esquisita no peito. Uma opressão. Mas... e Adélia? Se deixei a Terra, se deixei o meu lar, o que é feito dela? Como está se sentindo? Está conseguindo administrar a situação? E meus filhos? Por que não me cuidei mais? O médico já me dissera há muito tempo que o vício do cigarro poderia acabar comigo. A comida em excesso... Colesterol... Vítor, fui eu que dei fim em mim mesmo, sem sequer pensar naqueles a quem amo.

Grossas lágrimas escorriam de seus olhos. Olhava para o vazio, tentando recordar-se de cada pessoa de sua família.

– Deixei explodir uma carreira de sucesso. Por quê? Sabe que eu seria escolhido como novo diretor da faculdade? Até isso perdi. Será que Adélia dará conta de tudo sozinha? O que fui fazer, meu Deus!

– Tranquilize-se, Maurício. Seus familiares estão sendo devidamente amparados. Falaremos com vagar a esse respeito. Mas você não pode se exaltar. Mantenha-se calmo.

Vítor não lhe deu ouvidos. Juntou as duas mãos no peito e deu um grito, dizendo:

– É ele! Está de volta! O infarto do miocárdio!

Uma senhora, vestida de branco, chamada por Vítor, entrou depressa e pousou a mão direita na fronte de Maurício, dizendo com serenidade:

– Já vai passar. É você quem está provocando essa dor. Deixe de pensar com aflição e remorso nos seus familiares e nos seus problemas. Os que você ama estão recebendo ajuda irrestrita. Tranquilize-se, Maurício. Relaxe... Relaxe...

A voz suave e tranquilizante fez com que Maurício fosse relaxando aos poucos até cair num sono profundo. Ao acordar, estava mais calmo. O quarto estava vazio, mas em pouco tempo surgiu à porta Júlia, levando-lhe um copo cheio de um líquido cristalino, à semelhança de água, mas com uma leve aura de luminosidade branco-azulada. Após tomar o líquido refrescante, Maurício fechou lentamente os olhos e voltou a adormecer placidamente.

***

– E hoje, como está, Maurício? Mais tranquilo? – Quem assim perguntava era a senhora de branco. Ainda sonolento, Maurício apenas assentiu com um leve movimento de cabeça e um sorriso nos lábios.

– Sou Marlene e estou aqui para ajudá-lo a se recuperar. Quando eu não estiver, pode contar com Júlia.

– Obrigado, Marlene. Aliás, você é médica?

– Sim. E estou designada a ajudá-lo a se recuperar.

– Mais uma vez: desculpe-me. Devo chamá-la de doutora.

– Não, não é necessário. Diga apenas Marlene e estará muito bem.

– Se assim deseja...

– É assim que nos tratamos. Júlia é enfermeira e nos presta um serviço inestimável.

– Simpatizei-me com ela desde a primeira vez que me dirigiu a palavra.

– Bem, a região do seu coração ainda inspira cuidados. Você abusou demais, Maurício. Tudo seria diferente se você não tivesse se fechado numa cúpula de egocentrismo. A profissão de professor não se resume em colecionar conhecimentos para lançá-los sobre os outros ou títulos para ostentar em conferências e em orelhas de livros.

Maurício quis retrucar. Afinal, de magistério ele entendia muito bem. Era considerado por muitos o professor mais culto da faculdade. Não teve, porém, coragem para abrir a boca.

– Ser mais culto não significa ser um professor competente – respondeu Marlene.

Sentiu vergonha. Então, ela podia ler os seus pensamentos?

– Magistério é doação, Maurício, e não exibicionismo. Nem disputa a respeito de quem é o melhor professor. Ainda ontem, uma jovem senhora veio a esta colônia para proferir uma palestra. Quando encarnada, lecionava numa pequena cidade do interior de Minas Gerais, que nem sequer tinha uma livraria. Um horror para você, certamente. No entanto, Margarida esqueceu-se totalmente de si mesma para educar crianças analfabetas. Educar, no sentido pleno da palavra, e não simplesmente instruir. Não possuía um décimo da sua bagagem cultural, mas tinha um objetivo nobre: alfabetizar aquelas crianças e dar-lhes diretrizes morais e espirituais que lhes permitissem se tornar seres humanos completos, integrais. E, em seus poucos anos de magistério, não deixou um dia de perseguir esse alvo.

Maurício sentiu-se humilhado, pois não podia deixar de dar razão a Marlene. Ele tinha uma ponta de prazer em ostentar conhecimento. Ah! Isso ele tinha. Não se interessava muito em saber se os alunos haviam aprendido, mas se havia passado com correção o conteúdo das suas aulas, planejadas passo a passo. "Isso", pensou em sua defesa, "é também uma forma de presentear os alunos com o que há de melhor".

– Não é a maneira certa de educá-los, Maurício. Você continua a pensar em ostentação e insiste em instrução, em vez de educação.

– Você está certa. Desculpe-me.

– Não pense, porém, que estou aqui para julgá-lo. O julgamento tem de ser seu. Apenas digo isso para lhe mostrar que, se quiser ter alta logo, será preciso começar a deixar a cápsula de egoísmo e voltar-se mais para os outros, com um verdadeiro interesse de servir, de ajudar. Os males mais variados que nos afligem começam em nós, por nós, e têm de ser eliminados também por nós, por meio do nosso próprio esforço. Não permaneça afogado em lamentações inúteis, nem se sinta um coitadinho ou um injustiçado. Não se concentre nas suas próprias dores. Busque ajudar a sanar as dores dos outros. Ame-se, concentrando-se naquilo que realmente você tem de bom e, a partir daí, propague o seu amor, alcançando os seus semelhantes.

Fez-se um silêncio em que Maurício ficou a pensar na justeza das palavras que ouvira. Para amenizar a situação, resolveu perguntar:

– E essa professora? Por que veio para cá tão cedo se estava fazendo tudo certo?

– Bem, ela não desencarnou agora. Já faz algum tempo. E se desencarnou cedo foi porque já havia cumprido suas tarefas na Terra. Fez escola. Hoje há quem prossiga o seu trabalho. Ela não reside em nossa colônia, mas em outra, destinada a espíritos mais elevados.

– E poderei conhecê-la? Aprender com ela?

– Vejo que você começou a romper a cápsula, Maurício. Isso é ótimo. Claro que você poderá conhecê-la. Entretanto, é preciso ficar mais tempo por aqui para seu refazimento completo. Tudo tem o seu tempo. Fique, porém, tranquilo. Logo, logo – talvez mais cedo do que você imagina –, poderei apresentar-lhe Margarida.

Maurício ficou a pensar na qualidade do seu magistério, quando ainda lecionava na faculdade. As afirmações de Marlene encerravam a mais pura verdade.

7

O show tem de continuar

NÃO FOI NADA FÁCIL PARA ADÉLIA passar os primeiros três meses sem a presença de Maurício. A sua imagem não lhe saía da memória, assim como as recordações da vida de casados.

Adélia havia encontrado um texto nos pertences do marido A *sabedoria através dos tempos*. Abrindo-o, percebeu que se tratava de uma coletânea de citações de grandes pensadores, escritores, cientistas e santos, acrescidas de considerações feitas por Maurício. Assim, ela colocou-o no criado-mudo e todas as noites relia as citações que Maurício recolhera e sobre as quais tecera os seus comentários. O "livro", como ela simplesmente o chamava, ajudou-a muito nessa fase de transição de um período para outro de vida.

A leitura era uma forma de senti-lo próximo de si. Assim, os poucos momentos que passava em sua casa eram muitas vezes recheados com uma leitura contínua do "livro":

"Gosto da vida porque gosto de mim mesmo e compreendo a honra que me foi feita quando vim ao mundo para aí ter conhecimento de toda a luz e de toda a grande ciência humana" – Santo Agostinho.

"Santo Agostinho mostra aqui", escreveu Maurício, "o quanto é importante amar a si mesmo quando se quer amar a vida. Quando li esta passagem, estava um tanto cabisbaixo devido aos problemas da faculdade. Isto me fez desgostar um pouco da vida. Entretanto, após o contato com este pensamento, passei a pensar mais em mim mesmo. Ou melhor, passei a gostar mais de mim mesmo para poder gostar da vida que venho construindo. Quando deixo de gostar de mim, afasto-me também daqueles a quem amo: Adélia, Luísa, Ricardo, assim como Renata e Pascoal. Posso dizer que agora as coisas estão mudando. Se os problemas persistem, não interferem em meu amor pela vida, pois não intervêm no meu amor por mim mesmo e, consequentemente, no amor que dedico aos meus".

"Se ele pouco declarava o seu amor", pensou Adélia, "não significa que não nos amasse. Esta é uma prova conclusiva de que éramos amados por ele. Fico feliz, se assim posso dizer, por saber o quanto ele nos amava. Nós também sempre o amamos, Mao, e sempre o amaremos."

Mais adiante havia uma reflexão de Léon Denis, de quem lera uma das obras por insistência de um aluno da faculdade, admirado por ele:

"Nos meios universitários, uma completa incerteza ainda reina sobre a solução do problema mais importante com que o homem se defronta no decorrer de sua passagem pela Terra. Essa incerteza se reflete em todo o ensino. Uma boa parte dos professores e pedagogos afasta sistematicamente de suas lições tudo o que se refere ao *problema da vida*, às questões de seu objetivo e finalidade."

E o comentário de Maurício: "Sem dúvida, Denis estava com a razão e, se fosse vivo, ainda estaria, pois não tenho notado, em anos de magistério, muita preocupação dos professores com o problema da vida. Quem somos? De onde viemos? Qual é o nosso objetivo na vida? Qual a finalidade de estarmos aqui? O que será de nós após a morte? Estas interrogações parecem passar despercebidas no meio acadêmico. No entanto, elas são fundamentais para darmos uma orientação a nossa vida pessoal. Dependendo das respostas que obtivermos, o rumo da nossa existência será totalmente diferente daquele que estamos imprimindo hoje a ela. E eu? Como é que respondo a cada uma dessas interrogações?".

Não havia resposta. Adélia ficou pensativa. Como teria Maurício solucionado esses problemas existenciais?

***

A vida dela mudou muito depois que Maurício desencarnou. Além de trabalhar mais, teve de resolver problemas que comumente estavam a cargo dele. Mas o que mais doía em seu peito era a solidão quando estava dentro de casa, à noite. Um grande vazio tomou conta da sua alma e uma tristeza profunda se instalou em seu coração, convertendo-se em estado depressivo. Nada mais lhe causava alegria, nada lhe dava satisfação.

De quase nada lhe valeram as visitas constantes dos filhos e familiares, que também nos fins de semana nunca deixavam que ela ficasse em casa, levando-a para almoçar em suas casas ou em restaurantes previamente escolhidos. Aos poucos, ela foi recusando os convites e permanecendo reclusa em sua própria residência. De início, os únicos momentos em que ela se esquecia um pouco de Maurício era quando estava trabalhando. No entanto, com o passar do tempo, até mesmo na loja, ela começou a ficar alheada a tudo o que estava ocorrendo à sua volta, atrapalhando-se para fazer as contas ou levando aos clientes mercadorias que não tinham sido solicitadas. Quando deixou de atender clientes para ficar apenas atrás da máquina registradora, as funcionárias acharam que era o momento de avisar seus filhos. Ligaram para Luísa e explicaram o que estava acontecendo. Preocupada, a filha conversou com Ricardo e ambos foram ter com a mãe para decidir o que poderiam fazer. Adélia desconversou, disse que era exagero das vendedoras, mas foi praticamente obrigada pelos filhos a fazer psicoterapia. A contragosto, ela foi para a primeira visita ao psicólogo. Seu nome era Lauro, tinha 50 anos e grande experiência em análise.

– Vim até aqui praticamente empurrada por meus filhos. Não sei o que você pode fazer por mim. Ressuscitar o meu marido, certamente não conseguirá, portanto, creio não fazer muito sentido a minha presença em seu consultório. Desculpe-me. Não quero ofendê-lo, mas me sinto totalmente desamparada diante da vida, e acabo por agredir quem não merece. Queira me desculpar.

– Conte-me como tem sido a sua vida após o falecimento do seu marido.

– Bem, para dizer a verdade, o mundo acabou para mim. Não tenho vontade de fazer mais nada. Perdi o gosto pelo trabalho. Só consigo pensar nele e na tristeza de ter de viver sozinha. Até pensamentos estranhos já rondaram a minha mente...

– Quais?

– Tenho vergonha de dizer...

– Somente quando expressamos o que estamos pensando podemos conseguir meios de eliminar os pensamentos que nos prejudicam e de instalar aqueles que nos podem ajudar, Adélia.

– Bem... Tem vindo a minha mente o pensamento... O pensamento terrível do suicídio. Pronto! Nem meus filhos estão sabendo disso. Por favor, guarde segredo.

– Fique tranquila. Diga com mais clareza quais são exatamente os pensamentos que você elabora quando pensa em suicídio.

– Penso algo como: "Será que não é melhor eu deixar tudo e desaparecer de uma vez por todas desta vida?". Afinal de contas, quando alguém morre, costumam dizer que descansou, não é mesmo? Pois eu estou há meses sem descanso e parece que nunca mais o terei na vida.

Com o suicídio, meus filhos não precisam mais se preocupar comigo e eu deixo de sofrer.

– Qual é o sentimento que mais a perturba?

– A solidão. Não suporto a solidão, e a minha vida hoje é uma solidão completa. Irreversível. Não sei se vou aguentar. Não sei...

Adélia entrou num choro convulsivo, que havia muito tempo estava sufocado em sua garganta. Chorou muito e depois caiu em profundo silêncio. Mais tarde, quando deixava o consultório, após sua primeira sessão, disse a Lauro:

– Por incrível que pareça, estou melhor agora. Quando entrei aqui, não tinha ânimo nem mesmo para falar. Eu penso que você já começou a me ajudar. Estarei aqui para a segunda sessão.

Adélia não conhecia psicoterapia, de modo que achava que ficaria ouvindo conselhos atrás de conselhos, como todas as pessoas com quem conversara tinham feito até aquele momento. Ou receberia reprimendas por estar alimentando pensamentos destrutivos. Mas nada disso acontecera na sessão. Ia voltar para casa, mas resolveu passar antes na loja. Foi recebida com alegria pelas funcionárias, que a consideravam uma grande amiga. Só voltou a seu apartamento após baixar a porta do estabelecimento, às oito horas da noite.

Mas nem todos os dias posteriores foram assim tão proveitosos. Três dias depois, ela se levantou com dor de cabeça após uma noite de pesadelos e resolveu que ficaria na cama o dia todo. A saudade de Maurício bateu forte. Por que ele partira? Que pecado teria ela cometido para sofrer tamanho castigo? As respostas que encontrava não eram nada satisfatórias. Isso lhe causava um misto de raiva e tristeza. Entretanto, ficar fechado em si mesmo remoendo raiva e tristeza não pode fazer bem algum a ninguém. Quando passamos a nos alimentar de emoções que não nos ajudam a recuperar o equilíbrio, a paz e a harmonia, além de nos prejudicar, ainda atraímos, pela sintonia, espíritos que estavam esperando exatamente aquele momento para nos influenciar negativamente. Isso aconteceu com Adélia.

– Vamos lá, Sebastião. Ela está prontinha para nos ouvir.

– Acho que chegou o momento.

Sebastião e Maria eram dois desafetos de Adélia em encarnação passada. Tinham sido escravos em um casarão de propriedade do pai dela, um rico barão acostumado a destratar todos aqueles que estavam sob as suas ordens. A moça, mimada e geniosa, também não tinha a mínima consideração pelos escravos que a serviam. Entre eles, Sebastião e Maria eram os que tinham o dever de servir a todos os seus caprichos. Assim transcorreu toda a sua meninice e juventude até a noite em que, por descuido, Maria deixou cair uma lamparina sobre um vestido que Adélia deixara na cama para ser passado e usado numa visita que faria na manhã seguinte. Apesar da rapidez da escrava, o fogo da lamparina chamuscou o vestido em sua parte inferior, perto da barra. Quase não dava perceber e poderia ser consertado com certa facilidade. Maria prontificou-se a fazer o conserto imediatamente, mas, quando Adélia viu a minúscula mancha, teve um ataque de fúria, estapeando a escrava e batendo com um castiçal pesado em sua cabeça. Sebastião, admirador de Maria, ao tomar conhecimento do que estava acontecendo, correu para o quarto e segurou a mão de Adélia, que mandou chamar o seu pai e contou uma história muito diferente. O pai, sem ouvir mais ninguém, prendeu os dois escravos num quarto e, na manhã seguinte, ordenou que fossem punidos no pelourinho com muitas chibatadas. Depois desse fato, Sebastião e Maria passaram a fazer os piores serviços da casa. A situação foi ficando tão difícil para os dois escravos, que eles resolveram fugir. Assim, na primeira oportunidade, saíram do casarão e embrenharam-se na mata que rodeava a cidade. Por três dias foram procurados em toda a região, mas conseguiram esconder-se num local de difícil acesso e visibilidade, de modo que não foram notados. No entanto, com fome e sede, tiveram de deixar o abrigo e foram vistos por um grupo de soldados que os procurava. Tentaram fugir e foram mortos, como ordenara o barão. Assim terminou a encarnação desses dois espíritos sofridos, que passaram a alimentar ódio mortal pela jovem. Adélia teve uma breve existência, vindo a desencarnar logo após os escravos, vítima da tuberculose. Pouco antes do falecimento, ela contou aos pais a verdade sobre os dois escravos. Deixou o plano terreno com o arrependimento na alma.

No intervalo entre essa encarnação e a atual, Adélia teve oportunidade de melhorar-se, aprendendo muitas lições e cumprindo várias tarefas de amor ao semelhante. Mas não conseguiu o perdão dos ex-escravos. Quando Maurício desencarnou, eles pensaram ter encontrado o momento certo para fazer cumprir o seu plano de vingança. E agora, finalmente, encontravam a sintonia necessária para agir. Em sua última encarnação, Adélia chamava-se Mariana, de modo que assim eles ainda a tratavam.

– Mariana está enredada em pensamentos soturnos de desânimo e desespero. Basta que insuflemos cada vez mais sentimentos de dor e desesperança.

– É verdade, Maria. Chegou a nossa vez.

Assim, Maria começou a sugerir a Adélia pensamentos de profunda tristeza e revolta. "Não sei mesmo se vale a pena continuar vivendo assim", pensou a viúva. "A minha vida perdeu o significado. Sinto-me como se estivesse caindo num buraco negro. O meu interior é um vazio completo. Nada mais me agrada, nada me dá alegria. É tudo muito estranho.

O mais certo, o mais lógico, não seria exatamente cortar o mal pela raiz? Escolheria uma morte suave, que se extinguisse lentamente até o nada final. Não se tornaria feliz com isso, mas também não continuaria com a amargura e o desespero no coração. Tudo seria feito sem alarde e sem cerimônia, no silêncio da noite, quando, ao dormirem a fé e a esperança, ressurgem no coração dos aflitos a dor, a angústia e a aflição. Não seria melhor assim?"

Sebastião e Maria riam e faziam caretas cada vez que Adélia concluía que o melhor mesmo era deixar esta vida.

– É isso mesmo, vadia. Meta uma bala na cabeça, tome uma overdose de barbitúricos, faça o que quiser, mas vá até o fundo do poço.

– Um dia é do caçador, mas o outro é da caça – disse Sebastião com ar de ódio. – Quando nós fomos a caça, você fez o que bem entendeu. Mas hoje a caça é mais forte que você. Sofra, vagabunda. Quanto mais você sofrer, mais estaremos satisfeitos. Sofra! Morra!

Adélia estava entrando num estado lastimável. A sua sintonia com Maria e Sebastião fazia com que se envolvesse até o pescoço com pensamentos de revolta, dor e morte.

O toque da campainha mudou o rumo dos acontecimentos. "Quem será agora? Não tenho ânimo para descer e abrir a porta. Não vou atender." Mas a campainha tocou pela segunda vez. Como não houvesse resposta, Adélia ouviu que a porta estava sendo aberta com uma chave em poder do visitante. "É Ricardo ou Luísa", pensou. "Não sei por que fui permitir que fizessem cópia das minhas chaves." E procurou levantar-se para que não fosse pega na cama às onze horas da manhã. Os visitantes, porém, foram mais rápidos, chegando em pouco tempo a seu quarto.

– Mãe, o que está acontecendo? Como a senhora está?

Era Ricardo e a esposa, que olhavam com ares de interrogação para Adélia. Sebastião e Maria, com enorme desagrado, colocaram-se num dos cantos do dormitório. Adélia, sem saber muito bem o que fazer, deu um sorriso sem graça.

– A senhora está com uma fisionomia muito abatida. O que aconteceu?

– Não tive coragem de me levantar. Fiquei presa na cama. Nada mais que isso.

– Dona Adélia, a senhora não pode se deixar abater. Sei como é triste toda esta situação, mas a senhora tem de sair vencedora. Vou ajudá-la a se levantar.

– Tudo bem, Renata. Não se preocupe, foi só um pouco de desânimo.

– Um pouco de desânimo, uma ova! – berrou Maria. – Você vai morrer, desgraçada! Vai pagar pelo que nos fez.

– A senhora vai almoçar conosco, mãe. Não dá para ficar sozinha em casa. É a falta de companhia que faz com que a pessoa, aos poucos, vá se afastando do convívio com os outros.

– É verdade, dona Adélia. Façamos o seguinte: primeiro vamos almoçar numa cantina italiana muito animada, depois vamos ao shopping fazer compras.

– Não, Renata. Não se preocupe comigo. Não sou boa companhia. Vão vocês dois. Eu almoço aqui em casa.

– De modo algum. A senhora vai conosco – aparteou Ricardo.

Adélia não teve meios de escapar. O filho e a nora estavam irredutíveis. Ela teve de se levantar, tomar um demorado banho, aprontar-se e sair com eles. Já mais animada, desceu as escadas, foi até a sala e, sem ter muito bem o que falar, olhou para o filho e a nora e disse, tentando dar força às palavras:

– É verdade. O show tem de continuar!

As sombras ocultas no canto do dormitório não se deram por vencidas:

– Ficaremos aqui até ela voltar. Foi difícil encontrá-la. Não vamos deixá-la escapar – disse Maria, com ódio no coração.

8

Em recuperação

As conversas com Vítor e Marlene foram de fundamental importância para a recuperação de Maurício. Um aspecto importante para o seu pleno restabelecimento foi a compreensão de que o ser humano é responsável por tudo o que pensa, sente e faz. Embora tivesse sido um grande conhecedor da filosofia e tivesse muitas vezes ensinado a relação entre determinismo e liberdade, tudo se limitava exclusivamente ao plano das ideias. Viver a convicção do livre-arbítrio era algo diferente.

– Segundo Jean-Paul Sartre, o homem está condenado a ser livre. Não há como não ser livre. A liberdade é o fundamento das ações humanas. Ela não se resume a um capricho momentâneo do indivíduo: permanece na mais íntima estrutura da existência, é a própria existência do indivíduo humano.

– Mas há limites para a liberdade, professor. Todos sabemos que o indivíduo tem limitações históricas, sociais, econômicas, assim como biológicas e psicológicas.

– De acordo com Sartre, nenhum limite para a minha liberdade pode ser estabelecido, exceto a própria liberdade, ou, se você preferir: nós não somos livres para deixar de ser livres. Mas, de qualquer modo, a liberdade é um atributo do ser humano. Mesmo que admitamos que ela seja limitada ou relativa, ainda assim predomina o livre-arbítrio. O que realmente quero dizer é que construímos a nós mesmos na medida em que o livre-arbítrio faz parte essencial do nosso ser.

Se em sala de aula, na dimensão teórica, essa era a maneira pela qual Maurício iniciava a sua exposição sobre a liberdade, quando já estava no plano espiritual não foi bem assim que começou a encarar a sua nova existência e os seus novos desafios. De início, ele esperava que apenas bebendo os líquidos curativos que recebia ficaria totalmente são. No entanto, com o passar do tempo, descobriu que principalmente dele dependia a cura. Não era possível ficar passivamente à espera da recuperação. Como ele teria dito, quando vestido pelo corpo físico: "Nós construímos a nossa doença, assim como edificamos a nossa saúde. Somos livres para ser doentes ou sãos".

Notando que Maurício não procurava melhorar a qualidade dos seus pensamentos, Marlene lhe disse que "o pensamento é a fonte de onde jorram os atos". As palavras são a expressão verbal dos pensamentos e os atos a sua concretização. Daí a importância de cultivar apenas pensamentos que trouxessem paz, amor e serenidade.

Quando pensava em Adélia e nos filhos, Maurício

sentia que a sua energia era truncada, o equilíbrio era rompido, o coração começava a doer. Com muito esforço, no início, depositava seus pensamentos noutras paragens. Quando assim agia, o equilíbrio era restaurado. Ele reencontrava a tranquilidade e a harmonia interior. Vítor advertira-o também da necessidade da prece.

– Em vez de se afligir, aproveite-se das bênçãos do arrependimento que tomou conta da sua alma. E confie no Mestre Divino, seguro de que, por meio do trabalho de todos os que se dedicam a seu restabelecimento, Ele vai lhe inspirar a maneira correta de prosseguir o caminho da sua evolução. Ore, deixando as palavras fluir do seu coração. Dialogue com o Pai e com o Mestre. Deixe que as coisas se encaminhem de acordo com o seu merecimento. O importante é que você se esforce para melhorar, agindo de acordo com as orientações que vem recebendo.

A partir daí, Maurício começou a conversar com Deus por meio de Jesus, expondo a sua situação e o desejo de mudar para melhor. Já não achava que havia sido um excelente professor, pois se esquecera do principal: os alunos. Suas aulas tinham sido ricas em ideias e teorias, em pensamentos e vocábulos advindos da sabedoria secular. Entretanto, ele não conseguia sair do círculo estreito do intelecto. A qualidade espiritual das suas aulas fora nula ou quase isso. Dissera-lhe Marlene nos dias em que estivera ao pé da cama a orientá-lo:

– Você foi sempre um professor. Mas esteve apenas envolvido consigo mesmo, de modo a perder contato com seus alunos, que eram pessoas como você, passando por um estágio individual de evolução. Eles precisavam das suas palavras e do seu exemplo para poderem medrar e dar bons frutos. A educação, Maurício, é o caminho para o progresso moral. O grande educador, Allan Kardec, disse certa vez que "A educação, bem entendida, é a chave do progresso moral; quando se conhecer a arte de manejar os caracteres, o conjunto de qualidades do homem, como se conhece a de manejar as inteligências, poder-se-á endireitá-los, da mesma forma como se endireitam plantas novas". E disse mais: "É um grave erro acreditar que basta ter o conhecimento da ciência para exercê-la com proveito". O que se deve buscar é o progresso moral, tanto quanto o intelectual. Mas para isso são necessários muito tato, muita experiência e uma profunda observação. É preciso estar motivado para semelhante empreitada. Infelizmente, ainda são poucos os professores que pensam e agem desse modo.

– Isso me deixa muito envergonhado, Marlene. Afinal, fui grande admirador de Sócrates, que deu a vida pelo crescimento moral dos jovens da sua cidade. Quantas vezes fiz meus alunos ler e reler a "Apologia de Sócrates", escrita por Platão. Nesse discurso estão claras as suas qualidades, que eram as mesmas que ele pregava como necessárias ao desenvolvimento moral dos Homens. No entanto, você bem disse, tudo isso não passava de uma análise meramente intelectual e erudita. Era como se tudo aquilo se referisse a uma época distante e que nada mais tivesse a ver com o ser humano do presente. No afã de ensinar, deixei de fazer o essencial: educar.

A cada dia, novo diálogo era travado com Marlene ou com Vítor. A somatória de tudo foi uma mudança constante por parte de Maurício. Ele assimilava rapidamente o que ouvia, relacionando-o à sua última encarnação. Com isso, passava a pôr em prática as lições de liberdade que haviam ficado apenas no plano teórico. Com seu livre-arbítrio, ele começava a construir um novo ser.

– Você não foi má pessoa – disse-lhe certo dia Marlene –, mas também não era um homem de bem. Ser bom não se resume em não ser mau. Para ser bom é necessário construir no terreno do bem. Leia este pequeno texto e você entenderá o que acabo de lhe dizer. Certamente, você ainda não o conhece, embora tenha sido divulgado desde o século dezenove.

Marlene referia-se à questão 918 de *O Livro dos Espíritos*. A sós, o ex-professor abriu o papel e leu o título: "Homem de Bem". Pousou os olhos sobre a alvura da parede e pensou: "Certamente, agora vou entender exatamente o que Marlene quis dizer há pouco". E continuou bem-humorado: "Parece que somente agora consigo dizer como Sócrates: *Nada sei. Só sei que nada sei*". E iniciou a leitura do texto:

> *O verdadeiro homem de bem é aquele que pratica a lei de justiça, de amor e de caridade em sua maior pureza. Se interroga a sua consciência sobre os atos praticados,*

pergunta se não violou essa lei, se não cometeu nenhum mal, se fez todo o bem que podia; se ninguém tem do que se queixar dele; enfim, se tem feito para os outros tudo o que queria que os outros lhe fizessem.

O homem imbuído do sentimento de caridade e de amor ao próximo faz o bem pelo bem, sem expectativas de recompensa, e sacrifica o seu interesse pela justiça.

Ele é bom, humano e benevolente para com todos, porque vê irmãos em todos os homens, sem exceção de raça ou crença.

Se Deus deu-lhe o poder e a riqueza, olha essas coisas como um depósito do qual deve fazer uso para o bem, e disso não se envaidece, porque sabe que Deus, que os concedeu, poderá igualmente retirá-los.

Se a ordem social colocou homens sob a sua dependência, trata-os com bondade e benevolência, porque são seus iguais perante Deus; usa de sua autoridade para lhes erguer o moral e não para oprimi-los com o seu orgulho.

É indulgente para com as fraquezas dos outros, porque sabe que ele mesmo tem necessidade de indulgência e chama para si as palavras do Cristo: "Aquele que estiver sem pecado, que atire a primeira pedra".

Não é vingativo: a exemplo de Jesus, perdoa as ofensas para lembrar-se apenas dos benefícios, porque sabe que será perdoado assim como perdoou.

Respeita nos seus semelhantes todos os direitos decorrentes da lei natural, assim como gostaria que os seus fossem respeitados.

Depois de ler este curto texto por quatro ou cinco vezes, Maurício deteve-se em dois pontos:

O primeiro deles, logo no início, quando se fala em "lei de justiça, de amor e de caridade". Ele não pensava que tivesse sido injusto, fosse em família, no relacionamento com a esposa e os filhos, fosse na faculdade, no tocante aos professores sob a sua coordenação e aos alunos. Poderia ter sido exigente, mas não injusto. Queria apenas um ensino de qualidade elevada. E, para isso, precisava exigir muito dos professores e dos alunos. "Não", pensava, "injusto não fui". Nesse momento, lembrou-se dos dois professores que quase demitira antes do infarto que sofrera. E começou a refletir com mais profundidade. "Será que quase cometi uma grave injustiça com aqueles dois jovens? O sonho que tive naquela manhã apontava para isso. E será que não agi assim em outras circunstâncias da minha vida?" Isso lhe causava tristeza e arrependimento. Quando começava a se debater naquele ponto, inconformado com o que poderia ter feito em mais de uma década como coordenador de curso, a dor aguda no peito voltava, e ele precisava ser medicado. Precisou de muito tempo para assimilar prováveis injustiças que praticara vez por outra.

Quanto à lei de amor e de caridade, não tinha dúvidas: realmente as infligira. "Meu relacionamento com os outros era muito mais de justiça que de compreensão, amor ou caridade. Aliás, caridade tinha para mim um sentido pejorativo. Isso faltou em minha vida... e muito. Até mesmo no relacionamento com Adélia, Ricardo e Luísa."

Nesses momentos, seus olhos marejavam e ele chorava abundantemente.

O segundo ponto que lhe prendeu a atenção foi a passagem que dizia: "Respeita nos seus semelhantes todos os direitos decorrentes da lei natural, assim como gostaria que os seus fossem respeitados". Ao repassar inúmeras vezes essa mensagem, Maurício perguntava se com sua inflexibilidade e rigidez costumeiras não teria passado por cima dos direitos alheios. Para seu desespero, a conclusão era que, mesmo sem ter pensado nisso, esmagara cabeças em casa e, principalmente, na faculdade. Era difícil admitir, porém, não poderia ocultar de si mesmo. Era preciso olhar-se no espelho da verdade e enfrentar a própria imagem. Mesmo extremamente dolorido, isso era melhor que a fuga ou a mentira.

As reflexões de Maurício eram constantes, apenas deixando de acontecer quando recebia a visita de Marlene ou Vítor. Caminhava lentamente rumo à recuperação, processava-se no seu interior a "lei do progresso". Lenta, mas inexorável...

9

A história de Bentinho

O PASSEIO DE ADÉLIA COM O FILHO e a nora fez-lhe muito bem. Em primeiro lugar, dirigiram-se a uma cantina italiana. Além de saborear saladas e massas, puderam ouvir alegres canções napolitanas e clássicas tarantelas. A conversa entre os três foi leve e sempre voltada para aspectos positivos da vida. Ricardo e Renata queriam que Adélia voltasse a viver, pois se demitira da vida havia algum tempo, insistindo em estar só e perdida em reflexões soturnas. O intuito deles era mostrar que a vida continuava e que devia ser vivida com toda a intensidade. Sem dúvida, a fisionomia de Adélia mudou e ela conseguiu entabular uma agradável conversa, quase como fazia antes do desencarne de Maurício. Quando deixou a cantina, era outra pessoa. Mas o passeio não terminara. Ricardo teve de fazer uma visita especial a um dos primeiros clientes que conseguira, logo no início da carreira, e Renata seguiu com Adélia para um shopping, nas proximidades.

O burburinho das pessoas conversando e a beleza das vitrines animaram ainda mais Adélia, que resolveu comprar um par de sapatos. Quando deixaram o shopping, já anoitecia. Convidada a dormir no apartamento do filho, Adélia recusou.

Quando entrou em sua residência, num canto escuro, uma voz lúgubre fez-se ouvir no silêncio profundo do aposento:

– Agora chega de brincadeiras. Vamos atacar pra valer.

Entretanto, ela estava exausta. Tomou um ligeiro banho, deitou-se e dormiu em poucos minutos. Parecia que tudo estava bem, mas, assim que puderam, Sebastião e Maria se acercaram de seu corpo, esperando que a alma se projetasse para o plano extraterreno. Depois de algum tempo, Adélia fazia-se presente sobre o corpo inerte na cama. Quando se preparava para uma viagem a outro local, foi abordada pelos ex-escravos:

– Espere aí, sua vadia. Você não vai sair assim, não. Venha cá. Temos contas a acertar.

Adélia assustou-se. Quem seriam eles?

– Não se lembra mais da gente, não? Será que é porque nunca prestou atenção em nossa cara? Por que uma filha de conde iria olhar pro focinho de dois escravos maltrapilhos, não é mesmo?

Maria, mais afoita, puxou Adélia pelo braço e berrou:

– Fique quietinha aí e olhe bem pra nós.

Adélia olhou com vagar e, na rapidez de um relâmpago, identificou-os. A lembrança da última encarnação fez-se com muita clareza, e ela se lembrou do mal que causara aos dois escravos. Sem saber o que dizer, ficou petrificada.

– E aí? Já se lembrou de nós?

– Sim, eu me lembro.

– Quais os nossos nomes, então?

– Maria e Sebastião.

– É isso aí. E se lembra também do que nos fez?

– Sim... Eu...

– Então vai dizer para nós tintim por tintim tudo de mau que nos fez, sua desgraçada.

Nenhum deles, entretanto, percebeu que outro espírito estava presente, prestando muita atenção em tudo o que acontecia sem interferir.

– Eu fui a patroa de vocês na Fazenda Esperança.

– Bela a esperança que você nos deu, não é mesmo?

– É verdade. Eu fui injusta.

– Injusta, mentirosa e perversa! – aparteou Sebastião.

– Concordo. Eu persegui vocês e acabei por levá-los à morte. Arrependo-me profundamente por tudo o que fiz.

– Ah, é? Arrepende-se e está tudo bem? É só isso?

– Não, não é só isso. Depois que vocês faleceram, eu fui acometida de tuberculose. Sofri muito, podem acreditar. Fui perseguida por vocês também no plano astral. Não se lembram?

– Eu só me lembro de que dois "anjinhos sem asa" apareceram para livrar você de nossas garras. Você ainda não pagou o que nos deve. Agora, porém, estamos só nós aqui. Desta vez você não nos escapa. Vamos acompanhá-la minuto a minuto para que você sofra eternamente, sua vagabunda.

– Pelo amor de Deus! Tenham pena de mim!

– Você teve pena de nós?

– Vocês não percebem que ainda estou pagando por tudo o que fiz?

– Só porque o professorzinho deixou a sua companhia?

– Você sabia que eu tinha um filho na barriga? Meu Bentinho nunca pôde ver a luz do sol por sua causa – falou Maria comovida.

– O que você disse?

– Você escutou bem: eu tinha um filho no bucho. E ele morreu comigo.

– Meu Deus!

– Não tem Deus, não, mulher. Você tem muito ainda que sofrer. A morte do professorzinho foi só o começo.

Adélia ajoelhou-se e, com lágrimas nos olhos, pediu misericórdia aos dois espíritos dominados pela vingança.

– Você ainda vai se ajoelhar muito, vagabunda.

– Eu reconheço o mal que lhes causei, mas tudo farei nesta existência para conseguir a paz e a tranquilidade de vocês.

– Nós não queremos paz. Queremos vingança, guerra. Você vai perder tudo o que tem, inclusive a saúde. Você vai ficar "louca de pedra", entendeu? Doidinha!

– Não sei mais o que fazer. Mas prometo que vou orar diariamente por vocês e pelo seu filho Bentinho.

– Não ouse falar em nosso filho – sentenciou Maria. – Você não é digna de pronunciar o seu nome.

– Tenham piedade de mim! – disse Adélia, caindo em prantos.

– Você teve piedade de nós, desgraçada? – berrou Maria.

Adélia estava desesperada. Não sabia mais o que fazer quando foi puxada rapidamente para o corpo. Acordou sobressaltada. "Meu Deus! Que pesadelo horrível. Nunca tive um sonho tão horroroso." Eram duas e quarenta da madrugada. Ela abriu um livro e começou a ler, mas não conseguiu se concentrar. Ligou o televisor. Assistiu a um filme qualquer até as cinco horas. Levantou-se, tomou um banho morno e foi tratar das tarefas diárias. Sebastião e Maria ficaram confabulando sobre o que ocorrera.

– Algum "santinho do pau oco" ajudou a vadia – disse Sebastião.

– Não pode ser outra coisa. Ela escapou rapidinho. Mas não vai ficar assim. Nosso plano de vingança não pode parar.

O restante do dia foi mais tranquilo. Logo cedo ela foi para a loja, de modo que as vendedoras, ao chegarem, tiveram alegre surpresa. O contato com as moças foi muito bom para a viúva, que aproveitou o tempo para conversar bastante com as clientes, como fazia anteriormente. Fechou a loja às oito e trinta da noite. Voltou tranquilamente para casa e encontrou na porta Luísa e Pascoal, que chegavam para visitá-la. Passou alegres momentos com a filha e o genro, que se despediram muito contentes com a sua melhora. Antes de dormir, folheou o "livro" de Maurício, lendo alguns pensamentos e considerações. O que mais a intrigou foi o que dizia:

"Violência gera violência" – Bezerra da Silva.

Adélia não entendeu: "Bezerra da Silva? Maurício nunca gostou de música. Muito menos de um cantor e compositor como Bezerra da Silva, que veio das camadas populares e nunca frequentou a academia. O que o levou a fazer esta anotação?". A resposta ela encontrou no comentário que vinha logo abaixo:

"Hoje, durante o seminário sobre violência urbana, os alunos tocaram uma canção de Bezerra da Silva, intitulada 'Violência Gera Violência'. Lembro-me da frase: 'A violência começou a se alastrar no céu, na terra, no mar'. Estranhei a escolha de um compositor que nem sequer eu conhecia. Mas notei que, na simplicidade de suas palavras, ele mostrou com primazia que a violência toma conta do cotidiano em todas as camadas sociais. A frase 'violência gera violência' é antiga, mas lembrou-me também de que posso agir muitas vezes com certa agressividade diante dos erros dos meus alunos e até das falhas de alguns professores. Entretanto, quando agrido alguém, mais cedo ou mais tarde, também serei agredido. Pelo contrário, quando ajo com firmeza, acompanhada de paciência e compreensão, a possibilidade de correção do erro é muito maior, e o clima entre mim e aquele que errou torna-se cordial e pacífico."

Adélia lembrou-se imediatamente do "pesadelo" que tivera na madrugada anterior. Arrepiou-se, pois no sonho um jovem e uma moça acusavam-na de violência para com eles e agora queriam vingança, ou seja, a violência anterior estava, nesse momento, gerando nova violência. Com tal pensamento, ela acabou por cair em sono profundo. Ao deixar o corpo, como espírito, viu-se imediatamente diante de Sebastião e Maria, que haviam aguardado todo o dia para poderem ajustar as contas com ela.

– Pensou que estava livre de nós, vadia?

– Está pensando em escapar? Não vai conseguir, não. Ontem, algum "anjinho" a ajudou, mas hoje estamos sós. A conversa vai ser pesada, minha filha. E não vai ser só conversa, não. Vamos fazer você pagar com juros por tudo quanto nos fez sofrer.

Se Maria e Sebastião, assim como Adélia, pensavam que estavam sós, não era, na verdade o que ocorria. Aquele mesmo espírito da madrugada anterior ali estava presenciando tudo o que acontecia.

– Vamos levá-la conosco? – perguntou Sebastião.

– Mas é claro que sim. Ela vai se arrepender amargamente de tudo o que fez contra nós.

Nesse momento, o ambiente iluminou-se e o espírito fez-se ver por todos. Ninguém entendeu o que estava acontecendo. No entanto, Maria quis intervir, dizendo:

– "Anjinho" nenhum vai tirá-la de nossas mãos. Não vai mesmo.

Mal acabara de pronunciar essas palavras e a luz que jorrou do espírito tornou-se forte o suficiente para ela colocar as mãos sobre os olhos, soltando Adélia. Teve uma sensação tão estranha que, involuntariamente, caiu sentada no chão. Sebastião ficou com medo e foi para um canto do quarto. Adélia, sem entender, abaixou a cabeça e esperou.

– Não temam por mim – disse o espírito, diminuindo a sua luminosidade. – Estou aqui para ajudá-los a pôr um fim a esta situação terrível que vocês estão vivendo.

Maria criou coragem e perguntou:

– Você veio impedir a nossa vingança?

– A vingança não leva a bons caminhos.

– E as maldades que essa fujona nos fez, levam?

– Também não. Ela já está resgatando todo o mal que praticou e ainda tem mais a resgatar. Não há necessidade de vocês interferirem na justiça divina.

– Qual justiça? Nós estamos sofrendo até hoje por causa dessa pilantra. Isso é justiça?

– Vocês estão sofrendo porque assim escolheram.

– O quê? Ela foi cruel conosco e ainda você diz que nós é que escolhemos sofrer? Essa eu não engulo.

– Se cada um de vocês não tivesse guardado o ódio e o projeto de vingança em seu coração, já estaria há muito tempo numa situação bastante melhor, sem todas as penúrias que hoje avassalam a sua existência. O ódio é como uma bola de chumbo atada em seus pés. Ele não permite que vocês abandonem o plano de martírios em que se encontram. Deixem que a justiça divina se cumpra e tomem um novo rumo em sua vida. Eu prometo que vou ajudá-los a mudarem para melhor. Não haverá esse sofrimento todo pelo qual vocês vêm passando por tantos e tantos anos.

– Você está querendo nos enrolar – respondeu Maria. – Com certeza faz parte da família dessa desclassificada. Mas ela vai ficar conosco para pagar pelo que fez. Deixe-nos e vá tomar conta da sua vida.

– Eu não sou da família dela.

– Então é da família de quem? – disse Maria, com sarcasmo. – Do papa?

– Da sua, mãe.

Maria ficou petrificada. As palavras morreram na sua boca. Quis olhar para o jovem que estava à sua frente, mas não teve coragem. Sebastião ajoelhou-se e baixou a cabeça sobre o peito. Por alguns segundos, reinou o silêncio total, quebrado apenas pelas palavras do espírito:

– Sou eu, mãe, Bentinho, seu filho.

Maria caiu de joelhos e começou a chorar. Prostrou-se por terra e o choro convulsivo tomou conta de todo o seu ser. Sebastião continuou de cabeça baixa, com os olhos vertendo lágrimas de emoção desconhecida. Algo fez com que ela reconhecesse que aquele era realmente o filho que nunca pudera ver, pois tinha partido para a espiritualidade antes mesmo do nascimento. Bentinho abraçou-a carinhosamente. Aconchegou-se também a Sebastião, dando-lhe um abraço apertado e um beijo nos cabelos. Sorriu para Adélia e igualmente a abraçou também. Em seguida, contou a sua história:

– Quando do nosso desencarne, papai e mamãe, eu fui imediatamente levado para uma colônia de educação infantil. Por essa razão, vocês não me puderam ver em nenhum momento. Permaneci nessa colônia por pouco tempo. Vi-me logo como jovem, sendo encaminhado para uma colônia onde pudesse aprender lições em que fora reprovado na penúltima encarnação. Convivi com muitos jovens, tendo muitas lições, até pedir para trabalhar em benefício de espíritos necessitados. Comecei como ajudante de um grupo de abnegados que atendia recém-desencarnados que tinham se tornado assassinos em sua última encarnação. Esse mesmo grupo também socorria suicidas. Foi um trabalho comovente e muito proveitoso. Com o passar do tempo, comecei a chefiar essa equipe de voluntários e hoje oriento quatro dessas equipes, sentindo-me agradecido por poder contribuir para o aprimoramento de tantos espíritos que aqui chegam, muitas vezes, em estado lastimável.

Maria estava sem palavras. Apenas balbuciou:

– Meu filho!

– E por que nós ficamos vagando sem eira nem beira por terras secas, com árvores apodrecidas e numa escuridão quase total? Por que tivemos de conviver com bandos de maltrapilhos e famintos sem ter o que comer e o que beber?

– Vocês foram algozes de si mesmos.

Maria criou coragem e contra-argumentou:

– Desculpe-me, filho querido, mas não posso concordar. Você não consegue se lembrar do mal que ela nos causou? Ela foi tão perversa que nos encaminhou para a morte prematura, inclusive a sua.

– É verdade. E ela já está resgatando todo esse mal. No entanto, vocês, papai e mamãe, tornaram-se presas de seu próprio ódio e desejo de vingança. Vocês podem ir para lugares melhores, mas, antes, têm de vencer a si mesmos.

– Não estou entendendo bem, filho – disse Maria.

– O ódio e o desejo de vingança contêm vibrações que estão em completo desacordo com os locais de refazimento em que vocês poderiam estar. Para vocês poderem abrir as portas de postos de socorro, precisam da chave certa.

– E que chave é essa? – perguntou Sebastião.

– É a chave do amor e do perdão.

– Desculpe-me, querido – interpelou Maria –, mas essa é a mesma conversa de espíritos que já nos visitaram inúmeras vezes. Ninguém diz para ela pagar pelo mal que fez. Só dizem para que a perdoemos. Que justiça é essa? Que vantagem nós levamos?

– Entre esses espíritos que a visitaram, estava também eu, mãe. Não é a primeira vez que venho convidá-la a mudar de vida junto com papai. Sem mudança interior não pode haver a mudança exterior. Enquanto não houver um genuíno perdão, não poderá haver melhoria de vida.

– É impossível perdoar essa mulher perversa e desgraçada.

Nesse momento, Adélia, inspirada por Bentinho, caminhou até Sebastião e Maria, que recuaram. Abaixando a cabeça, ajoelhou-se e, entre lágrimas, disse comovida:

– Sebastião e Maria, vocês têm toda a razão de me odiar. Creio que eu, no lugar de vocês, faria o mesmo. Mas, pelo que seu filho está nos dizendo, sem que eu lhes peça perdão e vocês me perdoem, não há possibilidade de melhorarmos a nossa vida. Sem eu pedir perdão, estarei sempre às voltas com o sentimento de culpa. Quando estou vivendo o cotidiano no interior do meu corpo carnal não tenho noção do que ocorreu no passado, mas agora que os encontrei e rememorei tudo o que lhes fiz de mal, não sossegarei enquanto não resgatar essa avalanche de maldade que pratiquei contra vocês. Prometo-lhes solenemente que sempre que vier a este lugar, deixando o meu corpo físico, farei uma prece dirigida a vocês, estejam onde estiverem. E, na Terra, a minha vida também já está mudando, de modo que estarei deixando, cada vez mais, a maldade e a crueldade que tomaram conta de mim na encarnação passada. Mesmo como me encontro agora, já não sou mais aquela mulher egoísta e maldosa. No entanto, muito tenho a percorrer, resgatando todos os meus erros, e isto eu farei com perseverança, para que possa usufruir mais tarde de um convívio sereno com todas as criaturas de Deus. Perdoem-me. Eu me situo muito abaixo de vocês que, apesar de terem vivido uma situação turbulenta e humilhante quanto a da escravidão, foram sempre trabalhadores honestos e prestativos. Tenho consciência de que, entre nós, quem mais deve sou eu. Mas estou pronta a pagar pelos erros cometidos, de acordo com a lei da justiça.

Maria olhou para Sebastião e pôde ver as lágrimas

que escorriam de seus olhos. Ficou sem saber como agir. Ela também se emocionara com as palavras sentidas de Adélia. Bentinho cortou o silêncio, dizendo comovido:

– Mamãe, eu também tive a mesma experiência que vocês no plano terreno. No entanto, já a perdoei há muito tempo. De que vale manter no íntimo o ódio e a vingança, se eles só nos trazem ainda mais sofrimento? O que nos resta senão perdoá-la e deixá-la prosseguir em seu caminho de redenção? Por nosso lado, também estaremos caminhando rumo à perfeição, rumo ao Pai.

O peito de Maria estava para explodir. Ela caiu ajoelhada, como estava Adélia, e começou a chorar convulsivamente, com o rosto colado ao chão. Sebastião achegou-se a ela e a abraçou:

– Maria, acho que nosso Bentinho tem razão. É melhor continuarmos sofrendo ou sair desta vida horrorosa que temos levado até hoje?

– Você tem razão, Bentinho, tem razão. Não vale a pena continuar como estamos. É melhor mesmo esquecermos isso tudo e seguir em frente. Talvez a continuação da vida seja melhor para nós.

Assim, Maria olhou para Adélia, que mantinha a cabeça pendida sobre o peito, e disse, fitando-a:

– É difícil dizer isto, mas é o melhor a fazer: você está perdoada.

– Eu também a perdoo – atalhou Sebastião.

Adélia levantou a cabeça e, enternecida, apenas pôde dizer:

– Deus há de recompensá-los. Vou orar por todos. O coração de cada um de vocês ainda vibra de amor lá no fundo e é isso que vale. Muito obrigada.

O espírito iluminado abençoou cada um deles e encerrou, afirmando:

– Papai e mamãe, sigam-me. Eu os levarei para um posto de socorro, que lhes fará muito bem. Quanto à senhora, viva a sua vida com tranquilidade, tendo sempre Deus em seu coração. Orarei também para o seu progresso espiritual. – E abraçando Adélia, sussurrou: – Fique em paz.

Nesse momento, outros espíritos tornaram-se visíveis e começaram a amparar Sebastião e Maria. Um espírito conduziu Adélia suavemente até seu corpo inerte na cama.

Um novo capítulo se iniciava na vida de cada um dos envolvidos...

10

Reforma íntima

A LEITURA DO TEXTO POR MAURÍCIO, a respeito do Homem de Bem, fez com que meditasse mais sobre a sua existência passada e buscasse corrigir os erros que cometera.

– Na próxima encarnação, você terá condições de ser muito melhor – disse-lhe Vítor.

– Você é reencarnacionista? – perguntou Maurício.

O amigo riu e respondeu pacientemente:

– A reencarnação é um fato, Maurício. Todos nós aqui vamos reencarnar em determinado momento.

– Continuo pensando que a vida é uma só. Ela continua da Terra para cá e assim será por toda a eternidade.

– Você terá oportunidade de verificar por si mesmo que não é assim. Em certo sentido, você tem razão, pois a vida é uma só, mas a existência é múltipla. Melhor dizendo, temos muitas existências até não necessitarmos mais reencarnar. Nesse momento, seremos espíritos puros, como está registrado em *O Livro dos Espíritos*, de Allan Kardec.

– Espíritos puros? Explique-me melhor, por favor.

– Quando foi perguntado aos espíritos se eles eram iguais ou se havia entre eles alguma hierarquia, eles responderam que todos são diferentes, de acordo com o grau de perfeição conseguida. Há um número ilimitado de graus de perfeição, entretanto, os espíritos reduziram-no a três: os da primeira ordem são aqueles que chegaram à perfeição possível ao Homem. São os chamados espíritos puros. Os da segunda ordem são os que atingiram o meio da escala. Nesses predomina o desejo do bem. São chamados de bons espíritos. Os do último grau, ainda no início da escala, são os espíritos imperfeitos, caracterizados pela ignorância, pelo desejo do mal e por todas as más paixões que retardam o seu adiantamento.

– É interessante, mas será real? E se for, como passar de um grau inferior para um superior?

– É real, Maurício. Tanto você quanto eu estamos num ponto dessa escala infinita. Há espíritos que estão abaixo de nós, mas que também subirão por essa escala. Outros já se encontram num nível bem superior, e nós também chegaremos a esse ponto. Um assassino frio e sanguinário, por exemplo, situa-se num grau inferior. Já uma pessoa abnegada, que passa a sua existência trabalhando em benefício do próximo, é um espírito que alcançou um nível muito alto.

– Você tem razão. Convivi na Terra com boas pessoas, mas tive notícias de pessoas que eu nem considerava seres humanos, tamanha a crueldade demonstrada em seu cotidiano. Pensando assim, os primeiros estariam num nível superior, já os segundos pertenceriam a graus inferiores.

– Você mesmo está concluindo. Essa é a verdade.

– Mas você disse que essa escala não é estática. Podemos passar de baixo para cima, subindo nos degraus evolutivos, não é isso?

– É assim mesmo.

– Mas o que fazer para realizar a passagem do inferior ao superior?

– Lembra-se do texto que Marlene lhe passou: "O Homem de Bem"?

– Entendi. É a prática do bem que faz com que possamos evoluir enquanto espíritos. Mas como posso, durante os meus noventa, cinquenta ou trinta anos de vida, conseguir isso? E as crianças que nem conseguem nascer? Não lhe parece estranho e irreal?

– Sim, se vivêssemos apenas uma única existência. Felizmente, a justiça divina não falha. Ela nos permite viver tantas existências quantas necessárias para atingirmos a perfeição relativa ao Homem. Você percebe como a concepção de uma única existência é falha? Não é possível, como você disse, em poucos ou muitos anos de existência conseguirmos passar por toda a escala hierárquica dos espíritos. É preciso que tenhamos a oportunidade de viver tantas existências quantas necessárias para darmos prosseguimento à nossa ascensão aos níveis evolutivos superiores.

– Começo a entender, mas ainda não ficou bastante claro para mim como subir de um nível inferior a um nível superior.

– Chamamos a isso de "reforma íntima". Trata-se de uma renovação de atitudes que consiste em executar ações que nos levem a nos aprimorar intimamente, de modo a modificarmos para melhor a nossa conduta, tornando-a cada vez mais próxima do ideal cristão, de acordo com as nossas possibilidades.

– É uma espécie de "melhoria contínua", como se diz nas empresas atualmente?

– Você explicou bem. É mesmo uma melhoria contínua. Agindo assim, dia a dia, vamos subindo a escada da nossa perfeição moral e espiritual. É neste sentido que um espírito elevado afirmou ser a finalidade da reforma íntima a renovação das "esperanças interiores, tendo por meta o fortalecimento da fé, a solidificação do amor, a incessante busca do perdão, o cultivo dos sentimentos positivos e a finalização no aperfeiçoamento do ser".

– Por que não procurei antes a convivência com pessoas que tivessem essa visão da vida? Perdi muito tempo com teorias acadêmicas que muito pouco me auxiliaram nessa renovação interior.

– Tudo tem o seu momento certo, Maurício. Agora você está receptivo ao diálogo voltado ao aprimoramento espiritual. E é por essa razão que ainda quero dizer algo mais.

– Por favor, fale.

– Em *O Livro dos Espíritos*, pergunta-se em certo momento qual o meio mais eficaz para se melhorar nesta vida e resistir aos arrastamentos do mal. Respondem os espíritos: "Um sábio da antiguidade vos disse: *Conhece-te a ti mesmo*".

– É verdade. Sócrates, na antiguidade, tomou esse dístico por lema de toda a sua vida.

– Só que as pessoas o repetem à exaustão, no entanto, quase nunca o aplicam para si próprias, não é mesmo?

– Essa consideração caiu em cheio sobre mim, Vítor. Por que a considerei apenas conteúdo de aula, meu Deus! Como me arrependo.

– Arrepender-se é bom, no entanto, você não pode se deixar abater. Ainda é tempo de mudar. E, em certo sentido, você já o está fazendo. Eu também levei muito tempo para refletir verdadeiramente sobre essa noção socrática de autoconhecimento. O importante é que um dia nós acordamos e podemos reverter a situação.

– Suas palavras me confortam.

– A mim também, mas deixe-me continuar. Quando os espíritos deram a sábia resposta, Kardec ainda perguntou: "Concebemos toda a sabedoria desse ensinamento, porém, a dificuldade está precisamente em cada um conhecer-se a si mesmo. Qual é o meio de conseguir isto?".

– Boa pergunta!

– É mesmo. E quem respondeu foi o espírito que, filosoficamente, você bem conhece: Santo Agostinho.

– Parece que estou num mundo mágico. Ou na máquina do tempo. Agostinho de Hipona viveu entre os séculos quatro e cinco da nossa era. Foi ele mesmo que deu a resposta?

– Sem dúvida. Você está aqui no plano espiritual há pouco tempo, mas pode ficar muito mais. Depois retornará à Terra para nova encarnação, voltando para cá após alguns anos, e assim por diante, até alcançar o nível de espírito puro e não precisar mais reencarnar. Não foi isso que dissemos?

– Sim.

– Pois bem, Santo Agostinho ou Agostinho de Hipona, como você disse, estava no plano espiritual quando pôde responder à pergunta de Kardec.

– Entendo. E qual foi a resposta dele?

– "Fazei o que eu fazia quando vivi na Terra: no fim do dia interrogava a minha consciência. Foi assim que consegui me conhecer e ver o que havia reformado em mim. Aquele que recorda todas as ações que praticou durante o dia e pergunta a si mesmo o bem ou o mal que praticou, rogando a Deus e ao seu espírito protetor que o esclareça, adquire grande força para se aperfeiçoar, porque Deus o assiste. Portanto, interrogai-vos sobre essas questões e perguntai o que fizestes e com que objetivo agistes em determinada circunstância, se fizestes qualquer coisa que censuraríeis em outras pessoas, se fizestes uma ação que não ousaríeis confessar. Perguntais-vos ainda isto: se fosse da vontade divina chamar-me neste momento, teria que temer o olhar de alguém, ao entrar de novo no mundo dos espíritos, onde nada é oculto? Examinai o que podeis ter feito contra Deus, depois contra o vosso próximo e, finalmente, contra vós mesmos. As respostas acalmarão a vossa consciência ou indicarão um mal que precisa ser curado".

Vítor fez um silêncio proposital, a fim de que Maurício pudesse meditar nas palavras de Agostinho de Hipona. Depois, completou:

– Vou falar-lhe também de um espírito abnegado que lutou para a sua reforma interior: Benjamin Franklin. Ele nos deixou um bom modelo sobre como atuar para promover a nossa melhoria contínua. Em sua autobiografia, ele nos diz que não tinha muito estudo, não tendo passado do ensino fundamental I. Contudo, gostava muito de ler e tinha uma inteligência aguçada. Isso fez com que conseguisse acumular conhecimentos, equiparando-se e até superando muitas das pessoas do seu convívio. Ele chegava mesmo a se comprazer em derrotar quem tivesse a ousadia de contestá-lo em suas disputas intelectuais. No entanto, esta última característica fez com que as pessoas começassem a se afastar dele. Desse modo, ele foi sendo rejeitado nas reuniões sociais e se tornou isolado. Sentindo-se sozinho, buscou identificar a causa dessa aversão dos outros à sua pessoa. Tendo-a localizado, resolveu iniciar um combate intransigente às suas imperfeições. No entanto, sempre que parecia superar uma delas, caía noutra, não conseguindo se superar a contento. Assim foi até o momento em que teve a ideia de elaborar uma relação de virtudes ou princípios que julgava necessários ou desejáveis para pôr em prática. Escreveu cada um deles num pequeno pedaço de cartolina, com uma breve explicação a seu respeito. Depois dedicou uma semana inteira a cada um dos princípios. Em treze semanas, pôde percorrer a lista toda, repetindo o método quatro vezes ao ano. Sempre que passava ao princípio seguinte, não punha de lado os anteriores, de modo a poder praticar todo o conjunto de virtudes. Por outro lado, quando identificava uma falha em um dos princípios, fazia uma anotação no verso do cartão, de tal modo que, ao retornar a ele, concentrava-se com maior esforço na sua execução.

– Muito interessante. E quais eram os princípios?

– A sua relação inicial continha treze princípios, com breve explicação a seu respeito. Mais ou menos assim:

Temperança – Não coma em demasia, não beba até se embriagar.

Silêncio – Não diga nada, a não ser para beneficiar os outros; evite as conversas frívolas.

Ordem – Mantenha as coisas em seus devidos lugares; faça com que cada parte do seu negócio tenha o seu próprio tempo.

Resolução – Decida realizar o que é preciso; realize perfeitamente o que decidiu.

Frugalidade – Não assuma despesas além daquelas que proporcionarão o bem aos outros ou a você mesmo; ou seja, não desperdice nada.

Diligência – Não perca tempo; esteja sempre ocupado com algo útil; elimine todas as ações desnecessárias.

Sinceridade – Não use de práticas ofensivas; pense inocentemente e com justiça; fale de acordo com esses princípios.

Justiça – Não erre, prejudicando os outros ou omitindo os

benefícios que são de sua obrigação.
Moderação – Evite os extremos; não venha a ferir os outros, apesar de achar que mereçam.
Limpeza – Não tolere sujeira no corpo, no vestuário ou em sua residência.
Tranquilidade – Não se incomode com insignificâncias ou acidentes comuns e inevitáveis.
Castidade – Evite os excessos sexuais; não prejudique sua paz e reputação, bem como a dos outros.
Humildade – Imite Jesus Cristo e Sócrates.

Os encarnados que seguirem esses princípios já estarão iniciando a sua reforma íntima. É claro que se pode fazer muito mais. O próprio Franklin tinha por meta, sempre que julgasse ter incorporado uma virtude, colocar outra em sua lista, sem se esquecer da que fora retirada. Também, para controlar o seu desempenho, ele registrava numa caderneta como estava sendo a sua conduta em relação à virtude da semana, a que se propusera a praticar. Com isto, identificava claramente as dificuldades e os acertos em relação a cada virtude, tendo possibilidade de corrigir-se e aprimorar o que já estivesse fazendo de maneira adequada.

– Eu me lembro de ter lido sobre esses princípios de Franklin, mas nunca lhes dei o devido valor.

– Este foi apenas um exemplo. Santo Agostinho, reconhecendo a importância de nos conhecermos a nós mesmos, disse também que o autoconhecimento é a chave do progresso individual. Farei mais uma citação desse espírito benfeitor para encerrar esta visita e deixar que você reflita. Diz ele, mais ou menos, o seguinte: "Quando estiverdes indecisos sobre o valor de uma das vossas ações, perguntai como a qualificaríeis se fosse praticada por outra pessoa. Se pudesse ser censurada nos outros, não poderia ser legítima se tivesse sido praticada por vós, visto que Deus não usa de duas medidas na aplicação de sua justiça. Procurai saber igualmente o que pensam os outros. E não subestimai a opinião dos vossos inimigos, já que estes não têm nenhum interesse em disfarçar a verdade. Deus muitas vezes os coloca ao vosso lado como um espelho, para vos advertir com maior franqueza do que faria um amigo. Portanto, aquele que tem o sério desejo de se melhorar, sonde a sua consciência, a fim de extirpar de si as más tendências, assim como arranca as ervas daninhas do seu jardim. Faça um balanço de sua jornada moral e eu vos garanto que os lucros serão maiores que as perdas. Se puder dizer a si mesmo que o seu dia foi bom, poderá dormir em paz e aguardar sem temor o despertar na outra vida. Portanto, formulai a vós mesmos questões claras e precisas, não temendo multiplicá-las. Afinal, pode-se muito bem consagrar alguns minutos para a conquista da felicidade eterna". E ele ainda pergunta: "Não vale a pena fazer algum esforço?".

– Belas e sábias palavras, Vítor.

– Palavras que merecem muita reflexão, não é mesmo?

– Sem dúvida. Esteja certo de que meditarei sobre elas.

– Ótimo. E agora você tem igualmente a resposta à

sua pergunta sobre como agir para elevar-se de um grau inferior a um superior.

– Resposta precisa. Mas permita-me dizer, se é muito fácil entendê-la, creio que é muito difícil colocá-la em prática.

– A teoria é mais fácil, você está certo. Entretanto, apesar de todas as dificuldades que encontraremos pelo caminho, se tivermos intenção sincera de nos modificar e vontade suficiente para atingirmos o nosso alvo, a vitória será nossa. Diferentemente do que se pensa muitas vezes, a luta primordial que devemos travar não é com o outro, mas com nós mesmos. Lembro-me do apóstolo Paulo, a dizer: "Combati o bom combate, terminei a minha carreira, guardei a fé". Mas que combate é esse?

– É a luta contra nós mesmos. Contra as nossas imperfeições. Concorda?

– Certamente. Podemos dizer que é a luta entre o "Homem velho" e o "Homem novo", nos dizeres de Paulo. O "Homem velho" representa o lado mundano, carnal do homem, com seus erros, suas quedas, seu egoísmo, sua inveja, sua agressividade, enfim, seu desamor. O "Homem velho", Maurício, é o homem exterior. O "Homem novo", porém, é o lado espiritual, superior aos percalços do mundo, voltado para a sua melhoria constante, sua reforma íntima. É o homem interior.

– Quanta sabedoria, Vítor. Mais uma vez me envergonho da minha empáfia como professor de Filosofia, pensando que sabia muito mais do que conseguira acumular por meio de meus estudos. Embora dissesse aprovar a sabedoria socrática, vivia sobre os louros de títulos que apenas me inflavam a vaidade.

– Felizmente você está tendo o tempo suficiente para rever a sua vida e refazer o seu caminho.

– Pretendo utilizar muito bem esse tempo.

– Apenas para completar, pois já estarei voltando a meus afazeres, lembro que Paulo de Tarso conclui o nosso pensamento, ao afirmar que a carne (Homem velho ou exterior) tem aspirações contrárias ao espírito (Homem novo, interior) e o espírito alimenta desejos contrários à carne. Isto porque são duas realidades contraditórias. É fundamental que decidamos pela opção que nos facilite a continuidade da reforma interior. Não basta, contudo, optar, é necessário seguir fielmente a escolha adotada.

– Você me falou exatamente o que eu precisava ouvir para encetar a minha mudança para melhor. Muito obrigado, Vítor.

O amigo despediu-se e deixou o local. Maurício ficou sozinho com seus pensamentos.

11

O encontro

AO ACORDAR, APÓS RECEBER O PERDÃO de Sebastião e Maria, durante a emancipação em sono, Adélia não se recordou do que ocorrera pela madrugada, mas sentiu-se muito leve e com uma alegria inusitada. Era dia de ir ao consultório de Lauro. A sessão fora marcada para as quatro da tarde. Trabalhou até as três na loja, deixando-a sob a responsabilidade das vendedoras. Seguiu para o consultório com certa ansiedade, pois sempre que ali estava, aflorava algum sentimento que recalcara lá no fundo da alma, mas que o psicólogo conseguia fazer vir à tona, deixando-a perplexa às vezes, mas tendo de trabalhar o insuspeito problema para a sua própria melhoria. Já havia se passado quatro meses. Ela já se acostumara a viver sozinha, embora ficasse pouco tempo em casa. O trabalho voltou a ser o seu centro de ocupação, e atender clientes começou a ser novamente uma atividade agradável. Adélia já se conscientizara de que, mesmo à custa de muito sofrimento, a vida não poderia sofrer a perda da continuidade.

Na saída da sessão, quando se preparava para tomar um táxi, ouviu alguém a chamando:

– Adélia! Adélia!

Virando-se, de início não conseguiu identificar quem a chamava. Mas em pouco tempo viu que era Lucinda, uma amiga dos tempos de juventude. Ficou muito feliz ao vê-la:

– Lucinda! Há quanto tempo.

As amigas abraçaram-se, refazendo-se do inesperado encontro. Procuraram trocar informações sobre o que cada uma estava fazendo. Foi quando Lucinda soube do desencarne de Maurício.

– Você não quer tomar um chá, Adélia? Há um local muito bom aqui perto.

– Vamos, sim. Quero conversar mais com você.

Seguiram pela rua e entraram num café, onde também eram servidos chás de vários sabores. Fizeram as suas escolhas e deram prosseguimento ao diálogo:

– Pois é, Lucinda, faz alguns meses que Maurício se foi. De início fiquei completamente perdida. O mundo desabou sob os meus pés. Eu nunca pensara que uma coisa dessas poderia acontecer tão cedo. Morrer, todos morremos. Mas justamente agora que tudo estava indo tão bem...

– Qual era a profissão de Maurício? Lembro-me de que ele dava aulas.

– Sim, ele se tornou professor universitário. Era coordenador do curso de Filosofia e estava sendo indicado para tornar-se diretor da faculdade quando aconteceu o pior.

– Talvez não tenha sido o pior, Adélia. Falaremos sobre isso mais tarde. Agora, gostaria de saber como você vem vivendo.

– Como disse, não tem sido fácil. Depois da partida de Maurício, tive uma forte depressão. Não queria mais saber de nada, nem sequer saía de casa. Precisei até fazer psicoterapia. Quando você me viu, eu estava saindo do consultório. Mas hoje me encontro melhor, mais fortalecida.

– Você está com um aspecto muito bom. Bom mesmo.

– Obrigada. Creio que a terapia e a minha volta ao trabalho me auxiliaram muito para que eu começasse novamente a viver, pois estava morrendo com meu marido.

– Você falou em trabalho. O que você faz?

– Tenho uma pequena loja que sempre contribuiu para a nossa sobrevivência: minha, do Maurício e de nossos filhos.

– Que bom. Trabalhar é importante. Não podemos nos deixar abater e quando estamos trabalhando as ideias soturnas deixam de rondar os nossos pensamentos.

– Concordo.

– E seus filhos?

– Já estão casados.

– Como o tempo passa rápido.

– Ricardo está com vinte e sete anos e é advogado. Luísa, vinte e cinco, é pedagoga. Ela montou uma escolinha para crianças.

– Fico contente por saber que os dois estão bem encaminhados na vida. E você gosta do serviço na loja?

– Adoro. O que mais gosto é vender, mas ali não faço apenas isso, passo o dia conversando com as clientes, que acabam se tornando minhas amigas. São elas que me dão força também para suportar o momento quase insuportável da minha vida. Sem dúvida, o trabalho tem me ajudado muito.

– E como está a sua religiosidade?

– Religiosidade? Bem, eu continuo crendo numa Força Superior que tudo criou e que vela por nós, de algum modo. Não tenho nenhuma religião específica, mas creio em Deus.

– Como você vem lidando com essa Força Superior?

– Para dizer a verdade, não tenho tido tempo para pensar nisso.

– Você não acha importante?

– Não, não é isso. É muito importante, sim. Mas eu me desliguei da religião. Depois que Maurício se foi, passei a pensar que houve uma injustiça e não quis mais saber de refletir sobre o assunto. E você?

– Coloquei a espiritualidade como um tema de primeira ordem e, quando meu marido desencarnou, há três anos, consegui dar continuidade à minha vida sem sofrer tanto. Foi a espiritualidade que me fez compreender o porquê desse desenlace momentâneo.

– Momentâneo?

– Sim, porque a vida não para, Adélia. A morte não existe para nós. Aquele que dizemos morrer, apenas muda de endereço por algum tempo. Depois, poderemos prosseguir juntos a caminhada.

– Você acredita mesmo nisso, Lucinda?

– Sim, Adélia. Muitos estudos já foram feitos sobre a reencarnação.

– Bem, eu não conheço nenhum desses estudos.

– Mas poderá conhecê-los. Eu tenho alguns livros que poderei lhe emprestar. O primeiro deles vou dar-lhe de presente.

– Muito obrigada. Quero conhecer. Mas de que religião você está falando?

– Estou falando de uma doutrina que se apresenta em três dimensões: a científica, a filosófica e a religiosa.

– Filosófica? Meu marido foi professor de Filosofia, mas infelizmente eu estive sempre desligada daquilo que ele fazia, de modo que não pude assimilar quase nada do seu profundo conhecimento sobre o tema. Mas você ainda não falou o nome dessa doutrina.

– Espiritismo.

Adélia afastou-se um pouco da mesa, colocou as duas mãos sob o queixo e perguntou desapontada:

– ES-PI-RI-TIS-MO?

– Sim. A doutrina dos espíritos.

– Você faz "trabalhos", "despachos", essas coisas?

Lucinda sorriu e disse:

– O Espiritismo é a doutrina ditada por espíritos de primeira ordem, codificada por Allan Kardec no século dezenove.

– Então, não tem nada a ver com mandinga, feitiço e similares?

– Não, Adélia, o verdadeiro Espiritismo, codificado por Kardec, é essencialmente cristão. A sua finalidade maior é ajudar o ser humano a conhecer a lei divina e promover a sua renovação interior.

– Bem, devo dizer que, pelo menos, é muito bonito. A intenção é boa, mas me parece um tanto ingênuo diante de tanta maldade que acontece no mundo e até da injustiça divina, como aconteceu comigo e Maurício.

– Não houve injustiça, Adélia. Falarei melhor sobre isso em outra oportunidade. Hoje quero que você aceite este presente, como já lhe disse. – E retirou da sacola, que colocara sobre uma cadeira vazia, um exemplar de *O Evangelho Segundo o Espiritismo*. Adélia aceitou, mas não estava muito interessada na leitura. Trocaram números de telefone e prometeram se falar, ainda naquela semana. Lucinda despediu-se, dizendo que gostaria de fazer um passeio com Adélia na semana seguinte. Acertariam os detalhes por telefone.

No táxi, Adélia foi pensando sobre a conversa que tivera com a amiga. Achou-a um pouco beata para o seu gosto. Estava com o livro na mão, mas não pensou em abri-lo. Já à noite, quando estava deitada, voltou a lembrar-se da conversa com Lucinda. O livro, entretanto, ficou sobre a mesa da sala, onde o colocara assim que chegara da rua.

Os dias se passaram. Adélia não ligou para Lucinda e até se esqueceu de que haviam combinado um passeio. Na sexta-feira, quando o celular tocou e Lucinda lhe deu um alegre "boa-noite", ela respondeu sem muito entusiasmo. A amiga conversou um pouco sobre amenidades e convidou-a para se encontrarem no sábado. Ela passaria pela manhã na casa de Adélia e a levaria para conhecer o grupo com o qual trabalhava na Vila Mariana. Dali, iriam almoçar juntas. Adélia declinou do convite da amiga alegando que iria receber seus filhos, genro e nora para almoçarem em casa. Era mentira. Lucinda não se deu por vencida e combinou que ligaria novamente. No sábado, Adélia amanheceu com uma tristeza profunda. Sonhara com Maurício e não conseguia tirá-lo da mente. Chorou muito e recusou até o convite de Ricardo para ir almoçar em seu apartamento. Passou quase o dia todo na cama, com os olhos avermelhados de tanto chorar. Por um momento, lembrou-se do convite da amiga e até se arrependeu por tê-lo recusado. Depois, racionalizou, dizendo que teria pouco em comum para partilhar com Lucinda. Procurou esquecê-la.

Já à noite, não querendo ver televisão, pensou em pegar um livro e ler alguma coisa para se distrair. Olhou para alguns e não teve ânimo. Quando ainda procurava outros, bateu o olho no presente de Lucinda. E leu com vagar: *O Evangelho Segundo o Espiritismo*. "Pelo menos é Evangelho", pensou e resolveu folheá-lo um pouco. Deitou-se mais uma vez e abriu-o numa página qualquer. Começou a ler maquinalmente: "Se morre um homem de bem, cuja casa ao lado seja a de um homem mau, apressai-vos em dizer: 'Gostaria mais que este se fosse'. Acontece que estais julgando erroneamente, pois aquele que parte acabou sua tarefa e aquele que fica, talvez nem a tenha começado.

Por que quereríeis, pois, que o mau não tivesse tempo de a acabar, e que o outro permanecesse preso à gleba terrena? Que diríeis de um prisioneiro que tivesse cumprido sua pena, e que se retivesse na prisão, enquanto que desse a liberdade àquele que a ela não tinha direito? Sabei, pois, que a verdadeira liberdade está na libertação dos laços corporais, e, enquanto estiverdes na Terra, estareis em cativeiro". A dor de cabeça, que estava sentindo durante todo o dia, desapareceu. Adélia fechou um pouco o livro e ficou a pensar: "E se isto for verdadeiro? E se realmente Mao já tivesse cumprido a sua tarefa? É verdade que ficou uma sem cumprir: a permanência dos professores na faculdade, mas essa poderia ser a tarefa do seu substituto, e não dele. De qualquer modo, o que está escrito aqui faz sentido. Ele se foi e eu fiquei. Ele pode ter chegado ao fim de sua tarefa e eu talvez ainda esteja na metade, sei lá". Abriu novamente o "Evangelho" e continuou a leitura: "Habituai-vos a não censurar o que não podeis compreender, e crede que Deus é justo em todas as coisas e, frequentemente, o que vos parece um mal é um bem; mas vossas capacidades são tão limitadas que o conjunto do grande todo escapa aos vossos rudes sentidos. Esforçai-vos por sair, pelo pensamento, da vossa esfera estreita, e, à medida que vos elevardes, a importância da vida material diminuirá aos vossos olhos e apenas vos parecerá um incidente na duração infinita de vossa existência espiritual, a única existência verdadeira". Quem assinava esse texto, datado de 1861, era Fénelon. Adélia lembrou-se do pensador e pedagogo de quem Maurício já lhe dissera alguma coisa. Mas a leitura desse pequeno trecho foi um choque em seus pensamentos. Inicialmente, ela ficou sem saber o que concluir. Pensou até que os dizeres do autor fossem arrogantes, mas depois voltou à sua leitura e mudou de opinião. "É realmente um tapa na cara", pensou. "Mas um tapa bem merecido", completou. Ficou um bom tempo olhando fixamente para a parede do seu quarto. As palavras não lhe saíam da memória. "Isto parece que foi escrito para mim. Eu já estava julgando até Deus e agora vejo que agia sem conhecimento de causa. Quem sou eu para saber quando este ou aquele deve deixar a presente existência? Será que eu não estava sendo egoísta ao querer perpetuar a presença de Mao a meu lado? Folheou ainda um pouco mais o livro e leu: "Bem-aventurados os que choram, porque serão consolados". Um choro silencioso saiu do fundo de seu peito e ela deixou que os sentimentos assomassem no seu tom de tristeza resignada até que, sentindo-se menos tensa, adormeceu com o livro aberto.

Ao acordar, pegou o livro e folheou-o aleatoriamente até parar no item 63 do capítulo 28, que encerra uma coletânea de preces espíritas. Começou a ler, mas logo a simples leitura converteu-se em sentida oração:

"Dignai-vos, meu Deus, acolher favoravelmente a prece que vos dirijo pelo espírito de Maurício Benevides. Fazei-lhe entrever as vossas divinas luzes e que lhe seja fácil o caminho da felicidade eterna. Permiti que os bons espíritos lhe levem minhas palavras e pensamentos.

Mao, tu que me eras caro neste mundo, ouve minha voz que o chama para lhe dar um novo testemunho da minha afeição. Deus permitiu que fosse o primeiro a adquirir a liberdade. Não me poderia disso queixar sem egoísmo, porque seria desejar-lhe as penas e sofrimentos desta vida. Espero, pois, com resignação, o momento da nossa união no mundo mais feliz, no qual você me precedeu.

Sei que nossa separação é momentânea e que, por mais longa que pareça, sua duração desaparecerá ante a eterna felicidade que Deus promete aos seus eleitos. Que a sua bondade me preserve de nada fazer que possa retardar esse instante desejado, e que me poupe assim a dor de não reencontrá-lo ao sair do meu cativeiro terreno.

Oh! Como é doce e consoladora a certeza de que só há entre nós um véu material que o oculta aos meus olhos! Que possas estar aqui, ao meu lado, ver-me e ouvir-me como outrora, e ainda em melhores condições, que não me esqueça como também não o esqueço. Que os nossos pensamentos não cessem de se entrelaçar e que o seu me acompanhe e me sustente sempre.

Que a paz do Senhor esteja contigo."

A prece foi um presente inesperado que Adélia recebeu da espiritualidade. Ela não sabia que ali se encontrava Vítor, aplicando-lhe passes de paz e harmonia. Sentiu-se extremamente bem. Conseguiu sorrir espontaneamente, como sempre fora de seu feitio. E lembrou-se de Lucinda. Resolveu ligar para ela naquele mesmo instante, sem notar que ainda eram sete horas da manhã. Vítor também sorriu e a deixou com as vibrações balsâmicas que lhe endereçou. Lucinda já estava acordada e lia tranquilamente um livro. Quando Adélia notou que era muito cedo, a primeira coisa que fez foi pedir desculpas.

– Desculpas de quê? Levanto-me cedo. Estou muito feliz por receber o seu telefonema.

– Quero pedir-lhe desculpas também por não ter aceitado o seu convite ontem.

– Temos muito tempo para isso. Assim que você puder, será um prazer vê-la novamente.

– Pois é... Eu li alguma coisa do livro que você me deu e me fez muito bem. Este é também o motivo da minha ligação. Sabe que estou mais tranquila, mais serena, alguma coisa assim. Até mais alegre fiquei.

– Esse é um livro de muitas consolações e de muita orientação para o nosso aprimoramento espiritual. Habitue-se a lê-lo sempre. Tenho certeza de que vai lhe fazer muito bem, como faz a mim e a tantos milhares de leitores.

– Com certeza.

Adélia fez um silêncio sem saber como continuar. Lucinda percebeu e perguntou:

– Você tem algo a me dizer? Saiba que continuo sua amiga e que tudo farei para ajudá-la no que me for possível.

– Estou um tanto sem jeito porque ontem não quis sair com você e hoje sinto que me seria muito bom ouvir o que você sabe sobre o... o...

– Espiritismo?

– Isso mesmo. Parece que outro dia *dei um fora*, quando confundi o Espiritismo com outras práticas.

– Muita gente confunde. Mas para mim será muito agradável conversarmos a respeito. Quando você quer que nos encontremos? Hoje?

– Sim, para mim estaria ótimo. Mas eu vou almoçar com minha filha e meu genro. Poderia ser à tarde?

– Certamente. Poderemos tomar um chá reconfortante enquanto discorrermos sobre os assuntos que mais lhe convierem.

– Pode ser às quatro?

– Combinado.

– Mas não precisa me buscar. Dê-me o seu endereço e eu chego aí.

Tudo acertado, Adélia ficou esperando com ansiedade o novo encontro. Pouco antes das quatro, ela chegava, levada pelo genro e pela filha. Apresentados todos, Pascoal e Luísa deixaram as duas amigas a sós e voltaram para casa.

– Gostei do seu apartamento, Lucinda. Parece tão tranquilo!

– Sinto-me bem nos momentos em que aqui me encontro. Mas fico muito fora. Sou coordenadora de recrutamento e seleção de recursos humanos, de modo que passo o dia na empresa.

– Depois do ensino médio, você fez qual curso?

– Fiz psicologia. Trabalho com psicologia organizacional.

– Não entendo muito bem disso, mas você deve encaminhar candidatos para as empresas.

– Na verdade, eu trabalho na área de recrutamento e seleção de uma montadora de veículos. Já fiz muitas entrevistas, mas hoje, como coordenadora, supervisiono as atividades das selecionadoras. Procuro pautar o meu trabalho agindo com os candidatos como gostaria que agissem comigo se estivesse na situação deles.

– Já vi que você é uma excelente profissional.

– Procuro dar o melhor de mim. Mas você estava querendo conversar sobre outro assunto, não é mesmo?

– Estou me sentindo tão bem aqui que qualquer assunto parece que flui maravilhosamente. O que lhe disse pela manhã é que gostaria que você me falasse sobre o Espiritismo, doutrina que você vem seguindo.

– Adélia, o Espiritismo é uma doutrina que se apresenta sob um caráter tríplice: filosofia, ciência e religião. Em geral, as pessoas fixam-se nos fenômenos que são estudados pela ciência espírita.

– Quais fenômenos?

– Por exemplo, a materialização de espíritos, a psicografia, a psicofonia, a pintura mediúnica e outros. Esses fenômenos são objeto de estudo da ciência espírita. Quando se pergunta por que o Espiritismo é ciência, respondemos que é porque faz uso da razão e de critérios lógicos e metodológicos ao demonstrar experimentalmente a existência da alma e de sua imortalidade, particularmente no processo mediúnico, em que se opera a comunicação entre o plano físico, dos encarnados, e o plano espiritual, dos desencarnados. O Espiritismo enquanto ciência, Adélia, fundamenta-se na razão e na experimentação, como acontece com qualquer outra ciência.

– E por que é também filosofia?

– A ciência não é a única via de acesso ao conhecimento, como você sabe. Há também o caminho percorrido pela filosofia e pela religião. A filosofia caracteriza-se pela indagação constante expressa na investigação dos princípios e das causas. O filósofo está constantemente interrogando. Pois o Espiritismo, enquanto filosofia, também questiona as conclusões da ciência espírita. É com base nos fatos e fenômenos estudados pela ciência que a filosofia busca uma interpretação da vida. Ela indaga sobre a origem e a destinação dos seres humanos, envolvendo nessa pesquisa a existência de uma Inteligência Suprema, causa primeira de tudo o que existe. A doutrina espírita, como diz o filósofo espírita Herculano Pires: "É uma filosofia do espírito, que parte da essência espiritual para explicar a existência material".

– Entendi um pouco. Não consegui acompanhar todo o seu raciocínio, mas creio que você me deu uma explicação adequada.

– Não pretendo dar toda explicação a você agora, mesmo porque não a tenho completa. Mas penso que dá para entender o conjunto daquilo que venho dizendo. Qualquer dúvida, interrompa-me.

– Está bem. Falta o Espiritismo como religião.

– O Espiritismo não é considerado religião, que é entendida como culto instituído e formal. Não há templos espíritas, imagens nem rituais. Não há dogmas nem hierarquia sacerdotal. Nesse sentido, realmente o Espiritismo não é uma religião. No entanto, podemos assim considerá-lo, entendendo-o em sua finalidade de possibilitar a transformação moral do Homem a partir do Evangelho do Cristo. Neste aspecto, o Espiritismo é muitas vezes chamado de "cristianismo redivivo", porque busca reviver o cristianismo na sua verdadeira expressão de amor e caridade. Trata-se, portanto, de uma moral e de uma religião cristãs, dado que se assentam nos ensinamentos ministrados por Jesus a toda a humanidade.

– Desculpe, mais uma vez, por ter interpretado erroneamente a sua doutrina. Vejo agora que parece ser um ensinamento profundo e verdadeiro. Quando li o livro que você me deu, notei a seriedade de suas palavras. A prece que ali está a respeito dos entes amados que partiram chega a ser comovente. Tanto assim que a farei, a partir de hoje, todos os dias, dedicando-a ao meu falecido marido.

– É, sem dúvida, uma prece reconfortante. *O Evangelho Segundo o Espiritismo* representa na bibliografia espírita a sua dimensão religiosa. *O Livro dos Espíritos* trata do seu aspecto filosófico. E *O Livro dos Médiuns* retrata o seu lado científico. Não é possível em tão pouco tempo dizer tudo o que eu poderia sobre a doutrina espírita, mas se você se interessar, teremos outros encontros, em que chamarei pessoas preparadas para lhe dar respostas mais completas.

Adélia achou muito bom, pois conheceria outras pessoas que poderiam ajudá-la a encarar mais positivamente a vida, mesmo na situação em que se encontrava. Ficou combinado um novo encontro, desta vez na casa de Adélia. Iriam também um amigo e uma amiga de Lucinda. Bastante tranquila e leve, Adélia chegou em casa pensando em tomar um banho, ver um pouco de televisão e logo após ler mais um pouco de *O Evangelho Segundo o Espiritismo*. E seguiu o que determinou. Depois de ler algumas páginas do livro, fez a prece "pelas pessoas a quem amamos". Em seguida, sentiu-se invadida por um sono relaxante e adormeceu tranquilamente.

12

Margarida

MAURÍCIO PERGUNTOU VÁRIAS VEZES por Adélia, Ricardo, Luísa e todos os familiares. Quis saber também da faculdade. Estava ansioso por ter notícias dos professores Ademar e Suzana. O que teria acontecido com eles? Foram demitidos? Se isto tivesse ocorrido, uma grande injustiça teria sido cometida, e ele, sem dúvida, teria sido o mentor desse descalabro. Vítor e Marlene apenas diziam que estava tudo bem e que não era o momento de se ocupar com tais assuntos.

Vítor, sempre que podia, ia visitá-lo e, cada vez mais, a sua fisionomia parecia familiar a Maurício, que, entretanto, não conseguia ainda saber de quem se tratava. Mas, fosse quem fosse, era agora um grande amigo, que o estava ajudando muito. Outros familiares e amigos também passavam pela casa de repouso de vez em quando. Maurício ouvia de cada um deles um pouco sobre a vida e o trabalho que realizavam na espiritualidade. Nesses momentos, dizia que gostaria também de poder trabalhar e que o faria assim que tivesse alta. Todavia, a sua lenta recuperação não permitia que pudesse também contribuir com sua parcela de trabalho. Outra dúvida que o assaltava era quanto ao local em que iria morar. Em que cidade? Em que casa? Com quem? Poderia ser professor? Mas sempre que esses pensamentos o incomodavam, Marlene pedia-lhe que tivesse paciência, pois tudo seria feito da melhor maneira possível. Não era ainda o momento de decidir sobre tais assuntos. E assim Maurício procurava ater-se a outros aspectos da vida. Para ajudá-lo a recuperar-se e fixar-se em assuntos elevados, foi-lhe emprestado um livro que relatava a biografia de um psicólogo que passara por situações semelhantes à sua, permanecendo num hospital e depois retomando a sua vida como um dos inúmeros trabalhadores da erraticidade. E foi justamente num dia em que estava lendo esse livro, que assomou à porta Marlene, acompanhada por uma jovem senhora de seus trinta e poucos anos. Depois de cumprimentá-lo e perguntar-lhe sobre o seu estado, apresentou-lhe a desconhecida:

– Maurício, quero apresentar-lhe Margarida, como havia lhe prometido.

Pego de surpresa, ele ficou um pouco embaraçado, ajeitando-se rapidamente na cama. Notou um brilho branco azulado ao redor da visitante, o que o intimidou ainda mais. Forçou um sorriso e disse apenas:

– Prazer. Sou Maurício. Por favor, sentem-se.

– Tenho de visitar vários pacientes. Deixarei Margarida

com você. Ela poderá lhe contar sobre a sua estada na crosta e o trabalho que realiza em Estância de Luz, onde reside. – Assim dizendo, a médica os deixou a sós. Depois de pequeno silêncio, Margarida iniciou a conversa:

– Marlene falou-me a seu respeito. Você também foi professor em sua última encarnação, não é mesmo?

– Sim, eu fui professor de Filosofia e coordenador de curso numa faculdade.

– Não tive o privilégio de frequentar um curso superior. Terminei o curso normal e tornei-me professora do ensino fundamental I, profissão que amei e procurei honrar durante toda a minha última existência.

– Marlene falou-me tão bem de você, desculpe-me, da senhora, que eu quis conhecê-la pessoalmente. Creio que posso aprender muito ouvindo sobre o seu trabalho e a sua vida.

– Não se desculpe. Trate-me por você. Teremos, desse modo, um diálogo mais informal e proveitoso.

– Então, por favor, fale-me sobre a sua última estada na Terra.

– Muito bem. Eu nasci no interior de Minas Gerais. Meus pais eram colhedores de café numa grande fazenda localizada no sul do Estado. Ali cresci e aprendi as primeiras letras numa pequena escola dentro da própria fazenda. Meu maior interesse era a leitura, mas naquelas paragens não chegava livro nenhum, de modo que pedi permissão para ler os jornais que o coronel Alencar trazia nas vezes em que ia à cidade. Felizmente, tanto ele quanto dona

Aninha, sua esposa, eram pessoas de bom coração, de modo que não me proibiram de fazer aquilo de que mais gostava. Desse modo, não só aprendi a ler, como passei a tomar conhecimento do que acontecia no país e no mundo. Quando tinha catorze anos, o coronel, que gostava muito do meu pai, pagou-me os estudos na cidade, matriculando-me num estabelecimento particular. Isso foi para mim uma alegria imensa. Mas disse-me o coronel que essa permissão teria um preço: eu teria de, por obrigação, auxiliar a professora na alfabetização das crianças da fazenda. Não preciso dizer que a alegria foi maior ainda. Trabalhei com muita motivação, auxiliando a professora, que conseguiu influenciar dona Aninha a conceder-me uma bolsa de estudo para cursar o normal. Ela, com sua bondade peculiar, convenceu o marido a concretizar também essa ideia. Assim, tornei-me professora primária. Prestei logo concurso e, sendo aprovada, passei a lecionar na mesma cidade em que fiz meus estudos. Dei início à minha carreira de professora aos vinte e dois anos. Desencarnei pouco depois, aos vinte e nove, vítima de uma doença que me cabia como resgate de transgressões em outra existência. Como você pode ver, a minha trajetória foi curta, mas procurei viver cada momento presente no sentido de educar aquelas crianças pobres e sedentas de um braço que as dirigisse para um caminho seguro na vida.

– Marlene disse-me que você tinha um modo peculiar de ensinar, ou melhor, de educar as crianças. Fale-me um pouco sobre ele, se eu não estiver pedindo demais.

– Direi com toda alegria, porém, temo decepcioná-lo, pois foi tudo muito simples. O diferencial talvez estivesse no amor que gerava aquilo que eu vinha a fazer. E é assim que também costumo agir aqui na espiritualidade.

– É exatamente isso que quero ouvir.

– Bem, creio que educar é intervir no desenvolvimento humano. Se aquilo que eu faço em sala de aula não auxilia em nada o desabrochar da vida que está em minhas mãos, eu não sou educadora. Posso ser instrutora, certamente não educadora. Eu sou apenas instrutora quando passo à classe um conteúdo didático específico. O aluno, a partir daí, assimila a unidade e passa a dominar aquele conteúdo. É quando se diz que o professor ensinou e o aluno aprendeu.

– Isso foi o que sempre fiz. Desculpe-me. Para ser sincero, nem isso fiz muito bem, pois estava mais interessado no conteúdo a ser ministrado do que na aprendizagem do aluno.

– O centro do aprendizado é o aluno. O conteúdo é ministrado em função do aprendizado dele. O conteúdo é o meio, o aluno é o fim. Daí o meu dever, enquanto professora, de adaptar o conteúdo à realidade do meu aluno. Eu não posso despejar na sua mente o conteúdo que me cabe lhe passar.

– Eu agia de modo diferente. O conteúdo escolhido por mim era o mais importante, e o aluno que se virasse para assimilá-lo.

– E dava certo?

– Não, Margarida. Meia dúzia de alunos conseguia acompanhar meus ensinamentos sem dificuldade, mas a maioria apenas buscava decorar o que fosse possível para conseguir nota e se ver livre das minhas aulas.

– Devo dizer que, de início, eu conhecia pouco sobre docência e didática. Apenas o que aprendera em sala de aula, mas procurei avançar nessa área. Com o salário recebido, além de ajudar na manutenção da casa, comprava livros que me auxiliavam muito a entender melhor o que era ser um educador.

– Livros eu também sempre comprei, mas para melhorar a minha erudição. Ou para obter títulos que me enchiam de orgulho perante os alunos e os outros professores.

– O bom livro, Maurício, é um bem precioso para cada um de nós. Mas não deve ser usado de modo egoísta, com a finalidade de servir apenas para o nosso desenvolvimento e, muito menos, para engrandecer a nossa tola vaidade de colecionarmos maiores conhecimentos que os demais. Como se diz na Terra, precisamos socializar o nosso conhecimento. E, principalmente, nós, professores, sempre que lemos um texto, temos de pensar naqueles que muito poderão aproveitar da nossa leitura: os alunos.

– Cada vez que converso com um dos meus amigos aqui na espiritualidade, fico mais humilhado, porque cada um deles me coloca no meu devido lugar. Como eu estava equivocado, Margarida.

– No entanto, sempre é tempo de melhorarmos. Procuro fazer assim cotidianamente. Não podemos nos aprimorar se não tomarmos consciência das nossas imperfeições, das nossas mazelas, não é mesmo? Você pensaria em mudar se não tivesse conversado aqui com os seus amigos?

– Não teria mesmo.

– Então, pense apenas que o seu lado mais fraco vai aparecendo, a fim de que o seu lado mais forte comece a suplantá-lo.

– Pensarei assim daqui para a frente.

Depois de um breve silêncio, Margarida continuou:

– Voltando à educação, coloquei-a sobre três pilares: o conhecimento, a sabedoria e o amor. O conhecimento refere-se a tudo aquilo que adquirimos pelo intelecto em nossas experiências cotidianas. A sabedoria corresponde ao uso que fazemos desse conhecimento em benefício de nós mesmos e dos outros. E o último pilar é o amor. Um sábio sem amor tornar-se-ia frio e insensível às necessidades dos seus semelhantes. Para pensar em utilizar o seu conhecimento em prol dos outros, precisaria do amor que nos une e nos torna "Um com Deus".

– Conhecimento, sabedoria e amor. Trata-se de um alicerce tão sólido que nenhum edifício construído sobre ele poderá ruir – disse Maurício, pensativo. – Sabe, Margarida, escolhi por fundamento do meu magistério a areia fina e instável do deserto. Jesus disse algo a respeito, não é verdade?

– Disse Jesus que a pessoa que ouve as suas palavras e as põe em prática assemelha-se a um homem sensato, que construiu a sua casa sobre a rocha. Caíram as chuvas, transbordaram os rios, sopraram os vendavais e bateram de frente contra essa casa. Mas ela não caiu porque estava edificada sobre a rocha.

– É exatamente isso.

– E o Mestre continua: Todo aquele que ouve as suas palavras e não as põe em prática, assemelha-se ao homem insensato que edificou a sua casa sobre a areia. Caíram as chuvas, transbordaram os rios, sopraram os vendavais e bateram de frente contra essa casa, e ela caiu e foi grande a sua queda.

– Maior clareza é impossível – disse Maurício. E, pensando em sua última encarnação, acrescentou: – Eu agi como essa segunda pessoa.

– Não exageremos. É verdade que você não foi aquele que construiu sobre a rocha, mas a sua casa não ruiu por completo. Algumas telhas esvoaçaram sob o efeito da tempestade. Alguns tijolos caíram. Mas você tem toda a capacidade para a reconstrução. Cair não é o mais importante, mas sim o recolocar-se em pé. Lembre isso quando o desânimo se abater sobre você.

– Lembrarei, Margarida. Lembrarei.

13

Novas amizades

O DIA COMBINADO PARA O ENCONTRO em casa de Adélia foi o domingo seguinte. A semana transcorreu normalmente. O trabalho voltara a significar muito na vida de Adélia, entretanto, nascia uma nova dimensão em sua existência: a espiritualidade. O pensamento a respeito do que lhe dissera Lucinda foi uma constante nos dias que antecederam a visita. No entanto, às vezes, um medo de enredar-se num tema assustador tomava conta do seu ser, e ela chegava a pensar em cancelar o encontro. Havia uma dúvida que se avolumava em seu interior. Ela continuava também com a psicoterapia. Todavia, o tema do Espiritismo ainda a deixava embaraçada, mas era preciso relatá-lo ao analista. Queria falar a respeito, temia, entretanto, uma resposta constrangedora. Afinal, ela mesma tinha passado tantos anos com uma noção errada a respeito dessa doutrina. E se Lauro fosse materialista e risse na sua cara quando fosse abordado esse assunto? "Não, Lauro não vai rir, primeiro porque é um moço muito fino e, segundo, porque na psicoterapia isso não costuma acontecer. Eu vou entrar direto no assunto. Nada de delongas." Assim, na primeira oportunidade, Adélia abordou o assunto:

– Não conversamos muito sobre a espiritualidade nesta terapia, não é mesmo?

– Você gostaria de falar a respeito?

– Sim. Tenho passado a minha existência quase sem nenhum questionamento sobre a vida espiritual e a religião. Maurício não se dizia ateu, mas não demonstrava preferência por nenhuma das religiões que vemos por aí. Quanto a mim, tive pais católicos, no entanto, não segui por essa via. Ainda na juventude, por influência do meu namorado na época, deixei de frequentar as missas dominicais. Quando me casei, continuei sem nenhuma busca pela religiosidade. A vida sempre me sorriu, de modo que não me fazia falta o questionamento sobre a espiritualidade. Falo muito, você já deve ter percebido, mas as minhas conversas com clientes e amigos sempre foram sobre generalidades. Nunca foi ventilado nenhum assunto que exigisse maior reflexão. Quanto a isso, bastava o meu marido, que era um filósofo contumaz, como você sabe. A verdade é que passei muitos anos na banalidade, conversando sobre amenidades durante o dia, vendo televisão à noite e ouvindo o filosofar de Maurício na cama, sem lhe dar muita atenção. Interessava-me muito mais falar sobre o que ocorrera na loja do que ouvir as suas reflexões profundas. Pois bem, há alguns dias encontrei-me com uma amiga de juventude. Quis conversar sobre trivialidades, como era o meu hábito, porém, ela se fixou em temas mais profundos, que me perturbaram.

– Temas com os quais não estava habituada?

– Temas que me assustavam, como a morte e vida após a morte. Sendo mais clara: ela é espírita.

– E como você reagiu?

– De início achei que ela se tornara carola. Depois, lembrei-me de mandingas, feitiçarias, despachos e coisas assim, e perguntei se ela tinha enveredado por esse caminho. Como resposta, ela me deu uma aula introdutória de Espiritismo, que me fez ficar com vergonha pelo que lhe dissera. Mas, mesmo assim, continuei com preconceito a respeito da sua crença. Tanto assim que ela quis marcar um novo encontro e eu escapei pela tangente. Não me interessava conversar sobre os temas espíritas, que ela abordava tão bem. A mudança ocorreu devido a um livro que ela me deu de presente. Desculpe-me falar sobre isso, mas ainda estou em dúvida sobre como agir, daí o tema inesperado que estou trazendo hoje.

– Relate-me o que a vem preocupando.

– Pois bem, o livro se chama *O Evangelho Segundo o Espiritismo*. É claro que ele ficou jogado em algum canto até que resolvi folheá-lo e fui parar na página em que havia uma prece pelos entes queridos que nos deixaram. Comecei a lê-la de modo maquinal, mas logo as palavras pareciam sair do fundo do meu coração. Quando a terminei...

Estava chorando copiosamente. E agora mesmo sinto vontade de chorar.

Adélia realmente começou a chorar nesse momento. Quando se sentiu mais tranquila, deu continuidade ao seu relato, terminando com o convite que fizera a Lucinda para ir com alguns amigos à sua residência no domingo.

– Em dados momentos, penso que fiz a coisa certa e, em outros, tenho vontade de cancelar o encontro.

– Como você se sente agora em relação a isso?

– Acho que devo ir em frente. Parece que estou fugindo das reflexões mais profundas sobre a vida.

– E sobre a morte.

– Sim, sem dúvida. A morte ainda me assusta muito. Mas não é para menos, Maurício me deixou há alguns meses apenas. Tenho sentido a solidão como nunca imaginei em toda a minha vida. Eu não estava preparada para essa passagem.

– E você tem medo de aprofundá-la nas conversas que terá com seus novos amigos?

– Tenho estado num beco sem saída, mas a terapia tem me ajudado muito. O meu medo é que essas pessoas me deixem mais maluca do que já fiquei depois da morte de Maurício.

– O medo é esse mesmo ou é porque você deseja continuar na superficialidade, nas conversas triviais, nas amenidades, como tem feito até agora?

A primeira reação de Adélia foi de defesa. Onde já se viu ofendê-la desse modo? Chamá-la de superficial?

Ela daria uma resposta à altura. Entretanto, algo lhe disse em seu interior que o psicólogo estava certo. As conversas que tinha diariamente com as clientes eram sobre banalidades, quando não fofocas.

– É verdade, Lauro, tenho vivido na superficialidade. A minha amiga de juventude é bem diferente de mim. Éramos muito semelhantes, todavia hoje ela demonstra levar a vida a sério, o que não ocorre comigo.

– E isso faz com que você tenha medo de se enfrentar a partir do diálogo que manterá com as pessoas que vão visitá-la? Daí questionar a validade desse encontro?

– É. É isso mesmo. Tenho medo de conhecer-me e de dar um novo significado à minha existência. É triste dizer isto, mas é a pura verdade.

A sessão foi muito produtiva. Adélia saiu do consultório psicológico determinada a receber Lucinda e seus amigos e a aproveitar ao máximo os momentos em que estivessem juntos. Convidada por Ricardo e Renata a ir almoçar num restaurante no domingo, Adélia recusou, falando sobre a visita que receberia. Estava determinada a ouvir o que lhe seria dito nesse encontro.

No dia aprazado, ela se levantou muito cedo e começou a preparar a salada, a maionese e a sobremesa do almoço, pois Lucinda lhe dissera que os pratos principais seriam levados por seus amigos. Ao meio-dia em ponto, ouviu o som melódico da campainha e, um tanto nervosa, foi atender. Lucinda estava risonha e a cumprimentou com muita alegria. A seguir, apresentou os amigos:

– Estes moços sorridentes são Roberto e Solange. E este casal simpático, Matsumoto e Satiko, mais conhecida por Teresa.

Adélia sentiu-se logo muito à vontade pela maneira cordial pela qual os visitantes entraram em sua casa. Tinham levado para o almoço lasanha e *yakisoba*, misturando a cozinha italiana e a japonesa por não saberem se Adélia gostava de pratos orientais.

– Não sei o que vou comer hoje. Adoro lasanha e também *yakisoba*. Vou ficar mais gorda do que já estou.

– Você gosta de comida japonesa?

– Adoro.

– Então, da próxima vez, traremos *tai no sugatayaki*, que é pargo assado, ou *uo-suki*, que não é nada mais que um *sukiyaki de peixe*.

Solange, rindo, descreveu o seu próximo prato:

– Se Matsumoto e Teresa vão trazer pratos tão deliciosos, nós viremos com *capeleti à* Don *Vicenzo*. Não podemos ficar atrás.

– Pois eu ajudo Adélia, fazendo uma deliciosa salada russa – completou Lucinda.

Num clima bastante ameno, teve início o diálogo entre os visitantes e Adélia, que já se sentia muito bem com eles. Depois de alguns minutos de amenidades, Lucinda, dirigindo-se a Matsumoto, falou com muito interesse:

– Como eu lhe disse, Adélia gostaria de conhecer melhor o Espiritismo. A noção que ela conservava da nossa doutrina era misturada com outras modalidades de espiritualismo. Dei-lhe de presente *O Evangelho Segundo o Espiritismo*, que ela já está lendo e meditando sobre as suas lições. Acho que seria interessante você fazer um resumo dos principais pontos espíritas.

– Será um prazer. Peço, entretanto, a ajuda de todos vocês, a fim de que possamos passar a Adélia uma visão breve, mas correta e precisa do Espiritismo.

– Terá a ajuda de cada um de nós.

– Tudo bem – disse Matsumoto. – Chama-se Espiritismo a doutrina codificada por Allan Kardec. Aqui nós já podemos desfazer as dúvidas sobre outras doutrinas, que são espiritualistas, mas não são espíritas.

– Desculpe-me, mas qual é a diferença? – perguntou Adélia, muito interessada.

– O termo *espiritualismo* é mais amplo do que *Espiritismo*. Espiritualista é toda doutrina que admite a independência e o primado do espírito sobre a matéria. Como diz Kardec, o espiritualismo é o oposto do materialismo, que privilegia a matéria ou, mesmo, nega a existência do espírito. Qualquer pessoa – diz ele – que acredite ter em si algo além da matéria é espiritualista. Podemos dizer que o espiritualismo corresponde a toda doutrina filosófica que tem por fundamento a existência de Deus e do espírito. Destarte, ele é a base de todas as religiões. Dentro dessa gama de doutrinas envolvidas pelo espiritualismo está o Espiritismo, que é uma doutrina específica, fundada na crença da existência de comunicações entre espíritos encarnados e desencarnados, por meio do fenômeno da mediunidade. Esclarece Kardec que o Espiritismo é uma ciência que trata da natureza, origem e destino dos espíritos, bem como de suas relações com o mundo corporal.

– Você quer dizer, por exemplo, que eu posso ser espiritualista sem crer na comunicação dos vivos com os mortos, mas não posso ser espírita se não tiver essa crença?

– Muito bem, você entendeu a diferença entre os termos. Na verdade, não se trata de fé cega, mas raciocinada, isto é, fortalecida pela reflexão constante. Vários estudos feitos por pesquisadores honestos já nos deram a convicção da existência dos espíritos e de sua comunicação com os encarnados.

– Entendi.

– Pois bem, é ainda Kardec quem nos afirma que o Espiritismo é a ciência que vem revelar aos homens, por meio de provas irrecusáveis, a existência e a natureza do mundo espiritual e suas relações com o mundo material.

Com a ajuda dos companheiros, Matsumoto foi fazendo uma explanação dos principais pontos da doutrina espírita, esclarecendo, ao mesmo tempo, as dúvidas formuladas por Adélia. Quando notou, já haviam se passado duas horas e meia de diálogo positivo e produtivo. Matsumoto achou melhor parar por ali e deixar que Adélia continuasse refletindo sobre tudo o que ouvira.

– Obrigado, amigos. Esta foi uma verdadeira lição de Espiritismo.

– Não encare sob esse aspecto, Adélia. Foi apenas um diálogo agradável e proveitoso – corrigiu Matsumoto.

– Todos aqui aprendemos algo mais hoje. E é assim que acontece sempre que nos reunimos para discutir temas espíritas.

Lucinda, procurando amenizar ainda mais o ambiente, lembrou:

– E a comida? Ninguém está com fome?

O almoço transcorreu num clima de muita alegria e amizade. Falou-se de tudo, mas, vez por outra, o assunto voltava para a doutrina espírita, geralmente por meio de uma pergunta formulada por Adélia. Foi assim que ela soube de um curso, realizado no centro espírita frequentado por seus novos amigos, e se interessou. Foi também em meio a esse diálogo que ela quis ter esclarecimentos sobre o passe.

– Diga-me um de vocês o que é realmente o passe, de que tanto falou uma de minhas clientes nesta semana.

Foi a vez de Solange dar a explicação:

– O passe é uma transfusão de energias espirituais e magnéticas. Deixe-me explicar: dizem autores, como Salvador Gentile, que o passe é a ação ou o esforço de transmitir para outro indivíduo energias magnéticas, próprias ou de um espírito, a fim de socorrer-lhe a carência física ou mental que decorre da falta dessa energia. No passe espírita, o magnetismo humano retirado do passista para o receptor é ampliado pelo magnetismo do espírito, que ali se apresenta para esse gesto sublime de socorrer os necessitados.

– Você quer dizer que a energia não é da pessoa que aplica o passe, mas de um espírito ali presente?

– Ocorrem simultaneamente as duas coisas, Adélia. O médium passista doa de sua própria energia, mas também se torna um canal para a transmissão da energia do espírito curador ali presente.

– Desculpe-me, mas sempre tive um conceito errôneo do passe.

– E qual era?

– Para mim, o passe era apenas uma crendice, fruto da ignorância do povo.

– Foram feitos vários estudos sobre o magnetismo e o passe. Cada um de nós possui o seu próprio magnetismo, mas, no caso do passe espírita, um espírito também contribui com a sua parte, de modo que o passe se torna misto: uma parte é fruto do magnetismo humano e a outra é recebida do plano espiritual. Entretanto, pode ocorrer também de haver doação fluídica direta do espírito ao receptor, sem a interferência do médium, que atua apenas como um canal dos fluidos espirituais. Nesse caso, o passe é denominado "espiritual".

– Entendo.

– Já foi dito que o passe é um ato de amor em sua mais elevada expressão, pois o médium doa o que tem de melhor, potencializado com os fluidos do seu guia espiritual. Como diz André Luiz, o passe é importante contribuição para quem saiba recebê-lo, com o respeito e a confiança que o valorizam.

– Quer dizer que o receptor deve estar preparado para recebê-lo?

– Sem dúvida. É por essa razão que, antes de entrar na sala de passe, o assistido fica numa sala especial ouvindo preleções que o preparam para a recepção do passe. Teresa é preletora e pode falar melhor que eu.

Adélia olhou para a esposa de Matsumoto e disse rindo:

– Teresa, agora é a sua vez. Tire com a sua experiência um pouco da minha ignorância.

– Todos nós aqui temos a nossa ignorância, Adélia. A única diferença é que uns têm mais, outros menos.

– Ainda bem que vocês são humildes. Não fico em desconforto.

– Nem sempre somos humildes. Às vezes, a falsa sabedoria toma conta de nossa mente e nos julgamos profundos conhecedores do Espiritismo. Mas, quando voltamos ao estudo, verificamos que temos ainda muito por aprender e, mais ainda, por praticar. Vamos, porém, à preleção. Ela é feita por vários preletores que se revezam. A sua finalidade é criar um ambiente de silêncio, paz, harmonia e meditação. Ouvindo as palavras do preletor, o assistido põe de lado os seus problemas pessoais, cotidiano, e tem a oportunidade de elevar o seu pensamento para os temas mais importantes da vida.

– Pelo que ouvi, a preleção é muito importante, não é mesmo?

– Ela é fundamental para que o receptor entre na sala de passe num clima psíquico positivo para a sintonia com o plano espiritual. Por esse motivo, como se costuma dizer nos centros espíritas, a preleção deve ser clara, objetiva, motivadora e empolgante. Somente assim ela consegue despertar valores esquecidos e lançar sementes de esperança no coração dos assistidos, auxiliando também na difusão da reforma íntima, da renovação interior.

Após o cafezinho, retornou-se ao tema do Espiritismo. Adélia pediu explicações sobre a mediunidade. Matsumoto tomou a palavra:

– Mediunidade é uma faculdade natural e espontânea que possibilita a comunicação entre o plano espiritual e o material, ou seja, entre os encarnados e os desencarnados. Em diferentes graus, todos a possuem, embora o termo seja habitualmente usado para referir-se às pessoas dotadas de mediunidade ostensiva. A mediunidade é, portanto, um canal de comunicação entre os espíritos e nós, que estamos reencarnados. Quando um espírito precisa entrar em contato com alguém, aqui no plano físico, faz uso do médium, que recebe a mensagem e a retransmite a quem foi endereçada.

– O médium é, então, uma pessoa especial de que se servem os espíritos para nos transmitirem suas mensagens?

– Depende do que você entenda pelo termo "especial". Certamente, não se trata de uma pessoa privilegiada, muito mais evoluída que nós, e que foi escolhida para uma missão especial. A grande maioria dos médiuns detém a mediunidade como uma prova.

– Não entendi.

– Falando mais claramente, há dois tipos fundamentais de mediunidade: um se chama "mediunidade natural" e é fruto das conquistas realizadas pelo indivíduo em suas diversas encarnações. Trata-se da mediunidade de uma pessoa moralmente evoluída, cuja sensibilidade refinada permite-lhe vibrar normalmente em planos superiores, como diz o autor espírita Edgard Armond. Essa é uma faculdade puramente espiritual. A mediunidade natural é, portanto, a conquista pessoal de quem atingiu graus mais elevados na escala evolutiva do espírito. O segundo tipo de mediunidade é o que se chama "mediunidade de prova". Neste caso, a pessoa recebe a mediunidade como um auxílio para que possa apressar a sua evolução moral e redimir-se de faltas cometidas em encarnações passadas. Não é uma espécie de missão especial, mas uma tarefa que permite ao médium servir de instrumento aos espíritos desencarnados em suas comunicações com os encarnados. Assim, em vez de missão própria de alguém com superioridade moral, é uma dádiva para que o médium tenha oportunidade de resgatar dívidas, despertando para um trabalho profícuo em benefício dos seus irmãos. Como lhe disse, a maioria dos médiuns inclui-se nesta categoria.

– Agora ficou claro. Mas não entendi, ainda, qual a necessidade de os espíritos se comunicarem conosco.

– Uma das finalidades é auxiliar para o esclarecimento e a evolução dos encarnados. Daí a importância de o médium manter-se em sintonia com os planos espirituais superiores, a fim de receber comunicação de espíritos evoluídos, que possam nos enviar mensagens verdadeiras e dignificantes.

– Há, porém, situações em que o médium recebe

espíritos menos evoluídos com a finalidade de doutriná-los para minorar seus sofrimentos e encaminhá-los a uma transformação interior, sob a orientação de espíritos mais evoluídos. É, por exemplo, o que ocorre na desobsessão – disse Roberto.

– Um exemplo de mediunidade que conforta o encarnado e lhe demonstra a imortalidade do espírito é a psicografia – acrescentou Teresa.

– Psicografia não se refere às mensagens dos mortos que as pessoas vão buscar nos centros espíritas, como no caso do filho que pede mensagem à sua mãe falecida há certo tempo?

– Esse é um exemplo de psicografia.

– Lembro-me de uma cliente de minha loja que disse ter recebido uma pequena carta contendo uma bela mensagem de seu marido já falecido.

– A mensagem, nesse caso, foi recebida por meio da psicografia. Mas há também um exemplo muito conhecido hoje em dia: os livros psicografados.

– Uma de minhas amigas me disse estar lendo um desses livros.

– Há igualmente outros tipos de mediunidade, como, por exemplo, a psicofonia e a mediunidade de cura.

– Mediunidade de cura?

– É uma faculdade que alguns médiuns têm para curar moléstias. Por meio desse tipo de mediunidade, o médium consegue realizar curas, provocando reações reparadoras de tecidos e órgãos do corpo humano – disse

Teresa, acrescentando: – O médium curador, além do magnetismo que lhe é próprio, tem a capacidade de captar, condensar e dinamizar fluidos, dirigindo-os para a parte doente do assistido.

– Certo. E o que é psicofonia?

– É semelhante à psicografia, com a diferença de que a mensagem vem pela voz. O espírito comunicante fala por meio do aparelho fonador do médium ou lhe inspira a mensagem telepaticamente, de modo que o médium, fazendo uso de suas próprias palavras, retransmita o que lhe foi inspirado.

A conversa prosseguiu nesse nível até Lucinda lembrar que já era hora de se retirarem. Adélia estava se sentindo tão bem que não queria nem pensar no fim da visita:

– Ainda é tão cedo! Fiquem mais um pouco.

– Poderemos ter novos encontros, se você desejar. O próximo poderia ser em nossa casa – disse Roberto.

Adélia ficou muito contente com o convite e o aceitou imediatamente. Marcaram a reunião para o domingo seguinte. Matsumoto encerrou a visita com uma prece e vibrações de paz, harmonia e sustentação para Adélia, que se despediu dos novos amigos com lágrimas nos olhos. Mas não eram lágrimas de tristeza, e sim de alegria por ter passado momentos tão felizes, como havia muito não lhe acontecia.

Na hora de deitar-se, Adélia abriu *O Evangelho Segundo o Espiritismo* e leu comovida:

"Para ser proveitosa, a fé tem de ser ativa; não deve

embotar-se. Mãe de todas as virtudes que levam a Deus, deve velar atentamente pelo desenvolvimento das filhas que dela nascem.

A esperança e a caridade são consequências da fé; estas três virtudes são uma trindade inseparável. Não é a fé que dá a esperança de vermos realizadas as promessas do Senhor? Se não tivermos fé, o que havemos de esperar? Não é a fé que dá o amor? Se não tendes fé, que reconhecimento tereis e, portanto, que amor?

Divina inspiração de Deus, a fé desperta todos os nobres instintos que conduzem o homem ao bem. É a base da regeneração. É, pois, necessário que essa base seja forte e durável; porque se a menor dúvida a abalar, que será do edifício construído sobre ela? Elevai, pois, esse edifício sobre fundações inabaláveis. Que a vossa fé seja mais forte que os sofismas e as zombarias dos incrédulos, porque a fé que não enfrenta o ridículo dos homens não é verdadeira.

A fé sincera arrasta e contagia; ela se comunica àqueles que não a tinham ou mesmo não queriam tê-la. Encontra palavras persuasivas que se dirigem à alma, enquanto a fé aparente tem apenas palavras sonoras que os deixam frios e indiferentes. Pregai pelo exemplo da vossa fé para transmiti-la aos homens; pregai pelo exemplo de vossas obras para que vejam o mérito da fé; pregai pela vossa esperança inabalável para que vejam a confiança que fortalece e leva a enfrentar todas as vicissitudes da vida.

Tende, pois, a fé em tudo o que ela tem de bom e de

belo, em sua pureza e em sua racionalidade. Não admitais a fé sem controle, filha cega da cegueira. Amai a Deus, mas sabei por que o amais. Crede em suas promessas, mas sabei por que nelas credes. Segui os nossos conselhos, mas dai-vos conta do fim, que nós vos mostramos, e dos meios, que vos trazemos para a atingir. Crede e esperai, sem jamais fraquejar; os milagres são obras da fé."

Essas sábias palavras tinham sido escritas pelo espírito José, em Bordéus, no ano de 1862, mas pareciam ter sido escritas para Adélia. Muito ainda meditou até que pudesse se encontrar novamente com Lucinda e seus amigos. Ela achava que a escuridão em que vinha vivendo começava a se desfazer para dar lugar a uma bela manhã de sol.

14

Transformação

Depois da conversa com Margarida, Maurício convenceu-se realmente de que não se conduzira impecavelmente como professor e coordenador de curso na sua última encarnação. Ele não fora um educador, mas apenas um instrutor e, assim mesmo, com deficiências.

Muitas reflexões foram feitas e o desejo de mudar, de transformar-se interiormente tomou conta do coração e da mente de Maurício. "Não posso ficar eternamente neste estado de passividade, apenas recebendo os favores de meus irmãos. Preciso trabalhar, como fazia desde os tempos em que era professor no ensino médio. Não me lembro de ter sido preguiçoso. Cheguei até a perturbar a vida social de Adélia por ficar em fins de semana corrigindo trabalhos e provas dos alunos. Às vezes, ela queria ir ao cinema em minha companhia e eu me negava por ter muito trabalho da faculdade. Aliás, partindo para este tipo de reflexão, noto que não fui apenas um profissional que deixou a desejar, mas também um marido que nem sempre cumpria com os seus deveres conjugais. Todas essas falhas devem ser agora o centro de meus pensamentos para que eu possa me melhorar e me preparar para uma reencarnação mais proveitosa do que esta minha última."

Depois de muitos diálogos, Maurício já aceitava a tese da reencarnação e assimilara dados importantes para a sua nova vida no plano espiritual. É verdade que ainda tinha recaídas, mas melhorara muito em comparação ao estado em que havia chegado à casa de repouso. O seu desejo de transformação era um indício de que ele começava a chegar à sua fase final de estada naquele estabelecimento. Mas, até a sua alta, havia ainda um caminho a percorrer. Desconhecendo a sequência dos acontecimentos, propunha-se a sair dali o mais rápido possível para poder dar início ao seu trabalho. Nesse ponto, ele esbarrava na sua ignorância: Como seria fora dali? Que tipo de trabalho haveria a ser realizado? Ele teria escolhas? E os entes queridos que ele havia deixado repentinamente?

– Bom dia, Maurício. Como está?

Era a figura sorridente de Vítor que assomara à porta, fechando-a e se dirigindo para a cama de Maurício. Havia um fulgor à sua volta, que não passou despercebido ao olhar atento do espírito em recuperação.

– Bom dia, Vítor. Estou muito melhor. Aliás, eu estava pensando em você.

– Eu sei. E, na medida do possível, tenho algumas respostas às suas indagações.

– Você leu meus pensamentos?

– É a melhor maneira de nos comunicarmos aqui.

– E por que não consigo saber o que você está pensando agora?

– Porque ainda não chegou o momento. Um dia, você também vai se comunicar telepaticamente, como eu.

– Vítor, estou sentindo uma sensação estranha.

O amigo sorriu e perguntou:

– Boa ou má?

– Muito boa. Você me traz notícias agradáveis?

– Veja só, você já começa a ler pensamentos.

Maurício riu e perguntou com certa ansiedade:

– Quais são essas notícias?

– Em primeiro lugar, você queria notícias da Terra, não é mesmo?

– Claro! E que notícias são essas?

– Adélia melhorou muito. Ela já não pensa em você com desespero na alma.

– Ela se esqueceu de mim?

– Essa seria uma boa notícia?

– É claro que não!

– Então, não é isso. Ela ama você profundamente. Mas, sem querer, ajudou a atrapalhar o seu restabelecimento, pois seus sentimentos a seu respeito eram desesperadores. Ela sofria demais por desconhecer a verdade sobre a vida e a morte. Mas ela encontrou amigos de verdade que a estão auxiliando muito. Hoje, ela pensa em você com tristeza, é verdade, mas não com desespero. Ela faz preces sentidas dirigidas a você. Com isso, deixa-o livre para dar sequência ao seu desenvolvimento pessoal.

Lágrimas rolaram dos olhos de Maurício. Saber que a esposa ainda o amava era um lenitivo para o seu coração bastante sofrido. Vítor prosseguiu:

– Seus filhos estão muito bem. Logo trarei mais notícias deles, no momento, basta que você saiba que tanto eles quanto seus cônjuges estão saudosos de você, mas estão administrando muito bem a vida deles.

Novas lágrimas foram vertidas por Maurício, que procurou se conter para não ter uma recaída, como já acontecera anteriormente.

– Penso muito em Adélia e em toda a minha família, Vítor. E sempre que isso acontece, forço-me a não desandar num choro convulsivo e desesperador.

– Não há motivo para se desesperar. A separação momentânea era necessária, tanto para você como para eles. Adélia está aprendendo a cuidar melhor da sua própria vida e a pensar mais em temas essenciais para a sua passagem positiva por essa encarnação. Até mesmo Ricardo, que se considera materialista, está começando a passar por uma transformação, ainda imperceptível, mas real. Já Renata, Luísa e Pascoal, que cultivam um pouco a espiritualidade, começam a pensar ainda mais seriamente na vida.

– Visto por esse ângulo, realmente não há motivo para desespero – aduziu Maurício, ainda pensativo.

– Eu sei que a saudade machuca o nosso coração. Eu também me senti assim quando desencarnei, portanto, compreendo a sua reação. Mas quando pesamos os prós e os contras da nossa passagem para o plano espiritual, os prós sempre saem vencedores.

– Creio que seja assim mesmo.

– Bem, há ainda mais notícias a lhe dar, Maurício. Está interessado?

– Interessadíssimo, Vítor. Por favor, fale.

– Logo você será autorizado a sair um pouco do leito e conhecer esta casa e seus arredores.

– Que maravilha! Mas haverá alguém para me acompanhar?

– Posso ser eu, inicialmente? Depois você fará amizades e minha presença não será mais necessária.

– Não só pode, como deve. Você tem me ajudado muito desde que dei entrada neste instituto. Mas, ao mesmo tempo, fico triste, pois parece que após minhas novas amizades, você não me verá mais. É isso?

– Não. Não chega a tanto, mas terei outras atividades a realizar e nos veremos com menor frequência. Entretanto, sempre que puder entrarei em contato com você. Somos grandes amigos, Maurício, e eu não poderia me desfazer desta amizade milenar.

– Milenar? É verdade, nos conhecemos há tão pouco tempo e parece que já nos conhecemos há mais de mil anos – respondeu Maurício, rindo. Vítor também riu, mas fez uma correção:

– Eu não disse em sentido figurado. Conhecemo-nos por volta desse tempo. E nossa amizade tem sido sempre sincera e leal.

Maurício ficou desconcertado. O que estava havendo ali? Vítor não estava se sentindo bem? Ou estava pregando-lhe alguma peça? Não, o seu modo de falar não sugeria nenhuma brincadeira. Era preciso entender melhor o que ele estava dizendo.

– Ainda não entendi o que você está falando.

– Olhe bem para mim. Lembra-se de quem fui na minha última encarnação?

Maurício fixou-se no semblante de Vítor, que pareceu se modificar um pouco, tornando-se mais velho. Havia algo naquele rosto que lhe era familiar. Quem seria? De repente, Maurício deixou escapar um grito e disse comovido:

– Vovô!

A emoção foi muito forte. O choro aflorou repentinamente, enquanto os dois se abraçavam com grande carinho. Vítor fora o único avô que Maurício conhecera em sua última encarnação. Tratava-se do avô por parte de mãe. Várias vezes ele fora levar o neto até a escolinha, despedindo-se com um beijo no rosto. Ouvira também dele algumas histórias, que conservara na memória, mesmo quando adulto. Enfim, Vítor ou "vovô Vítor" fora um herói para ele em sua infância. Que alegria estar com ele naquele momento. Quantas recordações prazerosas vieram à tona em poucos segundos. Demorou para que ele se recompusesse, a fim de retomar a conversa:

– Estou sem saber o que dizer. O senhor sempre esteve aqui comigo e eu não sabia. Saiba que mudei de certa melancolia para uma alegria imensa. Agora estou feliz.

– Eu também, mas vamos combinar o seguinte: não me chame de senhor. Sou apenas o seu amigo Vítor. Antes de ser seu avô, fui sempre o seu amigo. E continuo sendo. Portanto, nada de senhor. Combinado?

– Tudo bem, embora seja difícil chamá-lo de você. Afinal, o senhor... você foi sempre o meu herói.

– Na verdade, eu sempre fui seu amigo. Quando disse que nos conhecemos há mais de mil anos, não menti. Você já foi meu tio, meu primo, meu amigo de infância, além de colega de trabalho e meu neto. E temos sido, acima de tudo, grandes companheiros na jornada santa para Deus. Depois disso tudo, você ainda acha que eu iria deixá-lo sozinho aqui?

De fato, as novidades levadas por Vítor tinham sido alvissareiras, mas a última delas caíra como uma bomba sobre o seu coração. Vítor trazia-lhe a própria felicidade. O respeito, o amor, o carinho que tinha por seu avô era algo de sagrado que guardava no fundo da sua alma. E agora acabava de descobrir que ele sempre estivera naquela casa a ajudá-lo, a reconfortá-lo e a orientá-lo nessa nova situação de sua vida. Ele sabia que aquele rosto não lhe era estranho, mas nunca adivinharia de quem se tratava. O avô estava mais jovem, mais jovem que ele próprio, Maurício. O que lhe acontecera? Só conseguiu saber de quem se tratava quando ele pareceu envelhecer mais. No entanto, agora estava ele ali na sua frente, novamente com um rosto mais jovem e com o costumeiro sorriso de esperança. Como conseguira isso?

– Como o senhor conseguiu ficar mais jovem que eu?

– Lembre-se de tratar-me por você.

– Eu me acostumo. Agora ainda está difícil.

– Quanto à minha aparência mais jovem, você ficará sabendo com o passar do tempo. Eu diria que é agora que você começa a viver neste plano, Maurício. Há muita coisa ainda por aprender. Mas não se apresse, tudo virá a seu tempo. Sempre que puder, ajudá-lo-ei a se adaptar rapidamente a este novo mundo, no entanto, você terá várias pessoas com quem compartilhar os bons momentos da espiritualidade.

– E o que devo fazer para apressar esse momento? Desejo logo sair daqui e retomar a minha vida. Aliás, quando falo em retomar a vida, fico indeciso, pois não sei o que é a vida neste local em que me encontro e do qual não me disseram praticamente nada até agora.

– Você me pede duas respostas. Vamos à primeira. Para sair logo daqui, você precisa estar equilibrado internamente. Marlene e Júlia têm-lhe pedido para serenar o ânimo e elevar o seu pensamento a Deus, não é isso?

– Sim, sempre que estou um pouco agitado, elas me recomendam paz e tranquilidade.

– Elas agem assim porque, ao elevar o seu pensamento a Deus e entregar-se inteiramente a Ele, nasce no seu interior a paz e a tranquilidade necessárias à sua recuperação. Quando confiamos na Sabedoria Divina, equilibramo-nos, os nossos pensamentos tornam-se elevados e as nossas emoções febris transformam-se em sentimentos nobres.

– A tranquilidade sempre me foi difícil. Eu era uma pessoa agitada, não conseguia ficar parado, chegando a tornar-me o que se chama hoje de *workaholic*. Não conseguia desfrutar a vida, precisava estar sempre trabalhando em alguma atividade que levava da faculdade para casa. Pobre da Adélia, que tinha de me aturar.

– Você percebe, então, a necessidade que tem da tranquilidade?

– Sem dúvida.

– Vou ensiná-lo a buscar a paz e a tranquilidade de que você tanto necessita.

– Farei o que você me disser a fim de poder tornar-me um pouco útil.

– Imagine-se num local muito agradável e tranquilo. Sinta-se muito alegre e feliz por estar nesse ambiente de paz...

Maurício procurou seguir mentalmente o que ia ouvindo de Vítor e, aos poucos, foi sentindo uma onda de paz e tranquilidade tomar conta do seu interior. Vítor continuou com o exercício de visualização:

– Permaneça em estado de completo e profundo relaxamento, com a agradável sensação de paz... Harmonia... E tranquilidade... Paz... Harmonia... E tranquilidade...

Maurício não se lembrava de algum dia ter conseguido ficar nessa situação tão agradável. Gostou tanto dessa prática que não queria sair tão cedo desse estado relaxante. Vítor permitiu que ele gozasse por alguns minutos dessa nova sensação. Depois, prosseguiu com as instruções:

– Agora, imagine que está sentado confortavelmente à beira de um lindo lago. As águas refletem o azul sereno do céu. Veja como elas estão calmas e planas, como a superfície de um espelho.

Depois de alguns segundos, Vítor mudou o cenário imaginativo:

– Neste momento, o céu turva-se e começa a cair uma chuva forte. As águas tornam-se agitadas. O temporal cresce e as ondas agigantam-se, encapeladas pelo vento forte. Já não se sente a placidez e a quietude do lago sereno. Tudo é agitação em meio às ondas revoltas.

Por alguns segundos, Maurício contemplou aquela cena desagradável, sentindo na alma a inquietude e a desarmonia das ondas tempestuosas e encapeladas das emoções em desequilíbrio. Depois, novas instruções lhe foram passadas pelo amigo.

– Note, Maurício, que o furor das ondas começa a diminuir. O céu está se abrindo. O sol ressurge entre as nuvens. As águas se acalmam. O lago volta a permanecer na sua serenidade inicial, refletindo novamente o azul relaxante do céu. Sopra uma brisa suave e fresca. E você começa a sentir uma sensação de paz... Harmonia... e tranquilidade. Paz... Harmonia... E tranquilidade... Permaneça em estado de completo e profundo relaxamento, com a agradável sensação de paz... Harmonia... E... Tranquilidade... Paz... Harmonia... E... Tranquilidade...

Maurício já experimentava novamente uma onda de serenidade interior. Sentia-se relaxado, calmo, tranquilo. A harmonia e o equilíbrio predominavam em seu ser. Vítor deixou que ele ficasse nesse estado agradável por alguns minutos. Depois, fez com que voltasse às atividades rotineiras.

– Muito bem, Maurício. Agora, comece a tomar contato com a realidade exterior do seu cotidiano, permanecendo atento às suas atividades, ao mesmo tempo em que conserva a serenidade interior.

Novamente a luz tênue do quarto e os poucos móveis foram vistos por Maurício, que olhou serenamente para Vítor, sentado a seu lado.

– Tudo bem?

– Tudo maravilhoso! Não me lembro de ter me sentido tão bem assim em toda a minha vida. O que você conseguiu comigo foi fantástico!

– Uma correção: quem conseguiu foi você, e não eu. Apenas facilitei a sua entrada nesse estado de paz, harmonia e tranquilidade por meio das técnicas da respiração, do relaxamento e da visualização criativa. Quero, entretanto, fazer-lhe uma pergunta.

– Esteja à vontade.

– O que suscitou essa sensação tão agradável? O lago agitado e encapelado? Ou o lago manso e tranquilo?

– Sem dúvida, o lago manso e tranquilo.

– Então, você percebe agora por que não pode abrir espaço para pensamentos e emoções desagradáveis, como os de pesar, aflição, desconsolo, desolação, amargura, depressão, desânimo, desgosto, ansiedade e angústia, não é mesmo?

– Você não poderia ter feito nada melhor para convencer-me disso.

– Sempre que você entra em desespero, desequilibra-se, desarmoniza-se como o lago encapelado e tem uma recaída, voltando a sentir o mesmo que lhe ocorreu, quando do seu desencarne. E de que lhe serve isso? Ao pressentir que começa a alimentar um pensamento nebuloso ou um sentimento menos elevado, faça o mesmo exercício que lhe propus hoje. A ansiedade e a angústia não podem conviver com a paz, a harmonia e a tranquilidade. As trevas desaparecem quando a luz se torna presente.

– Obrigado, Vítor. Desculpe-me, mas você continua aquele avô dedicado e compassivo.

– Eu continuo seu amigo e seu irmão.

O diálogo prosseguiu com outras orientações de Vítor a Maurício, que ouvia atento e aberto a tudo o que lhe era dirigido pelo amigo. Por fim, Vítor abraçou-o e disse apenas:

– Não se esqueça do que conversamos. Pratique o que lhe foi ensinado. Fique com Deus. Voltarei para levá-lo a seu primeiro passeio.

Maurício estava maravilhado com o que ocorrera nesse encontro. Nos dias seguintes, praticou o exercício proposto por Vítor e passou a sentir-se muito melhor. A sua transformação foi sendo notada por Marlene e Júlia, que comentavam entre si as mudanças positivas que vinham ocorrendo na vida de Maurício. Sentiam-se alegres e entusiasmadas, pois logo ele poderia deixar o leito e, se continuasse assim, poderia mesmo deixar definitivamente aquela casa de repouso. Não haveria volta. Uma nova etapa começava a ser instalada em relação à permanência de Maurício na espiritualidade. Bons ventos sopravam em sua direção. E ele, com a sua liberdade de escolha, era o responsável direto por essa transformação, auxiliado por seus amigos de jornada evolutiva.

15

No Centro Espírita

O DIÁLOGO COM OS NOVOS AMIGOS converteu-se numa impressão indelével na alma de Adélia. Não era mais possível continuar vivendo como vinha fazendo até ali. Não demorou a perceber que Lucinda, Matsumoto, Roberto e cada um dos que estiveram em sua casa tinham uma mensagem profunda a ser-lhe transmitida. E ela queria tomar conhecimento do seu conteúdo. O que sobremodo a deixou admirada foi o fato de eles não lhe quererem impor nada. Apenas conversavam amigavelmente e respondiam pacientemente às suas perguntas. Não tinham nenhum comportamento semelhante ao daqueles seguidores de certas seitas, que forçam a conversão das pessoas que caem em suas garras, envolvendo-as com falsa fraternidade ou intimidando-as com a espada flamejante do castigo eterno. Não, certamente eles não eram desse tipo. Não falavam em castigo nem pecado. Para cada pergunta, encontravam respostas apoiadas na razão, e não numa fé cega. Lucinda lhe disse, certa vez, que a fé não deve se separar da razão. A expressão usada por ela foi "fé raciocinada". E explicou tratar-se de uma serena reflexão que leva à crença em um ponto doutrinário. Raciocina-se anteriormente para que a fé se constitua. Até citou Kardec, ao dizer que "fé inabalável só é a que pode encarar a razão, face a face, em todas as épocas da Humanidade".

Adélia chegou a pensar que os seus novos amigos iriam levá-la "à força" ao centro espírita que frequentavam e onde faziam o seu voluntariado. Mas rapidamente esse pensamento se desfez, pois a conduta deles era antagônica a qualquer atitude semelhante. Em nenhum momento ela foi convidada a conhecer o centro espírita. Isso lhe pareceu estranho, pois já fora "perseguida" por fanáticos de seitas religiosas, que chegaram a ameaçá-la com o "fogo do inferno" por ela ter se recusado à conversão. A pergunta que ficava na ponta da língua era, sem dúvida, o que eles faziam lá. Que tipo de reunião era feita? Se não faziam "trabalhos" para o para o mal, faziam para o bem? Enfim, o que realizavam ali? Foi no segundo encontro, em casa de Roberto e Solange, que Adélia não se conteve e perguntou curiosa:

– Como é o local que vocês frequentam? O que fazem lá?

Solange foi quem respondeu:

– Nós frequentamos o Centro Espírita Luz Divina, na Vila Mariana. Quanto às nossas atividades, deixo para Matsumoto dizer, pois ele é o nosso presidente.

– Com todo o prazer, embora você também pudesse explicar, pois o conhece tão bem quanto eu. Aliás, acho que conhece melhor que eu.

– Chega de "confete". Explique para Adélia quais são as nossas atividades – disse Lucinda, rindo.

– Tudo bem. O nosso centro espírita compõe-se de três grandes departamentos: o departamento espiritual, o social e o educacional. Sob a coordenação do departamento espiritual, realizam-se as reuniões públicas de orientação evangélica, as entrevistas, os passes, os trabalhos de desobsessão e as psicografias, em que os espíritos de familiares desencarnados enviam mensagens de consolo e fé a quem as solicitou. O departamento social promove atendimento médico, odontológico e psicológico, orientação jurídica e apoio à gestante e seus familiares. Mantém igualmente um bazar, cuja renda é revertida à manutenção da entidade. Já o departamento educacional promove três cursos: o Curso de Educação Mediúnica, com duração de quatro anos, com aulas semanais; o Curso de Aprendizes do Evangelho, também com duração de quatro anos e aulas uma vez por semana; e o Curso de Introdução à Filosofia Espírita, com duração de três semestres. Basicamente, são esses os trabalhos desenvolvidos pelo centro espírita. Todos os trabalhadores são voluntários.

Adélia não esperava por tantas atividades. Foi uma surpresa. Após as palavras de Matsumoto, aflorou-lhe um intenso desejo de conhecer a instituição.

– Não pensei que houvesse tanto trabalho no centro espírita. Achei muito interessante. Gostaria mesmo de conhecê-lo, se me for permitido.

– Com certeza. Será muito agradável para nós mostrar-lhe cada área do centro espírita e as atividades ali realizadas – disse Teresa.

Foi marcada uma visita à instituição na semana seguinte. Adélia esperava com ansiedade o dia em que conheceria de perto as atividades, os trabalhadores e os frequentadores da instituição. No dia combinado, Lucinda foi buscá-la em casa e dali rumaram para a Vila Mariana.

Era dia de atividade evangélica, e Adélia quis presenciá-la integralmente. Depois de tomar conhecimento das instalações do centro espírita, dirigiu-se a uma sala ampla e ficou juntamente com Lucinda no aguardo do início da sessão. Aos poucos, a sala ficou repleta de pessoas. Às oito horas em ponto tiveram início os trabalhos. A mesa, colocada à frente e ao centro da sala, era composta de sete pessoas: Matsumoto no centro, do seu lado direito Roberto, um jovem e uma senhora que ela não conhecia. À esquerda do presidente do centro espírita estavam Solange, Teresa e um senhor, também desconhecido.

Matsumoto iniciou com uma prece e, em seguida, abriu um livro, dizendo diante do microfone:

– A lição que Emmanuel nos traz hoje tem por título "Não rejeites a confiança", e inicia com um pequeno trecho da carta de Paulo aos Hebreus: "Não rejeiteis, pois, a vossa confiança, que tem grande e avultado galardão".

Em seguida, iniciou o seu próprio texto: "Não lances fora a confiança que te alimenta o coração. Muitas vezes o progresso aparente dos ímpios desencoraja o fervor das almas tíbias. A virtude vacilante recua ante o vício que parece vitorioso. Confrange-se o crente frágil perante o malfeitor que se destaca, aureolado de louros"...

Adélia não conseguiu acompanhar todas as palavras de Emmanuel lidas por Matsumoto. Em suas reflexões, pensou na fé que quase perdera em meio às múltiplas tarefas do cotidiano. Não fosse por Lucinda, talvez ela acabasse por perder-se também no torvelinho das paixões e dos desencontros da existência. "Não posso perder a confiança em Deus. Se hoje me encontro mais equilibrada é devido ao reviver da fé em mim: fé na vida, fé nos amigos e, acima de tudo, fé em Deus."

Matsumoto continuava a leitura: "Todavia, se aceitamos Jesus por nosso Divino mestre, é preciso receber o mundo por nosso educandário. E a escola nos revela que a romagem carnal é simples estágio do espírito no campo imenso da vida"...

"É verdade", pensou Adélia, "o mundo é mesmo um educandário. Infelizmente, parece que não me dei bem com as lições que ele me tem oferecido. A minha vida foi sempre superficial, banal mesmo. Passei a minha existência até aqui em conversas tolas e fofocas destemperadas. Ganhei alguma coisa com isso? Então por que persisti nessa vida fútil e vazia por tanto tempo? Mao procurou muitas vezes tirar-me dessa condição, oferecendo-me diálogos repletos de conteúdo vital para a condução do nosso dia a dia. Mas de um modo ou de outro sempre rejeitei essas conversações, que tachava de enfadonhas e chatas. Lá no fundo, eu achava que filosofia é coisa de pedantes e desocupados. O que deve Mao ter pensado de mim? Realmente, ele devia me amar, pois, caso contrário, teria partido para uma companhia mais agradável e mais culta"...

Matsumoto tossiu, o que fez Adélia acordar de suas reflexões, voltando a prestar atenção nas palavras de Emmanuel, proferidas por ele: "Não rejeiteis a fé porque a passagem educativa pela Terra te imponha à visão aflitivos quadros no jogo das convenções humanas. Lembra-te da imortalidade – nossa divina herança!"...

"Imortalidade", disse para si mesma Adélia. "Nunca valorizei tanto essa palavra. Não fosse a imortalidade e eu estaria agora em frangalhos, sem saber o que fazer da minha existência. Por começar a crer na imortalidade é que espero um dia poder rever o meu querido Mao. Será verdade tudo isso? Meu Deus, eu tenho de acreditar, mas, como me disseram estes amigos maravilhosos que consegui, a fé deve ser raciocinada. Com certeza, eles me ajudarão a compreender melhor tudo isto que hoje me escapa como areia por entre os dedos. Eu quero estudar os mesmos textos que eles estudam para certificar-me daquilo que hoje é apenas uma tênue esperança para mim."

Matsumoto encerrava a leitura: "A carne é apenas tua veste. Luta e aprimora-te, trabalha e realiza com o Cristo, e aguarda, confiante, o futuro, na certeza de que a vida de hoje te espera, sempre justiceira, amanhã". Fez-se um breve silêncio e o orador anunciou:

– Façamos agora alguns comentários esclarecedores a respeito desta preciosa lição que nos traz Emmanuel.

– Quem é Emmanuel? – perguntou Adélia a Lucinda.

– É um mentor espiritual, um espírito que ditou muitas mensagens pela psicografia de Chico Xavier. Emprestarei a você o livro de onde Matsumoto tirou esta lição.

– Obrigada.

– Creio que a confiança, a fé, é o grande esteio para a nossa vida, de modo que não podemos nos dar ao luxo de perdê-la – esclareceu Matsumoto aos presentes. – Como diz Emmanuel, é ela que nos alimenta o coração, de modo que nós também precisamos alimentá-la. Contudo, quando falo em fé, não me refiro à fé cega, mas àquela que caminha juntamente com a razão, a fé raciocinada. O Espiritismo, ao mesmo tempo em que tem um caráter religioso, possui igualmente um lado científico, além do filosófico. Temos de unir harmoniosamente em nosso íntimo o sentimento elevado da fé com a direção precisa da razão, se quisermos nos conduzir com equilíbrio em nosso cotidiano. Daí a importância da leitura e do estudo da nossa doutrina. Para podermos praticar o Espiritismo, temos antes de conhecê-lo, e só podemos chegar a seu conhecimento por meio do estudo diário de seus princípios. Leiam os livros doutrinários, meus irmãos, mas não façam uma única leitura, transformem-na em estudo, retomando-a até o pleno entendimento do seu conteúdo. Conhecer para praticar.

Depois de pequeno silêncio, o jovem tomou a palavra:

– A virtude, segundo Kardec, consiste no conjunto de todas as qualidades essenciais que constituem o bem. Mas, para que ela seja efetiva, precisa estar assentada sobre a rocha, e não sobre a areia. Como afirma Emmanuel, a virtude tem de ser forte, e não vacilante, pois, se for frágil, vai recuar ante o vício. Entretanto, tenhamos por certo que a suposta vitória do vício é momentânea. Aqueles que levantaram a bandeira do mal, em toda a história da humanidade, fizeram-no por um certo tempo, depois passaram, como o negror da tempestade diante dos raios límpidos do sol. Sejamos fortes na prática da virtude, que beneficia os nossos irmãos e favorece particularmente a nós mesmos. Sigamos o nosso caminho bendito, aberto pelo Divino Mestre, lembrando-nos sempre de que "tudo podemos naquele que nos fortalece".

Novo silêncio e, em seguida, ouviu-se a voz de um senhor que aparentava mais de sessenta anos:

– Não nos desfaçamos da virtude, não rejeitemos a fé quando as coisas não vão bem em nossa vida. Aquilo que hoje nos parece um mal, pode ser apenas o resgate de débitos passados, contraídos em existências anteriores, alijadas de nossa memória carnal. Agimos muitas vezes como a criança que, escapando da mão da mãe, envereda pelo asfalto repleto de veículos em movimento. Empurrados por alguém zeloso, caímos na calçada e choramos, pensando que nos fizeram um mal, sem saber que fomos salvos de um trágico acidente. Lembremo-nos, por outro lado, de que "não há mal que sempre dure". Somos imortais, e aquilo que hoje nos aflige será uma vaga lembrança no porvir dos séculos. A carne mortal é apenas a nossa veste, de que nos desfazemos quando partimos para a espiritualidade. É por tudo isso que Emmanuel, na sua peculiar sabedoria, aconselha-nos a lutar, trabalhar e realizar com o Cristo, aguardando confiantes o futuro. A justiça divina não falha, de modo que o que estivermos plantando hoje, certamente colheremos amanhã. Pensemos nisto, irmãos, e busquemos viver de acordo com os ensinamentos de Jesus, num constante serviço em benefício dos nossos irmãos, incluindo aqui os animais e a natureza, que nos oferece gratuitamente o necessário à vida neste planeta de transição.

Adélia ouvia absorta as palavras de cada orador, procurando assimilar o conteúdo. Outras considerações foram feitas a respeito da leitura realizada por Matsumoto, até que as luzes foram apagadas e teve início o trabalho de psicofonia. Lucinda procurou explicar rapidamente a Adélia o que iria acontecer:

– Terá início agora a psicofonia. Alguns espíritos aqui presentes falarão pela voz dos médiuns.

Depois de alguns segundos, Roberto começou a falar com uma alegria que Adélia considerou quase infantil:

– Oi! Estou aqui novamente, mãe. Não pude deixar de responder à sua saudade. Sei que a senhora tem estado triste ultimamente. Mas não fique assim, não. Tá? Eu já lhe disse que tá tudo bem comigo. Tenho recebido muita ajuda. Tô começando a entender melhor como funcionam as coisas deste lado. Sinto saudade da senhora também, do pai, da Luzia e do Zeca, mas me disseram para não ficar triste. Isso não faz bem. Fique mais alegre, porque tudo tá caminhando bem. Já não sinto nenhuma dor. Nem parece que fui acidentado. Em vez de chorar demais, faça orações por mim. Eu te amo e a todos daí. Dê um abraço bem apertado na Soninha. Fiquem todos com Deus!

Uma senhora, sentada perto de Adélia, chorava baixinho enquanto ouvia as palavras do espírito, ditas por Roberto.

– É meu filho! – disse baixinho para a moça que estava ao lado dela. – É meu filho!

Em seguida, o mesmo senhor que tecera comentários sobre a leitura da noite começou a falar numa voz rouca e cadenciada:

– Marisa, consegui estar aqui para consolá-la. Não chore, meu amor. A vida na Terra é breve e logo estaremos juntos. No momento, preciso muito de oração. Faça preces por mim em vez de se desesperar. O desespero prejudica tanto a você quanto a mim. Eu também orarei por você e pelo Júnior, que tanto amo. Ainda estou meio confuso com a mudança brusca, mas tenho certeza de que me acostumarei e tudo ficará melhor. Não posso falar mais. Apenas quero ainda dizer que a amo do fundo do coração. Cuide bem do Júnior e seja feliz!

O silêncio que se fez foi curto, pois, logo a seguir, a senhora postada ao lado do jovem começou a dizer, num tom de voz choroso:

– Lauro, estou aqui porque sei que você estava duvidando da vida após a morte do corpo físico, e eu queria lhe mostrar que você está errado. Devo também dizer que sinto muita falta de você e de Regininha. Ela tem sentido muito a minha ausência, mas diga-lhe que eu continuo a amá-la como minha filha querida. Não posso estar fisicamente junto dela, como antes, mas tenho orado muito por você e por ela. Não se desesperem, pois isso não faz bem. Tenho ouvido os seus lamentos e, sempre que isso acontece, perco o frágil equilíbrio que consigo a duras penas nesta nova etapa da minha vida. Creia em Deus e faça preces para que tudo se ajeite e possamos dar continuidade às nossas vidas da melhor maneira possível. Não tem sido fácil para mim essa mudança inesperada, e sei que não tem sido também para vocês. Mas vamos confiar em Deus. A vida é breve e um dia estaremos reunidos novamente. Você tinha dúvidas sobre a continuidade da vida, não é mesmo? Mas a minha presença aqui prova que realmente não existe a morte. A nossa separação é mais breve ou mais longa, mas um dia ela desaparece e nós podemos retomar o nosso convívio. Diga a Amélia para orar também por nós e fale que lhe mando um abraço amigo. Ela é uma boa pessoa e merece a nossa amizade. Agora tenho de partir, mas quero antes dizer, mais uma vez, que te amo e amo de coração a nossa filhinha.

Um moço de seus trinta e cinco anos curvou-se e desandou a chorar baixinho. Apenas balbuciou para a senhora a seu lado:

– Agora creio que o ser humano não morre. Ninguém

daqui poderia conhecer Amélia, uma amiga da minha esposa que se mudou para longe e com quem tenho raros contatos.

Adélia pensou em Maurício e também começou a chorar. Depois das manifestações de espíritos junto a seus familiares, tiveram início as vibrações feitas pelo mesmo senhor que participara da psicofonia:

– Neste momento, vibremos paz, harmonia, sabedoria e amor por todos os nossos entes queridos que, concluída a sua estada neste mundo de provas e expiações, partiram para o plano espiritual a fim de dar continuidade à sua trajetória com o Pai; vibremos também por todos os que aqui ficaram e continuam no cumprimento de suas tarefas terrenas; vibremos por todos os espíritos desencarnados que necessitam de ajuda para se elevarem a planos superiores e poderem prosseguir no cumprimento da divina lei do progresso; vibremos proteção e saúde a todos os enfermos; arrependimento, resignação e esperança de vida melhor aos presidiários; proteção a todos os desamparados, quer sejam crianças, jovens, adultos ou idosos; proteção a todos os animais e à natureza; discernimento, justiça e sabedoria aos governantes; paz e harmonia ao nosso planeta; vibremos, enfim, paz, sabedoria e amor às nossas famílias e a cada um de nós que aqui nos encontramos. Que o Divino Mestre nos cubra com seu manto protetor.

Em seguida, Matsumoto fez uma breve prece de encerramento:

– Neste clima de paz e amor, elevemos nossos pensamentos e sentimentos a Deus, rogando as suas bênçãos e a sua proteção. Louvemos o dom da vida, que gratuitamente nos foi ofertado e peçamos a Maria de Nazaré que nos auxilie em nossas tentativas de seguir os passos de seu Divino Filho, de modo a vencermos todos os obstáculos que se nos interponham, a fim de que possamos, paulatinamente, subir os degraus que nos conduzem ao Pai. Por fim, agradeçamos a Deus as oportunidades que nos são dadas para que possamos concretizar essa caminhada de evolução e progresso. Assim seja.

"Peço às pessoas que solicitaram mensagens de entes queridos que aguardem para a entrega das cartas psicografadas. Lembro que nem sempre é possível aos espíritos manifestarem-se, de modo que não se sintam frustrados. Aqueles que não receberem mensagem, continuem solicitando-as, pois assim que possível terão a resposta pela qual esperam. Boa noite a todos. Fiquem com Deus."

Nesse momento, as luzes acenderam-se e três dos presentes à mesa começaram a chamar as pessoas que haviam recebido mensagens. Adélia não sabia que esse centro espírita também fazia trabalho de psicografia e, querendo receber alguma mensagem de Maurício, disse para Lucinda:

– Eu gostaria muito de receber uma mensagem do Mao.

– Seria muito bom, Adélia, mas creio que ainda não é o momento.

– Como assim?

– Ele está há pouco tempo na espiritualidade.

Ainda se recupera da passagem para aquele plano. Espere mais algum tempo e, com certeza, você obterá a sua comunicação.

– Que pena! Eu queria tanto ler uma mensagem ou ouvir, como ocorreu hoje aqui. Mas terei paciência. No dia certo isso vai acontecer, não é assim?

– Sem dúvida. Agora tome este cálice de água fluidificada.

– Água o quê?

– Fluidificada. Enquanto ouvíamos as leituras, as considerações dos mesários e as mensagens psicografadas, os mentores espirituais desta casa enviavam fluidos magnéticos regeneradores para as jarras de água sobre a mesinha, naquele canto. Os espíritos operam uma transmutação na água por meio do fluido magnético. Operada uma modificação nas propriedades da água, produz-se também um fenômeno semelhante em relação ao corpo e à mente de quem a bebe. A água, dada a sua constituição molecular, é elemento que absorve e conduz a bioenergia que lhe é ministrada. Assim, quando é magnetizada e consumida, leva a efeitos análogos aos da bioenergia ingerida. Ela se torna portadora das qualidades próprias da bioenergia. Fui clara?

– Certamente foi precisa, porém, a minha ignorância não me deixa muito espaço para a compreensão. No entanto, mais uma vez, terei paciência. Mais algum tempo e eu saberei exatamente do que se trata. O que importa agora é que faz bem, não é mesmo?

– Sem dúvida. Vamos beber.

Uma senhora de preto pediu desculpas, interrompendo a conversa, e fez uma pergunta direta para Lucinda:

– Será que esta mensagem é mesmo do meu marido? A letra é diferente. Li numa revista que uma carta psicografada por Chico Xavier ajudou até num julgamento, pois o juiz notou que a letra era igualzinha à da pessoa que havia falecido. E foi o seu conteúdo que deu suporte à decisão do juiz. Mas esta letra não é nada igual à do meu falecido esposo...

– Nem sempre a caligrafia da mensagem psicografada é igual à do espírito comunicante.

– E por que a letra das mensagens de Chico Xavier era semelhante à da pessoa falecida?

Adélia ouvia com atenção o diálogo. Aquela senhora falava com certo desdém, que soava mesmo como falta de polidez. Entretanto, Lucinda permanecia calma, falando com voz baixa:

– Há mais de um tipo de mediunidade. Explicarei com a brevidade que a situação exige. Na psicografia, posso dizer, genericamente, que há três modalidades de mediunidade: a psicografia chamada mecânica, em que o espírito comunicante atua somente sobre a mão do médium, que escreve sem tomar conhecimento da mensagem recebida. O impulso dado à mão independe da vontade do médium. Como é o espírito que movimenta a mão do médium, a caligrafia torna-se semelhante àquela que tinha o espírito quando encarnado, e as palavras usadas são também do próprio espírito. A psicografia que denominamos semimecânica, em que o médium, à medida que vai escrevendo, também toma conhecimento do que escreve. O espírito age simultaneamente na mente e na mão do médium, mas este não perde o controle da sua mão. Assim, a letra nem sempre é semelhante à do espírito comunicante quando encarnado, e também as expressões nem sempre são as que ele costumava usar quando escrevia ou falava. A terceira modalidade, chamada intuitiva, é quando o espírito atua sobre a mente do médium telepaticamente, transmitindo-lhe suas ideias e sua vontade. O médium as capta e, voluntariamente, escreve-as, usando as suas próprias palavras e a sua própria letra. As ideias são do espírito comunicante, mas a caligrafia, as palavras e expressões são do médium.

– Entendi.

– Hoje em dia, são raros os médiuns mecânicos. Mais comuns são os semimecânicos e os intuitivos. A maior parte dos médiuns deste centro espírita é intuitiva. Esse é o motivo de a mensagem que a senhora recebeu não estar expressa na mesma caligrafia ou numa semelhante à do seu marido desencarnado.

– Eu não sabia disso. Quer dizer, então, que Chico Xavier era um médium...

– Mecânico.

– Ah, sim... Mecânico.

A senhora baixou mais o tom de voz e atirou a pergunta:

– Quer dizer que posso confiar nesta mensagem, mesmo a caligrafia não sendo a mesma de meu marido, não é?

– A partir da explicação que lhe dei, isso fica bastante claro. Mas há, ainda, outro fator. O espírito desencarnado não é um ser estático e inflexível. Ele se modifica e progride, como ocorre conosco. Saindo daqui, por exemplo, a senhora não terá a mesma noção de psicografia que tinha ao chegar, não é verdade?

– Sim.

– Pois bem, os espíritos também se modificam, uns mais lentamente, outros com mais rapidez, de modo que mudam os seus hábitos e até mesmo a maneira de expressar-se no cotidiano. Assim, alguém que desencarnou há alguns anos pode ter modificado vários de seus costumes, de acordo com o aprendizado adquirido na espiritualidade. É a lei do progresso em ação.

– Entendi.

– Quanto tempo faz que o seu marido desencarnou?

A senhora ficou um pouco indecisa e, depois, com certa dificuldade, respondeu:

– Catorze anos.

– Então, a senhora entende o que lhe estou dizendo, não é mesmo?

– Sim, agora compreendo. Vou ler a mensagem em casa, com todo o cuidado. Muito obrigada e até logo.

– Antes eu quero lhe fazer um convite.

– Pois não.

– Na próxima quinta-feira, teremos uma palestra a ser apresentada por um dos nossos preletores sobre o tema: "Psicografia e Psicofonia". Será uma excelente oportunidade para a senhora conhecer mais profundamente os meandros da mediunidade.

– A que horas?

– Às dezenove e trinta. Podemos contar com a sua presença?

– Claro. Eu virei, sim. Muito obrigada pelo convite.

Adélia notou a mudança no rosto da mulher, que começara o diálogo num tom agressivo e deixou o centro espírita completamente mudada. Estava cordial e receptiva. Não pôde deixar de comentar com Lucinda:

– Que tranquilidade você demonstrou. Aquela senhora chegou até aqui de maneira quase inconveniente e você conseguiu que ela se retirasse tão educada. Como conseguiu isso?

– Precisamos ter paciência, Adélia. Se eu respondesse também de maneira agressiva, poderia ter contribuído para perder uma alma que poderá ser ainda muito útil no serviço ao semelhante. Ela precisa de lições mais que de repreensões.

Adélia olhou bem para Lucinda e disse sorrindo:

– Quando crescer, quero ser como você. Espiritualmente, é claro...

– Você quer ser como eu quando crescer? Por que não se matricula num dos nossos cursos de desenvolvimento espiritual?

– Você se refere àqueles de que se falou quando do nosso encontro em casa?

– Temos aqui dois cursos com duração de quatro anos. O primeiro ano é comum a ambos. Quando o aluno o conclui, é endereçado para o Curso de Aprendizes do Evangelho ou para o Curso de Educação Mediúnica, dependendo da sua escolha ou da indicação do expositor. Como você está interessada em conhecer o Espiritismo, tenho certeza de que vai lhe fazer muito bem.

– Gostei. Quantas vezes por semana deverei vir aqui? Estou perguntando porque prestarei vestibular para cursar a faculdade no próximo ano.

– Parabéns! Você está no caminho certo. Aqui você virá apenas uma vez por semana, podendo escolher as quintas-feiras à noite ou os sábados pela manhã.

– Já escolhi. Virei aos sábados.

– Então, vamos preencher uma ficha. Talvez você não saiba, mas sou a coordenadora da área de ensino. Portanto, considere-se matriculada!

Adélia pode ainda conversar com Matsumoto e os demais amigos, que a parabenizaram pela decisão. Ela voltou para casa tranquila e cheia de projetos para o futuro. Uma nova etapa começava a surgir em sua vida. Uma etapa importante para o seu desenvolvimento geral.

16

Uma investigação sigilosa

A MUDANÇA DE ADÉLIA, após o início da psicoterapia e o encontro com Lucinda, não passou despercebida a seus filhos e familiares. Num domingo em que ela fora almoçar na casa de Roberto e Solange, Ricardo e Renata receberam Luísa e Pascoal para um almoço, em que o tema central das conversações foi a transformação dela.

– Não sei o que anda acontecendo com mamãe – disse Luísa –, ela está mudada ultimamente. Vocês não notaram?

– Claro – respondeu Ricardo. – Ela vivia abatida. Eu tinha medo de que acontecesse algo ruim. Ela parecia estar sofrendo de algum tipo de transtorno mental.

– Também notei isso – aparteou Pascoal. – Ela parecia definhar física e psiquicamente.

– Cheguei a temer pelo suicídio – completou Luísa. – É difícil dizer isso, mas corresponde ao que percebi em sua conduta.

– Eu também notei tudo isso que vocês estão dizendo – confirmou Renata. – Mas, de uns tempos para cá, houve uma mudança radical. Ela está alegre, otimista e risonha.

– Parece que "viu o passarinho verde" – disse Ricardo pensativo.

– Você acha que ela está interessada em alguém, Ricardo? – perguntou Luísa preocupada.

– Não sei. Não sei, mas precisamos saber. Ainda é muito cedo para isso, vocês não acham?

Com cuidado, Pascoal considerou que viver no isolamento pode não fazer bem, dependendo do tipo de pessoa, e que até poderia ter acontecido de ela estar mesmo procurando um novo amor.

– Vire essa boca para lá, Pascoal – falou Luísa, amuada. – Se eu morresse hoje, amanhã você já estaria batendo asas para qualquer sirigaita?

Ricardo interveio, já mais tranquilo:

– Pensando bem, Luísa, não é tão despropositado assim. Você já imaginou o sofrimento de quem perde um ente querido? Os dias que se seguem à perda devem ser terríveis, daí a necessidade, às vezes, de encontrar alguém com quem partilhar o restante da vida.

– Tudo bem, quando já se passou muito tempo. Mas no caso da mamãe é diferente. O falecimento de papai está tão próximo!

– Nem tão próximo assim. Já se passaram muitos meses.

– Os homens não conseguem ficar nem um pouco sozinhos, mesmo.

– Luísa, não estamos falando de homem nenhum, mas da nossa mãe.

– Está bem. Entretanto, como iremos saber se ela está mesmo querendo encontrar um novo amor? Ah! É tão difícil imaginar isso.

– Desculpem-me – disse Renata. – Não estamos agindo como crianças ou adolescentes? Será que aquilo que estamos sentindo não é simplesmente ciúme?

Luísa respondeu rapidamente, antes que alguém pudesse concordar com a cunhada:

– Não, não é ciúme. Eu chamaria de cuidado.

– Cuidado de quê? Ela sempre foi ajuizada. Creio que esteja havendo um exagero de nossa parte. Lembrem-se de que ela está fazendo psicoterapia, e dizem que o psicólogo com quem está se tratando é muito bom.

– Não, Renata. Seria muito bom se fosse apenas isso. Mas há algo por trás – disse Luísa com uma ponta de ciúme. – Ela deve estar buscando alguém para compartilhar a sua vida. É isso aí, Ricardo, padrasto à vista!

– Na nossa idade fica até esquisito falar em padrasto. Mas que a mãe está querendo um novo amor, é bem possível.

– E nós, o que faremos? O que você acha, Pascoal?

– Não sou filho de dona Adélia, entretanto, gosto dela como se fosse a minha mãe. Portanto, também estou tão confuso como vocês. Francamente, não sei se ela está buscando formar um novo par, mas, se estiver, creio que está no seu direito. Uma viúva casar-se não é nenhum desrespeito ao marido falecido. É, muitas vezes, uma necessidade.

– Nós poderemos auxiliá-la financeiramente. Não será uma fortuna, mas dará para ela viver com dignidade. E, além disso, a lojinha dá um bom dinheiro, creio que ela não está tão necessitada assim – respondeu Luísa.

– Acho que Pascoal está falando em necessidade psicológica. Estou certo?

– É isso mesmo. Falo em necessidade de companhia.

– Seja como for, estou resistente. Não consigo imaginar a mamãe com outro homem, não importa de quem se trate.

– Bem, gente, parece que estamos dando voltas sem sair do lugar – interveio Renata.

– Também acho – falou Ricardo. – Penso que deveríamos dar um tempo e esperar o que vai acontecer daqui para a frente. O que vocês acham?

– Acho uma excelente fórmula para não fazermos nada. É um excelente modo para aguardarmos a queda da mamãe no precipício.

– Não dramatize, Luísa. Você está preocupada demais. Como bem disse Renata, a mãe é muito bem ajuizada.

– Ajuizada ou não, continuo pensando que devemos armar um plano para saber o que está acontecendo.

– Até aí, tudo bem. Também concordo – contemporizou Ricardo. – Resta saber que plano seria esse e quem faria o quê.

Luísa olhou para os presentes com um ar de vitória e respondeu:

– Um de nós passará a seguir de perto os passos da mamãe. Se ela estiver se encontrando com alguém, um dia destes cairá na arapuca.

– O quê? Cenas de Sherlock Holmes? Não seja ridícula, Luísa.

– Ricardo, o assunto é sério. Temos de zelar pela nossa mãe. Eu tenho.... Tenho muito medo...

– Tudo bem, tudo bem, Luísa. Pare de chorar e vamos montar um plano. Sair às ocultas atrás da mãe é mesmo ridículo, mas podemos contratar um detetive.

– É isso aí! – gritou Luísa, refeita. – Um detetive particular! O que vocês acham?

Embora tanto Renata quanto Pascoal não estivessem satisfeitos com os rumos da conversa, para não tornar mais pesado o clima, acabaram por concordar. Pelo menos, chegar-se-ia a uma conclusão insofismável. Daí para a frente, ver-se-ia o que fazer. Ficou acertado que os casais dividiriam as despesas e Ricardo se encarregaria de contratar o detetive e manter os contatos necessários.

No dia seguinte, ele procurou no jornal a seção de anúncios classificados. Entre vários, sobressaía o seguinte: "Polidoro – Detetive. Alto nível de qualidade e sigilo nas investigações. Atuamos nas áreas: conjugal, empresarial, contraespionagem, vazamento de informações, conduta do adolescente, monitoramento de empregadas e babás. Atendimento 24 horas com hora marcada. Conheça o nosso escritório e as referências".

"Tentarei este aqui", pensou Ricardo e, após conversar por telefone, foi até o escritório do profissional. Ficava numa sala de um edifício novo, situado na rua Apeninos, próximo à estação Paraíso do metrô.

– Bom dia. Preciso falar com Polidoro.

– Claro, claro. Bom dia. Sou eu mesmo. Terei prazer em poder servi-lo.

– Conversamos por telefone a respeito do trabalho que lhe pretendo passar.

– Já estou sabendo um pouco do que se trata, mas é bom o senhor me falar detalhadamente sobre o caso, a fim de que eu possa ter uma noção mais apurada a respeito.

O escritório recendia a perfume masculino. Era limpo e bem-arrumado. O detetive era um homem de estatura média, aparentava seus cinquenta e poucos anos. Os cabelos eram grisalhos e longos, à semelhança dos usados entre o fim da década de 60 e início de 70. Vestia um paletó grafite, uma camisa azul-celeste e uma gravata preta. A sua mesa denotava ordem e asseio.

– Por favor, pode começar. Anotarei o que for importante.

– Muito bem. Trata-se da minha mãe.

– Permite-me fazer anotações?

– Claro. Esteja à vontade.

– Em primeiro lugar, qual é o seu nome completo?

Ricardo passou todos os dados necessários sobre ele e sua mãe. Em seguida, começou a dizer por que estava ali.

– Minha mãe, após o falecimento do meu pai, tornou-se deprimida, fechando-se num círculo de tristeza que causou sérias preocupações a seus familiares. Assim, ela ficou por alguns meses até ser convencida a fazer psicoterapia. De início, rejeitou a ideia, porém, depois que começou a análise, ela me disse que estava muito satisfeita com a sua opção. Melhorou bastante, voltando a trabalhar em sua loja e estabelecendo maior contato com os familiares. Até aí, tudo bem. No entanto, de uns tempos para cá, ela tem se mostrado excessivamente alegre e desenvolta. É diferente da maneira como se comportava, quando o meu pai estava vivo. A alegria é mais intensa e a felicidade parece estampada permanentemente em seu semblante.

– E qual é o problema?

– O problema é que essa alegria parece resultante do encontro de uma nova pessoa, um novo amor, sei lá. E isso está incomodando os familiares.

– Precisarei de alguns dias para colher informações precisas. Em seguida, darei o meu veredicto.

– E qual é o seu método de trabalho?

– Eu sigo a pessoa, fotografo-a, filmo-a em situações que permitem identificar a sua conduta e também colho informações de conhecidos, amigos e vizinhos. Tudo com muita discrição. Para a pessoa seguida, eu me torno invisível, de modo que ela nunca toma conhecimento daquilo que realmente está acontecendo. Por esse motivo, age com a desenvoltura de sempre, sem desconfiança ou pudores.

– É verdade que a minha mãe não está cometendo nenhuma infração a nenhuma norma ética ou jurídica. Apenas estamos preocupados com os rumos que possa tomar o seu comportamento. Estamos agindo assim por amor, e não por desconfiança.

– Claro, claro. Esteja tranquilo. Entendo a preocupação de vocês. Farei o possível para passar-lhes os resultados da minha investigação do modo mais claro, rápido e verídico possível.

Acertados os honorários, Ricardo deu-se por satisfeito e foi contar a Renata, Luísa e Pascoal, ficando no aguardo de notícias.

Polidoro, embora tenha achado um despropósito a ação dos familiares de Adélia, fez todo o planejamento e os preparativos para dar início às investigações. No dia seguinte, foi até o bairro do Ipiranga, seguindo pela rua onde se situava a loja da viúva, e estacionou o seu carro em frente. Às oito e trinta, Adélia chegou. Abriu a loja e entrou. Polidoro não perdeu nenhum movimento. À noitinha, Adélia fechou o estabelecimento e voltou para casa sem se encontrar com ninguém. Polidoro permaneceu em frente à casa até as onze e trinta, quando resolveu voltar sem ter conseguido nenhum indício do objeto de investigação. Assim transcorreu no dia seguinte. Polidoro já olhava com fastio para a loja e para a casa, pois nada acontecia de anormal. No terceiro dia, Adélia saiu mais cedo do trabalho, deixando as duas vendedoras no estabelecimento.

Voltou para casa e, duas horas mais tarde, um táxi parou diante do portão. Logo surgiu a viúva, que entrou no carro, seguindo rua afora. Polidoro ligou o motor e foi no encalço do táxi. "Parece que as coisas vão se esclarecer", pensou o detetive, pousando a mão na filmadora.

O táxi rodou por várias localidades, chegando finalmente a uma tranquila rua da Vila Mariana. "É aqui!", pensou Polidoro, enquanto encostava o seu carro do lado oposto da rua em que o táxi estacionara. Adélia pagou a corrida e desceu devagar, sendo alegremente recebida por uma moça que se postara à frente de uma porta de ferro num prédio de fachada ampla. O detetive quis saber do que se tratava e pôde ler numa placa pequena: "Centro Espírita Luz Divina". "Centro espírita?", conjecturou desanimado. "O que pode acontecer aí dentro senão orações e pregação?" Adélia entrou, desaparecendo da sua visão. "O jeito é eu entrar também", pensou e desceu do carro, dirigindo-se à entrada do prédio.

– O senhor veio tomar passe?

"Era o que me faltava. E agora? Nem espírita eu sou. Mas, se não fizer bem, mal certamente não fará."

– Sim.

– Trouxe o cartão?

– Cartão?

– O senhor não tem?

– Não.

– Ah! Já sei. É a primeira vez que o senhor vem, não é mesmo?

– É verdade.

– Vou, então, encaminhá-lo para a entrevista.

Polidoro estava desconcertado. Nunca entrara numa casa espírita. Assim, ele seguiu a jovem até uma saleta em que um senhor estava sentado diante de uma mesinha. Foi recebido cordialmente.

– Boa noite. Por favor, sente-se. O senhor veio tomar passe?

– Sim.

– É devido a alguma doença ou problema familiar? Enfim, qual o motivo pelo qual você nos procurou?

Ele não sabia o que responder, mas tinha de ser rápido para tornar as coisas naturais e poder seguir no encalço de Adélia.

– Não tenho me sentido muito bem.

– Doença?

– Desassossego. Ando muito desassossegado. Para dizer a verdade, a idade vem chegando e noto que já não sou o mesmo de alguns anos atrás. Sinto-me mais cansado, não tenho tanto ânimo para sair, como fazia antes. Enfim, ando meio deprimido por causa da meia-idade e de uma dor de cabeça crônica que não quer me largar de jeito nenhum, já faz muitos anos.

"Estranho. Eu não queria dizer nada disso que estou falando. Nem sequer percebia que ando tão deprimido, seja por causa da idade, seja pela cefaleia. Mas por que estou falando a esse respeito com um estranho?"

– Não seria, no fundo, o medo da morte?

– Sim... É também medo da morte. Aliás, quem não teme morrer, não é mesmo?

– Tenho uma boa notícia para o senhor: a morte não existe! Nós não somos este corpo que estamos vendo e sentindo. O corpo físico é apenas uma vestimenta de que se serve o espírito enquanto peregrina por este planeta. Nós somos espíritos imortais. Aquilo que chamamos de morte é apenas a passagem para o mundo espiritual. Mas nós não morremos. Ninguém morre. De modo que o senhor não precisa mais temer o que não existe.

Polidoro não sabia o que responder. Nunca pensara nesses termos. A sua ideia era a de que nós nascemos, vivemos, morremos e, com a morte, tudo deixa de existir. A convicção, clareza e segurança com que aquele senhor lhe falava, deixou-o perturbado.

– Você tem certeza do que diz? Alguém que morreu por acaso já voltou para contar?

– Temos aqui muitos espíritos todas as semanas que nos asseguram a continuidade da vida. Temos, também, várias obras que tratam do assunto. Para nós, espíritas, esta é uma verdade insofismável: a morte não existe. Somos espíritos imortais.

– Eu gostaria de saber mais sobre este assunto, mas creio que não seja o momento certo.

– Vou encaminhá-lo para o passe, mas conversaremos mais sobre este assunto. Na próxima semana trarei um livro que trata do assunto. Você vai gostar de lê-lo.

– Muito obrigado.

– O passe também poderá tranquilizá-lo, atenuando-lhe a dor de cabeça. Entretanto, tudo depende mais de você. Mudando a sua vida para melhor, isto é, fazendo o que chamamos de "reforma íntima", tudo melhora. Poderemos conversar mais a este respeito na próxima semana.

Depois de outras orientações, o detetive passou ao entrevistador os dados necessários para a confecção de uma ficha e foi levado por uma moça à sala de preleção. Nesse momento, esqueceu-se de Adélia, visto que estava pensando em tudo o que ouvira. Notou que havia várias pessoas sentadas na sala, ouvindo as palavras de um senhor. Sentou-se na cadeira que lhe foi indicada e prestou atenção nas palavras que eram proferidas. O preletor lia pequeno trecho de um livro:

– "É necessário haver harmonia em nossa vida. Harmonia com nós mesmos. Harmonia com Deus. Harmonia com os outros. Harmonia com os animais e com a natureza. E harmonia com o Plano Espiritual elevado, de que participam os espíritos amigos, que buscam nos ajudar em nossa reforma íntima".

"É verdade", pensou Polidoro. "É verdade, mas nunca penso nisso. Afinal, eu trabalho muitas vezes com a desarmonia entre marido e mulher. Meu trabalho, em grande parte, é observar, espreitar a desarmonia entre as pessoas. Se houvesse mesmo harmonia, meu trabalho seria reduzido à metade, pelo menos. Mas não é por essa razão que eu devo torcer para o desequilíbrio. Se eu não trabalhasse como detetive, teria certamente outra atividade. Mas, por outro lado, não devo ter nenhum sentimento de culpa, pois não sou eu a causa da desarmonia que se desenvolve entre o casal. Apenas faço a constatação do fato e, muitas vezes, quando descubro que não existe nenhuma infidelidade por parte do marido ou da esposa, contribuo para o restabelecimento da harmonia perdida. Seja como for, meu trabalho é honesto. O importante é eu pensar na harmonia interior. Percebo que minha vida não é muito harmônica. Há dentro de mim um vulcão onde as labaredas são as emoções contraditórias que, muitas vezes, tomam conta de mim. Isso, sem dúvida, precisa de uma melhoria."

O preletor continuava a falar, afirmando a necessidade de nos harmonizarmos com as leis divinas, quando uma jovem sorridente chamou o detetive para dirigir-se à sala do passe. Acompanhando outras pessoas, ele esperou uns poucos minutos diante da porta até o momento de entrar. Conduzido a uma cadeira, sentou-se e recebeu o cumprimento de um médium passista, que logo deu início à transmissão do passe. De olhos fechados, sem saber muito bem o que acontecia, esperou até o fim, uns poucos minutos depois, quando o passista se despediu e os assistidos começaram a deixar a sala. Polidoro sentiu-se mais leve. Parecia ter encontrado a paz e harmonia que estava esperando. Saiu vagarosamente junto a outras pessoas e viu-se logo na rua silenciosa, respirando o ar noturno. Foi quando avistou o táxi e Adélia, que se dirigia para ele. Lembrou-se novamente de seu trabalho e apressou-se para entrar no seu carro e acompanhar a volta de Adélia para casa. Nada houve de incomum. Ela pagou a corrida e entrou em casa, desaparecendo atrás da porta. O detetive ficou ainda por duas horas de campana, e como a casa permanecesse em silêncio e a janela do dormitório, cuja luz estava acesa, havia se apagado, Polidoro deu por encerradas as atividades. Não pôde, porém, deixar de pensar no que lhe ocorrera naquela noite incomum. Nunca entrara em um centro espírita em toda a sua vida. Tinha mesmo um certo preconceito em relação à doutrina. Mas o que se passara ali não tinha nada de negativo. Pelo contrário, ele fora muito bem orientado por aquele senhor simpático, que até mesmo lhe oferecera um livro para leitura na próxima semana. No entanto, ele não esperava voltar mais ali. Mesmo tendo se sentido bem, achava que não devia se meter "com aquelas coisas". Quanto à mãe de Ricardo, não lhe parecia estar à busca de marido naquele local. Ela fora discreta e só permanecera ali o tempo necessário para tomar o passe. De volta para casa, não foi dormir muito tarde. Realmente, até aquele momento, nada de incomum havia acontecido no cotidiano de Adélia.

O detetive seguiu a viúva por quinze dias e não detectou nenhum indício daquilo que os filhos tanto temiam. A sua vida era recatada e discreta. A única exceção eram os domingos. Ela saía religiosamente às onze da manhã e só voltava para casa por volta das dezoito horas. Nesse meio tempo, ficava ora numa, ora noutra casa. E ele não podia saber o que se passava ali. O contrato com Ricardo dizia que, em quinze dias, seria passado um relato completo do que ocorrera nesse período e, ao término de um mês, seria apresentada a conclusão. Polidoro teria, no dia seguinte, de apresentar o primeiro relatório e haveria essa grande interrogação. Era preciso partir para uma fase mais ostensiva de investigação.

A reunião com Ricardo transcorreu normalmente. Ele ficou mais tranquilo, pois nada havia sido constatado quanto à possibilidade de namoro da sua mãe com quem quer que fosse. Entretanto, o que o preocupava eram as reuniões dominicais.

– Tenho conhecimento dessas reuniões – afirmou ao detetive –, mas serão apenas reuniões de amigos, como ela diz? Quem garante? Fico um pouco mais tranquilo, de um lado, porém, de outro, permanece uma interrogação que você não conseguiu desfazer.

– Ainda não consegui, mas tenho tempo suficiente para isso. Acredite que chegarei a uma conclusão insofismável.

– Tudo bem. Mas devo dizer que você fez uma constatação que me deixou preocupado.

– Qual?

– O fato de ela estar tão ligada ao Espiritismo.

– Quanto a isso, consegui obter a informação de que ela, além de tomar passe toda semana, está matriculada num curso.

– Num curso? E você sabe qual?

– Sim. Informei-me também sobre isso. O centro espírita tem dois tipos de curso: um de médiuns e outro que os dirigentes chamam de "Aprendizes do Evangelho".

– E qual ela frequenta?

– O primeiro ano é comum aos dois, de modo que,

só ao final desse estágio, o aluno recebe a orientação ou se decide por um ou outro.

– Minha mãe está ficando carola? Ou se deixou levar pelas crendices dessa religião inferior?

– Eles seguem o Evangelho, como qualquer cristão, e dizem que o Espiritismo não é apenas religião, mas também ciência e filosofia.

– Você está bem informado, hein?

– Faz parte da minha profissão, dr. Ricardo. E, se o senhor me permite, pelo que pude observar lá dentro, os espíritas agem como cristãos, pois tudo o que se fala ali tem por fundamento o Evangelho. Não vi nada que fosse contra qualquer princípio moral ou a própria razão. Caso contrário, eu lhe diria agora.

– Você é espírita?

– Não. Sequer tinha entrado algum dia numa casa espírita. O que lhe estou afirmando é fruto apenas da minha observação. Como lhe disse, dona Adélia vai até lá para tomar passe e ouvir leituras comentadas sobre livros de fundamentação cristã.

– Passe?

– Eu lhe explico.

– Não é preciso, já sei. Não creio que possa fazer bem nenhum. Acho pura perda de tempo minha mãe ir atrás disso. O que mais fazem lá?

– Bem... Os espíritos dos mortos passam mensagens aos presentes.

– Você está brincando...

– Não, dr. Ricardo. Eles passam mensagens por meio da fala dos médiuns ou da escrita. Há muitas pessoas que vão buscar mensagens de um ente querido que partiu.

– Tudo pura bobagem, Polidoro. Misticismo, crendice. Mas pode estar certo de que terei uma conversinha com a minha mãe. Como lhe disse, eu sabia que ela havia arranjado uns amigos espíritas, mas não tinha conhecimento de que ela já estava praticando essa religião absurda, chame você de ciência ou religião. Entretanto, sou grato por me prestar informações detalhadas sobre a conduta irracional da minha mãe. Falta, porém, saber se ela está ou não de namorico com alguém. O pior de tudo é se for outro maluco frequentador do centro espírita. Dentro de mais quinze dias quero outra reunião com você. Mas dessa vez sem nenhuma dúvida. Quero saber com certeza se ela está ou não namorando. Tudo bem?

– Sim, dr. Ricardo. Fique tranquilo. Não faltarei ao meu dever.

Ricardo ficou pensando em como dizer tudo isso a Luíza, Renata e Pascoal. Até ali, ele não estivera tão preocupado com a possibilidade de sua mãe ter arranjado um namorado, mas agora, que ela estava frequentando um centro espírita, as coisas mudavam de figura, pois o namorado poderia ser um debiloide que também frequentava a instituição. "Era o que faltava", pensou enquanto pegava no telefone para marcar uma reunião com os familiares.

17

O passeio

PASSARAM-SE VÁRIOS DIAS após a última visita de Vítor. Maurício havia lido muito e procurado praticar tudo o que estava aprendendo. Havia melhorado muito e sentia-se bastante bem. Não havia mais sinal de dor no peito e, emocionalmente, sentia-se equilibrado, mesmo que, às vezes, uma grande saudade de Adélia e dos filhos batesse forte. Marlene lhe prometera que logo estaria conhecendo a casa de repouso por dentro e por fora. Ele esperava esse momento com certa ansiedade, embora se resignasse quanto à escolha do dia apropriado. Numa manhã de luz muito intensa, enquanto lia uma das obras emprestadas pela enfermeira Júlia, a porta se abriu e apareceu, sorridente, Vítor:

– Bom dia, Maurício.

– Bom dia, vô, quero dizer, Vítor.

– Você não acha que estou muito novo para ser seu avô? – perguntou Vítor, sorrindo.

– É o hábito, mas eu me acostumo.

– Como você está?

– Muito bem, Vítor. Muito bem.

– Já consegue se levantar?

– Há alguns dias que já posso me sentar na cadeira ou andar um pouquinho pelo quarto.

– Marlene me falou que você melhorou muito, o que foi confirmado por Júlia.

– Elas são dois anjos que Deus colocou em meu caminho. Não me canso de agradecer-lhes.

– Pois, então, você vai agradecer mais uma vez.

– Por quê?

– Você está autorizado a sair do leito para conhecer a casa de repouso. Afinal, até hoje você só conhece este quarto, não é mesmo?

– Sem dúvida. Que alegria! Quero levantar-me, sim Esperei muito por este dia. Vou com esta roupa mesmo?

– Hoje, sim. Depois, se quiser, poderá vestir o que lhe convier.

Maurício levantou-se agilmente e, pela primeira vez, abriu a porta para sair do quarto. Vítor observava com um largo sorriso. Quando chegou ao corredor, Maurício encontrou-se com Marlene e Júlia, que o abraçaram e lhe recomendaram tranquilidade e observação, a fim de que tomasse contato com a nova realidade. Em seguida, Vítor convidou-o a conhecer as dependências da casa.

– Temos duzentos leitos, disse-lhe, apontando as portas dos diversos quartos enfileirados pelo amplo corredor. Você está no terceiro andar, mas há ainda outros dois. Desceremos devagar para que você comece a fazer exercício.

– Marlene é a única médica?

– Não, ela atende você e outros pacientes. Trabalham com ela duas enfermeiras, estando Júlia designada para atendê-lo. Mas, além de Marlene, há mais dez médicos, cada um com o apoio de duas enfermeiras ou enfermeiros. Há, ainda, a área administrativa, em que atuam oito pessoas.

Continuaram conversando sobre a casa de repouso até chegarem à portaria e saírem para um amplo pátio ajardinado e semeado de árvores frondosas. Vários bancos de madeira estavam dispostos em pontos estratégicos. Um regato cortava o pátio, formando pequenas cascatas com seus ruídos relaxantes. Maurício passeou por algum tempo com Vítor que, depois de informá-lo sobre todos os aspectos da instituição, alegou um serviço a ser prestado e despediu-se. Maurício sentou-se num dos bancos próximos a uma cascata e ficou absorto a olhar para a água correndo. O ambiente era calmo e suscitava pacíficas meditações.

Assim concentrado, nem notou a presença de uma senhora já idosa, que se aproximou e o cumprimentou com um sorriso um tanto forçado:

– Bom dia. Posso sentar-me?

– Bom dia. Esteja à vontade.

Depois de ajeitar-se no banco, a senhora iniciou uma conversa:

– O senhor é novo aqui, não?

– É a primeira vez que desço para este lindo pátio. Mas já estou aqui há vários meses.

– Esse o motivo pelo qual não me lembrei de tê-lo visto. Pretende sair logo daqui? Já sabe para onde vai?

– Eu pretendia sair logo do quarto, mas deixar esta casa é uma incógnita para mim, pois ninguém me falou para onde poderei ir.

– Entendo.

– E a senhora?

– Estou aqui há bastante tempo. Cheguei muito mal. Desencarnei devido ao câncer e não me conformei com o que aconteceu após o desenlace. Praguejava contra Deus e o mundo. Não queria saber de ajuda. Vagueei por muito tempo por lugares escuros e malcheirosos. Se algum espírito bondoso se aproximava, eu o xingava e, aos berros, dizia que voltasse para o lugar de onde viera.

– Mas por que tudo isso?

– Bem, quando na Terra, eu vivia numa mansão pelas redondezas do Morumbi, em São Paulo. Meu marido era proprietário de uma grande fábrica de tecidos e astuto aplicador na Bolsa. Se nasci rica, após o casamento tornei-me milionária. Vivi em meio ao luxo, às compras fúteis e às festas. Tive dois filhos, que se casaram jovens e me deram dois netos cada um. Mas, creia-me, apesar de tudo isso me sentia num vazio que me angustiava e tirava todo o prazer da vida. Felicidade era uma palavra que não existia em meus diálogos. Usando uma expressão popular: "A minha vida era um inferno".

– O convívio com o seu marido não conseguia suprir esse vazio?

– Convívio? Ele vivia mais na fábrica do que em casa. Quando não se demorava em reuniões, estava fazendo aplicações na Bolsa de Valores. Eu pouco via a sua figura. Não acompanhou o crescimento de seus filhos nem participou da vida escolar deles. Aliás, o mesmo aconteceu comigo, que vivia em salões de beleza para depois percorrer shoppings e lojas sofisticadas com amigas tão fúteis quanto eu. Para meus filhos não ficarem nas mãos das empregadas, tive sempre babás escolhidas a dedo. Com isso, sobrava-me tempo para todas as frivolidades que constituíam a minha vida sem eira nem beira. Quando me dei conta, os filhos já estavam crescidos. Lembro-me do dia em que meu marido abriu a porta do quarto e disse, pasmo: "Você viu como nossos filhos já estão homens?". A partir daí, ele começou a levá-los para a fábrica. Um estudava Administração e o outro Direito. Tornaram-se estagiários e se deram tão bem com o trabalho, que começaram a ter uma vida semelhante à do meu marido. Nem sei como arranjaram tempo para namorar e se casar. Desculpe-me, mas nem sei como conseguiram fazer filhos.

– E seus netos? – perguntou Maurício, interessado –, não lhe deram alegria?

– Seu nome é Maurício, não é mesmo?

– Sim. E o seu?

– Desculpe-me. Esqueci-me até de me apresentar. Meu nome é Palmira. Mas, respondendo à sua pergunta, meus netos não me deram nenhuma alegria. Ia visitá-los, às vezes, com presentes, mas nunca me aproximei deles. Para dizer a verdade, não gostava de crianças.

Neste ponto, Palmira enxugou uma lágrima e fez um silêncio, respeitado por Maurício. Depois de alguns minutos, absorta em seus pensamentos, prosseguiu:

– Pois foi assim que passei a minha última encarnação. Fui uma pessoa fria e distante. Julgava-me superior a todo mundo, de modo que tinha dificuldade de me aproximar dos outros, exceção feita para as minhas amigas *socialites*, embora o nosso relacionamento fosse supérfluo e superficial. A minha grande habilidade estava na etiqueta social e na promoção de festas. Mas em relação aos outros aspectos da vida eu era um vazio assustador.

– A senhora, com certeza, frequentou notáveis casas de ensino.

– Sim, sim. Isso é verdade. Cheguei até a fazer o curso de Pedagogia em notável instituição particular, mas apenas para não ser tachada de ignorante. Não aproveitei nada dos ensinamentos que recebi. Não tinha nenhum interesse pela cultura, não lia bons livros, não ia ao cinema nem ao teatro, a menos que isso rendesse uma foto na coluna social de algum jornal ou revista. O que eu mais frequentava mesmo eram as festas da alta sociedade. Além disso, ia muito a salões de beleza, SPAs e lojas de grifes elegantes. Passei a minha vida assim. O que se poderia pensar de bom a meu respeito, tendo passado pela existência em meio a tanta vacuidade? Quando a beleza física começou a murchar, a única ostentação que me sobrou foram os vestidos criados por estilistas renomados e as joias, além das festas em minha mansão, que se multiplicaram.

– Entendo.

– Com o passar dos anos, completamente perdida, sem um centro orientador que me desse uma direção na vida, caí em profunda depressão. Perdi o interesse por tudo, até pelas festas e pela ostentação das roupas e das joias. Perdi o apetite, passei a ter insônia e comecei a me sentir como um grande e estrondoso fracasso. O pessimismo dominou a minha visão de mundo, a desesperança instalou-se e comecei a chorar por qualquer motivo. Às vezes, passava o dia na cama choramingando e quando conseguiam fazer-me sair, nada me despertava o interesse. Era como se uma névoa se colocasse entre mim e os demais. Passei um bom tempo nessa situação. Quando consegui me recuperar, era outra pessoa. Tornei-me amarga e fechada em mim mesma. O câncer, que veio depois, foi o golpe de misericórdia.

– Como a senhora viveu a partir daí?

– Foi uma época dolorosa. A doença começou nos pulmões e, em poucos meses, espalhou-se por todo o corpo. As amigas diziam para eu enfrentá-la com coragem, pois poderia me livrar daquela praga, como tanta gente havia conseguido. Mas viver para quê? Por quê? Em vez de arrumar ânimo para a luta, entreguei os pontos. Não levantei um dedo em busca da cura. Apenas segui as orientações médicas e aguardei passivamente a morte, que veio um ano depois de detectada a doença. Foi o ponto final de uma existência sem propósitos.

Palmira parou de falar e ficou, por algum tempo, olhando para o vazio. Maurício, mais uma vez, aguardou pacientemente que ela retomasse o fio da conversa.

– Estou sendo maçante, não é mesmo, Maurício? O que tem você a ver com tudo isto?

– De modo algum. Se desabafar é importante, estarei aqui para ouvi-la. Vim ao pátio a fim de conhecer pessoas e tive a grata satisfação de encontrá-la.

– Muito obrigada. O senhor é muito gentil.

– Por favor, continue.

– Bem, quando a morte chegou, eu estava muito magra e já não conseguia me levantar da cama. Dada a minha situação crítica, meus filhos foram avisados e vieram rapidamente com as esposas e meus netos quando ocorreu o desenlace. Não chegaram a tempo. Apenas meu marido estava no quarto. Não consegui lhe dizer nada. E lembrei-me de um trabalho que havia feito na faculdade sobre A *Divina Comédia*, de Dante Alighieri, e já me vi num daqueles escaninhos de sofrimento atroz. Dizia a inscrição no portal do inferno: "Deixai toda a esperança, vós que entrais". Tremi por um instante, mas antes que desse continuidade a esses pensamentos, uma densa neblina tomou conta de toda a minha visão e caí desfalecida. Quando acordei, estava num local sombrio. Parecia uma estrada recoberta com cinzas de uma recente fogueira. Ao lado, havia uma espécie de pedreira com vários buracos, onde muitos seres se alojavam, grunhindo e falando palavrões em altas vozes. Vi também os restos de uma fogueira no topo de uma colina. Saía uma fumaça densa e negra, que subia em direção a um céu escuro e amedrontador. Tive medo, mas não me passou pela cabeça fazer nenhuma prece ou pedir socorro a Deus. Na verdade, eu estava revoltada, pois saíra do luxo e do fausto para um lugar repugnante e fétido. Naquele momento, só, numa ruela cercada de fuligem, senti o peso da humilhação. Gritei o nome do meu marido, mas o silêncio continuou insuportável. Clamei pelo mordomo, pelo motorista, por todos os empregados cujo nome consegui me lembrar. Mas a paisagem soturna continuava do mesmo modo, sem ninguém para me socorrer. Olhei para a gruta, onde permaneciam uivando os vultos semi-humanos. Não quis permanecer ali. Segui em frente pela estrada recoberta de cinzas. Em meio ao desespero, sem saber a quem pedir ajuda, desfaleci. Quando recobrei os sentidos, a paisagem era a mesma. Lancei um impropério contra os céus e, com muito esforço continuei caminhando. Notei, depois de certo tempo, que o céu se tornara arroxeado e umas poucas luzes amarelentas começavam a aparecer. Uma espécie de vila medieval se estendia à minha frente. Quando tentei passar por um portão semiaberto, fui pega pelo braço por um brutamontes, que disse, com um riso que mais parecia o rosnar de uma fera:

– Onde pensa que vai, madame?

– Por favor, ajude-me. Não sei onde estou. Meu marido saberá recompensá-lo.

– Você falou em recompensa? – e riu muito alto enquanto segurava a barriga proeminente.

– Creia-me, tudo o que você fizer por mim será regiamente pago.

– Eu quero que você se dane! – e lançou-me um palavrão no rosto.

– Pelo amor de Deus! Ajude-me!

– Por que você não me ajudou quando o meu filho estava à beira da morte? Bastaria uma palavra sua para que tudo se arranjasse e ele fosse salvo. Mas o que você disse? "O problema é dele. Eu cuido dos meus." Não foi assim que você falou ao mordomo, que quis me ajudar? E quando soube que meu filho morrera, o que fez? Pagou pelo menos o enterro? Não, não vi nenhum centavo sair dessas mãos apodrecidas que um dia vou decepar.

– Tenha piedade, moço. Quem é você, que me diz conhecer?

– Lembra-se de Honório? O segurança que a protegeu de um assalto, certa vez?

– Sim, o nome não me é estranho.

– Você continua a mesma. Salvei-lhe a vida e nem se lembra de mim.

– Perdoe-me a memória. Mas me ajude, pelo amor de Deus.

– Eu salvei a sua vida e você desconsiderou a do meu filho. E ainda quer que eu a ajude? Você vai ficar comigo, sim. A partir de agora, considere-se minha escrava.

Palmira pigarreou e olhou para Maurício, que escutava atento. Apenas o som aconchegante da cascata se fazia ouvir.

– Pois bem, Maurício, tornei-me a serviçal de Honório. Foi um período de muito sofrimento e revolta íntima. "Se Deus existe", eu pensava, "por que permite tamanha injustiça? Afinal, eu já paguei por todos os males que causei na Terra. É hora de cessar tudo isto. Mesmo na Terra, meus últimos anos foram de insatisfação, angústia e dor. Onde está a justiça divina? Que Deus é esse que não tem discernimento?".

– Você desafiava a Deus, não é verdade?

– Desafiava, censurava, amaldiçoava, blasfemava. Eu fazia de tudo, menos implorar o perdão pelos meus atos passados. E, com isso, a tortura continuava indefinidamente. O desespero era tanto, após alguns anos, que, num dia em que fiquei só, fazendo todo o serviço do casarão, não tive mais forças e caí exausta. Chorei convulsivamente, relembrando a minha vida terrena de fausto e ostentação. Inicialmente, achei que estava perdida para sempre, e aquele lugar em que me encontrava era realmente o inferno, de onde nunca sairia. Depois, veio-me à mente a figura majestosa de Deus e a frase de João, o evangelista: "Deus é amor". Nesse momento, reuni o que me restava de energia e pedi humildemente ao Pai que tivesse compaixão de mim e me perdoasse. Foi nesse momento que escutei uma voz suave a me chamar. Vi uma senhora sorrir e dizer-me: "Palmira, você pediu ajuda divina e aqui estou, em nome de Deus, para socorrê-la". Ao fixar meus olhos em seu rosto, dei um grito. Era Evelina, uma antiga cozinheira de minha casa, que eu muito maltratara e despedira, porque achei que estava muito idosa para o serviço. Ao vê-la em todo seu esplendor, pensei que viera para se vingar do mal que eu praticara contra ela. Assustei-me, afastando-me de cabeça baixa. Ela se aproximou, tocou-me o queixo com a sua mão alva e disse sorrindo: "Não, Palmira, não vim para a vingança, mas para ajudá-la a obter a liberdade. Você já saldou a dívida contraída com Honório. Em relação a mim, você está perdoada. Dê-me a mão e saiamos daqui imediatamente". Senti uma sonolência e quando acordei estava num posto de socorro. Fiquei ali por longo tempo a receber os primeiros socorros, pois passei a sentir novamente dor nos pulmões, como acontecia na Terra quando fui acometida pelo câncer. Desse posto de socorro fui trazida para cá, onde permaneço há um bom tempo, como lhe disse.

– E como a senhora se sente hoje?

– Muito bem. Agradeço a Deus e a Evelina todos os dias. As dores praticamente inexistem, emocionalmente estou equilibrada e apenas aguardo o dia em que sairei daqui para viver numa colônia espiritual.

– A senhora viu Evelina depois daquele dia?

– Não, mas recebi, por meu médico, um recado dela, dizendo que se sente feliz por saber que melhorei muito. "Algum dia nos encontraremos novamente", disse ela no fim da mensagem.

– Eu fico abismado com o poder do perdão – asseverou Maurício. – Na Terra, embora tenha sido professor de Filosofia, nunca refleti sobre isso. Chegava mesmo a julgar os pregadores do perdão como visionários. Parecia-me impossível que alguém pudesse perdoar um ato vil praticado contra a sua pessoa ou contra algum ente querido. Mas a conduta de Evelina desmente os argumentos que eu possa construir. Entretanto, a pessoa, para perdoar, precisa estar muito acima do homem comum. A senhora chegou a sentir isso na pele, não é verdade?

– Sem dúvida.

– Assim como o perdão exige um nível espiritual muito elevado, também a vingança, como a de Honório, requer um nível muito baixo. Entretanto, o homem comum, mesmo que não venha a se vingar, também não perdoa.

– E há aqueles que chegam a um falso perdão quando dizem que perdoam, mas não esquecem.

– Concordo. O perdão requer o esquecimento do mal praticado.

– O verdadeiro perdão consiste no esquecimento de todo mal que alguém nos possa ter feito. O perdão é também a prática do bem em favor de quem nos fez o mal.

– Então, eu estou certo?

– Certíssimo. Perdão não é apenas renunciar à vingança. O perdão e o esquecimento têm de caminhar juntos.

– Mas a senhora concorda que isso é muito difícil...

– Concordo. E justamente por ser muito difícil é que há necessidade de oração e vigilância.

– Desculpe-me a pergunta atrevida que está corroendo-me a garganta: A senhora perdoou Honório?

Palmira sorriu benignamente e, após pequena pausa, confessou:

– Foi muito difícil, Maurício, precisei de muitas preces, mas houve um dia em que me dei conta de que já não me fazia mal nenhum lembrar o que me acontecera e que era muito mais importante orar por aqueles que ainda padecem de algum mal. Nesse dia, comecei a orar também por Honório, como ainda continuo fazendo.

– Meus parabéns. Você perdoou realmente.

– Não me elogie, pois ainda há dias em que tenho recaída, esforçando-me para dar continuidade ao que já decidi de uma vez por todas: perdoar, pois o perdão nos liberta para as realizações mais elevadas.

– Eu não sabia que teria uma verdadeira aula de espiritualidade. Fico muito grato pelo fato de a senhora abrir-se comigo.

– Este diálogo também me fez bem. Mas eu gostaria de saber um pouco sobre você. Posso sentir algum sofrimento nesse coração.

– A senhora tem razão. Melhorei muito, mas ainda não estou completamente curado.

Maurício abriu-se para Palmira, contando pormenorizadamente toda a sua vida até o desencarne e a sua nova vida na casa de repouso. Quando terminou, estava cansado. Palmira, notando a sua fadiga, deu por encerrada a conversa. Ele agradeceu-lhe e despediu-se, voltando vagarosamente para o seu quarto, onde, por muito tempo, ficou a refletir sobre o conteúdo relevante do diálogo que tivera com aquela senhora simpática.

18

Mudando de vida

ADÉLIA ESTAVA MARAVILHADA com seus novos amigos e com as atividades do centro espírita. Matriculou-se no curso oferecido, mas ficou com certo receio de frequentá-lo. Afinal, o que pensariam seus filhos? Mesmo em relação ao passe, que recebia toda semana, achou melhor nada dizer a Ricardo ou a Luísa. Seria melhor assim. Se eles viessem a saber, poderiam ter reações contrárias. E justamente quando ela começava a ter uma nova vida, isso não poderia acontecer. Assim, calou-se a esse respeito, mantendo, porém, contato permanente com eles. Não deixou de almoçar nem jantar no apartamento de um ou de outro e, de vez em quando, saía com Luísa e Renata para fazer compras em algum shopping ou ir à cabeleireira. Quanto ao centro espírita, os contatos com Lucinda, Matsumoto, Teresa, Roberto e Solange aumentaram e possibilitaram-lhe um novo aprendizado. Mas, embora tivesse prometido a Lucinda frequentar o curso básico de Espiritismo, a amiga notou sua ausência. Na primeira oportunidade de contato, resolveu saber o motivo:

– Notei a sua ausência no curso, Adélia. Algum motivo em particular?

– Desculpe-me, Lucinda, mas tenho receio de que meus filhos não concordem.

– Eles não gostam do Espiritismo?

– Eles o desconhecem totalmente.

– Então...

– E, por desconhecê-lo, alimentam preconceitos que os impedem de ver a realidade. É lamentável, mas é verdade.

– E quanto ao passe?

– Também são contra, e ainda que saibam da minha presença no centro espírita, não imaginam que venho até aqui uma vez por semana. Se souberem, também reagirão negativamente.

– Vejo que você depende da aprovação deles. Entretanto, se você achar melhor esperar mais tempo, quando decidir continuar o curso é só conversar comigo. Enquanto isso, em nossas reuniões semanais, você poderá nos perguntar tudo o que quiser saber. O Espiritismo não tem segredos.

– Ainda não me decidi, Lucinda, por isso gostaria de saber a sua opinião. Devo ir contra o parecer deles?

– Não creio que você deve obedecer-lhes, mas também não acho que deve enfrentá-los.

– Não entendi.

– O que quero dizer é que não se trata de uma queda de braço nem de uma guerra. Em vez de seguir o parecer deles ou de lutar contra eles, por que você não os convence por meio da razão?

– Conversando?

– Exatamente. Dialogando, você poderá esclarecê-los sobre os pontos básicos do Espiritismo e sobre as atividades de um centro espírita.

– Acho a ideia interessante, mas não me julgo ainda competente para dar-lhes as explicações necessárias e de modo exato. Você poderia ajudar-me?

– Sem dúvida. E penso que poderíamos fazer melhor. Você marcaria um almoço dominical em sua casa, convidaria seus filhos, genro e nora. Matsumoto e Teresa seriam os outros convidados.

– Vamos fazer melhor ainda: viriam também você, Roberto e Solange. Desse modo, o time ficaria completo.

– Se você preferir, assim será feito.

O almoço foi marcado para um domingo. Adélia estava um tanto nervosa, pois não podia prever qual seria a reação dos filhos. Seria um almoço pacífico? Eles sairiam convencidos? Bem, se não saíssem convencidos, pelo menos ela queria que não opusessem nenhuma objeção às suas idas semanais ao passe e particularmente ao curso que tanto desejava frequentar. Em meio a muitas reflexões e preces, chegou o dia aprazado. A conversa inicialmente transcorreu num clima ameno e alegre até o momento em que o tema "Espiritismo" veio à baila. Nesse momento, o clima ficou um pouco tenso, mas não impediu que o diálogo continuasse.

– Você é espírita? – perguntou Ricardo a Matsumoto, com as sobrancelhas arqueadas.

– Sim, desde a minha juventude.

– Mas você me disse que é engenheiro.

– É verdade.

– E como pode um engenheiro embrenhar-se numa selva dessas?

– Posso dizer-lhe como isso ocorreu.

– Gostaríamos de ouvir – respondeu Ricardo, olhando de soslaio para Luísa e abrindo um sorriso irônico. Matsumoto fingiu não perceber e iniciou calmamente a sua narrativa:

– Eu era estudante universitário quando uma crise de descrença e desalento tomou conta de mim. Tornei-me incrédulo e amargo em relação ao ser humano e à vida em geral. Meus pais, vendo o meu estado, compadeceram-se de mim, que fora sempre alegre e ruidoso. Procuraram um amigo e contaram o que se passava comigo. Disseram-lhe que tinham até receio de que eu viesse a me suicidar, pois me afastara de todos e não dava margem à aproximação de ninguém. Tranquei a matrícula na faculdade e fechei-me dentro de casa. Não saía de meu quarto e não queria a presença de ninguém ali. Passei a vegetar entre as quatro paredes, munido apenas de pensamentos soturnos.

– Você deve ter passado pelo transtorno do pânico – disse Pascoal, interessado no assunto.

– É provável – retrucou Matsumoto. – O que me valeu nessa oportunidade foi um amigo de meus pais.

– Como é bom um amigo nessas horas – falou Solange, lembrando internamente que algo parecido havia acontecido com ela na adolescência.

– Pois bem, marcaram um encontro dessa pessoa comigo num domingo ensolarado e quente como hoje. É claro que rejeitei a ideia, mas não pude impedir que ele se sentasse numa cadeira diante da cama onde eu jazia, enrolado num cobertor, apesar do verão ardente. Aos poucos, ele foi puxando prosa e me fazendo responder às suas perguntas sobre assuntos ligados ao estudo. Disse-me que também era engenheiro e falou sobre o trabalho que realizara durante toda a sua vida. Ele já estava aposentado, mas falava como se estivesse em plena atividade, tamanho era o seu entusiasmo pela profissão. Foi a primeira vez que senti vergonha por ter entregado os pontos, deixando de frequentar o curso, que era um verdadeiro privilégio, dado o fato de tão poucos jovens poderem ter acesso a ele. Mas em nenhum momento aquele senhor me censurou ou tentou convencer-me a voltar à faculdade. Apenas comentou sobre as suas experiências com a engenharia e o que poderia acontecer comigo no futuro, caso viesse a concluir o curso. Narrou também passagens da vida de pessoas desconhecidas que se empenharam em ajudar os necessitados, doando parte do seu tempo em benefício do seu semelhante. Depois, como se ignorasse o meu estado, apenas perguntou com muita tranquilidade: "E você, como está?". Lembro-me de que comecei a chorar. Não sabia o que responder. Não esperava que uma pessoa já idosa pudesse chegar até as profundezas do meu coração. Como todo jovem, achava os mais velhos muito caretas e sem possibilidade de contato genuíno com os moços. Mas, com sua voz macia e seu jeito tranquilo de falar, ele conseguiu atingir o fundo da minha alma.

"Recebi de presente um livro de que nunca ouvira falar: *O Livro dos Espíritos*, de Allan Kardec. De início, achei estranho receber um livro que deveria tratar de espíritos, mas, como aquele senhor já abrira as portas do meu coração, resolvi lê-lo. Foi com ele que dei início à minha mudança moral e espiritual, pois, para muitas das perguntas que eu me fazia, ali estavam as respostas. Passei a frequentar o mesmo centro espírita que esse senhor frequentava e estou ali até hoje. Não tenho palavras para agradecer a meus pais e àquele senhor por tudo o que fizeram por mim."

– É comovente – disse Ricardo sem muita convicção –, mas o que vocês realizam nesse local?

– Isso é importante – completou Luísa. – Gostaria de escutar essa parte. O que é que realmente vocês fazem nesse local?

– Centro espírita é a sede das atividades dos espíritas. É ali que nos reunimos para os trabalhos doutrinários e filantrópicos. É também ali que realizamos nossos estudos, pesquisas e atividades espirituais, como a transfusão do passe e os trabalhos de desobsessão. É nesse mesmo local que, unidos por um ideal comum, buscamos a elevação da alma por meio das tarefas humanitárias a que nos propomos. O centro espírita é o meio de que nos valemos para atingir o objetivo de promovermos em nós mesmos e em nossos irmãos a reforma íntima ou a renovação interior.

– É mais do que eu imaginava – disse Renata pensativa.

– Concordo – completou Pascoal.

Ricardo, entretanto, não se deu por satisfeito e contra-argumentou um tanto mal-humorado:

– Já notei que você é um excelente orador, mas dá para colocar isso tudo em miúdos?

Matsumoto, pacientemente, refez as suas explicações, falando sobre as atividades do Centro Espírita Luz Divina, que ele presidia.

– Grande parte dos centros espíritas, incluindo o nosso, compõe-se de três grandes áreas: a doutrinária, a social e a educacional. A área doutrinária...

Enquanto Matsumoto continuava a sua explicação, a contragosto, Ricardo ia se convencendo de que a sua mãe estava em boas mãos ou, pelo menos, de que o centro espírita se não fazia bem, mal também não fazia. Mas ainda havia dúvidas a serem desfeitas:

– Afinal, o Espiritismo é ou não uma religião como outras? – perguntou Luísa.

– O Espiritismo – respondeu Matsumoto, com a mesma tranquilidade e segurança – tem uma constituição tríplice. É ciência, filosofia e religião. Enquanto ciência, estuda, à luz da razão e sob critérios científicos, os fenômenos mediúnicos, isto é, fenômenos provocados pelos espíritos e entendidos como fatos de ordem natural. Enquanto filosofia, a partir dos fenômenos espíritas, fornece uma interpretação da vida, respondendo a questões como: "de onde vim?", "o que faço no mundo?", "para onde irei após a morte?". Já como religião tem por finalidade a transformação moral do homem, com base nos ensinamentos de Jesus Cristo, para que estes sejam aplicados na vida diária de cada pessoa como expressão do amor e caridade. Mas não se trata, Luísa, de uma religião como as outras, pois, em primeiro lugar, é enriquecida pela ciência e filosofia, e em segundo, não se reveste de aparatos, ritualismos, cultos e dogmas próprios das demais religiões.

– A explicação foi muito boa – concluiu Ricardo –, mas estará mesmo o Espiritismo apoiado em dados científicos, como você parece sugerir?

– Várias foram as observações, experimentações e estudos feitos a respeito dos fenômenos espíritas, dr. Ricardo.

– Pode citar alguns?

– Com prazer. O senhor certamente já ouviu falar do célebre cientista inglês William Crookes.

– O químico que descobriu os raios catódicos e isolou o tálio.

– Exatamente.

– Ele fez pesquisas voltadas ao Espiritismo?

– Ele realizou célebres experiências, entre os anos

de 1870 e 1874, com os médiuns Kate Fox, Douglas Home e Florence Cook. Após seu estudo sistemático, chegou a afirmar que seria uma covardia moral recusar o seu testemunho a respeito da realidade dos fenômenos espíritas. E, após seis anos de experiência sobre o Espiritismo, declarou que não só os fenômenos espíritas eram possíveis, mas que eram reais.

– Ele concluiu isso? Em que obra posso me certificar do que você me está dizendo?

– Emprestar-lhe-ei alguns textos. Quero, entretanto, ser honesto. Há quem diga que Crookes retratou-se posteriormente, ficando, portanto, sua primeira declaração sem efeito.

– Eu sabia que alguma coisa deveria estar errada – disse Ricardo com um sorriso zombeteiro.

– No entanto, dr. Ricardo – continuou Matsumoto com muita calma –, pouco antes de desencarnar, ele concedeu uma entrevista a *The International Psychic Gazette*, em que afirmou estar perfeitamente satisfeito com o que dissera nos seus primeiros dias de pesquisa. "É absolutamente verdadeiro que uma conexão foi estabelecida entre este mundo e o outro." Assim, a pretensa retratação caiu por terra.

– Tudo isso está documentado? – perguntou Luísa.

– Posso mostrar-lhes se forem ao nosso centro espírita.

Caiu um silêncio na sala. Ricardo não se atreveu a dizer mais nada.

Ricardo e Luísa pensavam no que poderiam falar para mostrar a irracionalidade do Espiritismo. Pascoal e Renata, se não eram espíritas, também nada tinham contra, de modo que apenas aguardavam o desfecho do diálogo. Numa última tentativa, Ricardo alegou que o passe espírita não passava de um placebo ou que seus supostos efeitos eram frutos da sugestionabilidade de quem o recebia.

– O passe – disse Matsumoto – faz parte do que se convencionou chamar "fluidoterapia", a capacidade de, por meio da doação de fluidos, energias, interferir positivamente na saúde das pessoas. O passe espírita é uma transfusão de energias psíquicas e espirituais que alteram o campo celular de quem as recebe. Não se trata simplesmente de uma técnica. Na verdade, é um ato de amor. O passe é prece, concentração e doação.

– Doação de energia por parte do passista? – perguntou Luísa, já menos agressiva.

– Tanto do passista quanto dos espíritos que o assistem e, particularmente, por eles. No passe, Luísa, as mãos humanas funcionam como antenas, que captam e transmitem as energias do plasma vital de antimatéria, como diz Herculano Pires.

– Entendi.

– Esse estudioso do Espiritismo também afirma que Kardec colocou o problema do passe em termos científicos, no campo da fluídica, ou seja, da ciência dos fluidos. Com o seu rigor metodológico, ligou o passe à estrutura dinâmica do perispírito, o laço de união entre o corpo físico e o espírito. Hoje, o perispírito é reconhecido como a fonte de todas as percepções a atividades paranormais. As descobertas atuais da parapsicologia e, particularmente, as da Universidade de Kirov, confirmaram a validade da posição secularmente precursora de Kardec. "A Fluídica", diz Herculano Pires, "abre-se ante o avanço da física nuclear para a pesquisa da dinâmica dos fluidos em todo o cosmos." Mas somente agora começamos a dispor de elementos para um conhecimento científico da problemática milenar do passe.

A conversa tomava um rumo que não estava agradando a Ricardo, pois suas objeções vinham sendo demolidas uma a uma. Assim, resolveu apelar para a última arma, ao dizer que, se de um lado o Espiritismo procura espargir o bem, de outro trabalha em união com o mal em seus trabalhos de magia negra, à custa do bolso dos consulentes. Lucinda foi quem deu a resposta:

– Desculpe-me, dr. Ricardo, o senhor está confundindo Espiritismo com certas seitas que, embora trabalhem com os espíritos, têm uma orientação ético-religiosa completamente divergente da nossa. Quem codificou o Espiritismo foi Allan Kardec, no século dezenove, cabendo, portanto, apenas à doutrina codificada por ele o título de Espiritismo. Trabalhamos na divulgação do Bem e da Verdade, do Amor e da Caridade. Orientamo-nos pelas lições e exemplos deixados por Jesus por meio do seu Evangelho. O nosso trabalho maior é pelo aprendizado do ser humano em sua atual encarnação e pela sua reforma íntima, de modo a resgatar suas dívidas passadas e poder dar novas passadas rumo ao Pai, de quem se originou. Mas essa confusão é bastante comum, infelizmente.

Já eram três horas da tarde quando teve início o almoço. Ricardo e Luísa tinham posto de lado as suas armas beligerantes, Renata e Pascoal haviam aprendido muito a respeito de uma doutrina de que tinham apenas algum vislumbre. Já Adélia estava menos apreensiva, pois seus filhos pareciam mais tranquilos, embora não tivessem afirmado nada de positivo em relação ao Espiritismo. O almoço transcorreu cordial, em meio a conversas amenas e às brincadeiras de Pascoal, que tudo fazia a fim de que Adélia pudesse seguir tranquilamente com a sua nova crença e o apoio de seus novos amigos. Quando todos já haviam tomado o cafezinho e se preparavam para sair, Adélia achou que era o momento oportuno para fazer a pergunta que lhe queimava a ponta da língua:

– E então, Ricardo, Luísa, Renata, Pascoal... O que vocês acharam? Serão a favor de que eu frequente o centro espírita?

Um mal-estar tomou conta da sala. Ninguém respondeu. Por fim, Pascoal deu a sua resposta:

– Dona Adélia, tenho-a em bom conceito, portanto, se a senhora escolheu esse caminho, tenho a certeza de que fará bem para a sua vida. Eu estava curioso para conhecer um pouco mais sobre o Espiritismo.

– E as respostas o satisfizeram?

– Devo confessar que fiquei surpreso com o nível

elevado das explicações. Sem dúvida, as respostas me satisfizeram.

Renata não esperou que fosse novamente instada a responder e disse em tom cordial:

– Faço minhas as palavras do Pascoal. Sei que vou sair daqui com outra ideia a respeito do Espiritismo. Uma ideia muito melhor.

Luísa mexeu-se desconfortavelmente na cadeira e afirmou:

– Mãe, entenda que Ricardo e eu estamos apenas preocupados com você. Nunca pretendemos ser os guardiães da sua conduta. Qualquer filho que ama seus pais se sentiria do mesmo modo. Quanto ao Espiritismo, achei que o nível das explicações foi elevado e o tom como foi conduzido o diálogo merece os meus elogios. Matsumoto e Lucinda demonstraram calma e segurança naquilo que afirmaram. Ainda continuo com a minha religião, mas não vejo nada de errado em você frequentar o centro espírita. Cada um deve seguir pelo caminho que mais lhe convier.

– E você, Ricardo, o que me diz?

– Luísa disse que não somos seus guardiães, mas eu penso que os filhos devem se preocupar tanto com os pais como estes se preocuparam com eles em sua infância.

– Você é da teoria de que os mais velhos voltam à infância após uma certa idade? – disse Adélia com um sorriso irônico.

– Não, não foi isso que eu quis dizer. É claro que não. Mas é importante que fiquemos tranquilos ao saber que tudo vai bem com aqueles a quem amamos. O nosso cuidado em relação a você é puro e justo. O que tenho ouvido sobre o Espiritismo não é bem o que nos foi relatado aqui. Daí a razão do nosso desassossego.

– Você põe em xeque o que nos disseram Matsumoto e Lucinda? – perguntou Adélia com as sobrancelhas arqueadas.

– Não. Refiro-me à inquietação anterior às explicações que ouvi hoje. Devo confessar que tanto Matsumoto quanto Lucinda estão muito bem fundamentados em suas explicações. Isso, entretanto, não quer dizer que eu esteja convencido a respeito do que foi dito aqui. Não sou o tipo de pessoa que se deixa convencer por poucas palavras. Creio que, neste ponto, sou muito semelhante a meu pai. Ele era extremamente lógico e não se deixava levar por argumentos superficiais de quem quer que fosse.

– Creio que você esteja ofendendo nossos convidados – disse Adélia, deixando transparecer indignação em suas palavras.

– Meus amigos – emendou Ricardo, um tanto sem jeito –, não me levem a mal. Não quis dizer que seus argumentos foram superficiais, apenas estava falando a respeito da racionalidade do meu pai, que não admitia argumentos emocionais, sustentando tudo pela lógica, pela razão. Vocês foram brilhantes, mas para convencer-me seriam necessários muitos diálogos como este e alguns bons textos de caráter científico. Mas quanto à frequência da minha mãe ao centro espírita, não vejo por que ser contrário. Apenas não me peçam para acompanhá-la. Ainda não cheguei a esse ponto. Penso que, se o passe não faz bem, mal também não fará. Prefiro manter-me em meu ceticismo.

Sem mais palavras, Ricardo fez uma pausa forçada para, em seguida, abrir um sorriso e dizer em tom de brincadeira:

– Mãe, você está liberada.

Conversou-se um pouco mais até Ricardo fazer menção de sair. Nessa altura, Matsumoto ofereceu de presente a ambos os casais um exemplar de A *alma é imortal*, de Gabriel Delane. Após os agradecimentos, Adélia resolveu dizer o que lhe estava atravessado na garganta e que não falara ainda por medo de pôr tudo a perder:

– Filhos, há ainda mais uma coisinha.

– O quê? – perguntou Luísa, preocupada.

– Eu vou começar um curso sobre Espiritismo. Tem a duração de quatro anos, sendo realizado uma vez por semana.

Para sua surpresa, Ricardo respondeu antes de Luísa:

– Por mim, tudo bem. Você é quem decide.

– É verdade – disse Luísa –, a senhora sabe o que faz. A decisão é toda sua.

Adélia ficou muito satisfeita com o resultado da reunião em sua casa. Agradeceu muito a boa vontade dos amigos que ali estiveram para dar-lhe apoio e iniciou imediatamente o Curso Preparatório de Espiritismo.

Continuou recebendo o passe todas as semanas, aumentando em um dia a sua presença no centro espírita. No seu modo de pensar, encontrara não apenas uma doutrina que dava respostas lógicas às suas dúvidas, mas também pessoas que se interessavam realmente por ela, oferecendo-lhe a sua amizade. O trabalho tornou-se novamente um atrativo em sua vida e o reflexo foi o aumento de clientes, que se sentiam bem ao entrar naquela loja e ouvir palavras de atenção e carinho por parte de Adélia. As fofocas e as futilidades deixaram de existir e, em seu lugar, ela buscava assuntos mais elevados, que pudessem contribuir para a elevação moral e espiritual de cada um que entrava em seu estabelecimento. Entretanto, algo ainda ficara apenas em desejo, lá no fundo do seu coração. Um sonho que não fora possível concretizar e agora ela queria transformar em realidade: o curso superior. Seu desejo inicial era fazer letras, porém, depois de muito pensar, chegou à conclusão que deveria cursar Filosofia. "Se não consegui escutar tudo que o Mao me disse durante tantos anos, agora poderei eu mesma entender e procurar assimilar o que me for relevante. Estou decidida: cursarei Filosofia!"

Assim, Adélia procurou a faculdade em que Maurício fora coordenador e matriculou-se no vestibular. Aproveitando a sua presença ali, foi conversar com o diretor, que a recebeu de braços abertos e ficou muito feliz por saber que ela seria aluna do curso de Filosofia.

– Serei aluna daqui, se passar no vestibular – disse ela rindo.

– Dona Adélia, tenho certeza de que a senhora será aprovada e ficarei muito feliz por tê-la aqui.

– Agradeço e devo dizer, com toda a sinceridade, que frequentar este estabelecimento é recordar-me do meu marido, que me faz tanta falta. Portanto, se fico feliz, também me entristeço, mas posso garantir-lhe que a alegria é maior. E tenho um compromisso com ele: ser uma aluna competente, de quem ele possa se orgulhar.

– Parabéns! É assim que se fala. Devo dizer-lhe que as portas da Diretoria estarão sempre abertas para a senhora. Sempre que precisar de algo ou quiser apenas tomar um cafezinho, as portas estarão abertas.

Assim, Adélia começou realmente uma mudança de vida, tanto no plano moral e espiritual como na dimensão da sua formação escolar. Comprou os livros necessários para o estudo e começou a dedicar um tempo a seus novos afazeres. "A minha parte estou fazendo", pensou, "agora, o restante é com Deus." E se lançou de corpo e alma naquilo que chamou de sua "nova vida".

19

Relatório final

NO DIA SEGUINTE À REUNIÃO em casa de Adélia, Ricardo e Renata foram ao apartamento de Luísa e Pascoal para conversarem mais à vontade sobre o caso da mãe.

– E então, o que vocês realmente acharam de toda a conversa que ouvimos ontem?

– Pelo menos me pareceu que os amigos dela não são loucos como eu pensava. Nem supersticiosos, a não ser com relação ao tal passe – respondeu Luísa.

Pascoal interveio:

– Li alguma coisa sobre medicina vibracional e parece-me que o passe se encaixa nos estudos efetuados a tal respeito. Dizia o autor que precisamos nos libertar de velhos paradigmas e abrir nossa mente para o conhecimento dos conceitos relativos a essa nova área de estudos.

– Velhos paradigmas?

– Isso mesmo, Ricardo. Ele dizia que a medicina

ortodoxa é fundamentada em conceitos elaborados por Newton, ainda no século dezessete. Segundo essa visão do Homem, o nosso corpo é construído à semelhança de uma máquina, como se fosse um relógio composto de inúmeras peças. É o chamado "modelo mecanicista". Ainda de acordo com essa concepção, a doença é o produto de desequilíbrios físico-químicos, que provocam disfunções e até lesões físicas. Entretanto, os seres humanos são mais que um conjunto de substâncias químicas ligadas umas às outras. O que existe, de fato, é uma energia vital, sutil, que estimula a integração das partes, reconstruindo-as, quando necessário, e organizando os sistemas corporais.

– Isso não é baboseira, Pascoal? – perguntou Ricardo, sentindo-se desconfortável.

– O articulista apelava até para a física de Einstein, a fim de validar as suas conclusões. Dizia ter Einstein provado que a energia e a matéria são duas manifestações diferentes da mesma substância universal, que é a energia básica de tudo o que existe. Esse foi o começo para a mudança da visão newtoniana da medicina.

– E o que isso tem a ver com o passe espírita? – perguntou Luísa, interessada.

– O passe é uma transfusão de energias que atuam sobre os padrões energéticos que dirigem o corpo físico do indivíduo.

– É, não deixa de ser uma tese interessante – aduziu Luísa.

– Só o que com essa conclusão, eu fiquei com cara

de troglodita, ainda ligado à medicina do século dezessete, não é isso? Aliás, vocês viram o meu tacape em algum lugar?

Com a brincadeira de Ricardo, o clima tornou-se ameno e puderam retomar calmamente o assunto que atormentava a todos.

– Bem – disse Ricardo –, suponhamos então que o tal passe não seja uma velha superstição espírita, mas que tenha lá os seus fundamentos. Nesse caso, não temos nada a reprovar em nossa mãe, não é mesmo?

Renata, que ficara em silêncio até aquele momento, foi quem respondeu:

– Creio que essa seja a resposta. Ontem, escutamos tudo o que queríamos. Todas as perguntas foram respondidas de modo racional, com muita segurança e respeito. Para dizer a verdade, gostei de todas aquelas pessoas. Digo mais: gostaria de ter uns amigos como eles. Ali não havia fofocas nem percebi competição de qualquer espécie.

– Quanto a isso, não tenho nada contra – disse Ricardo, com ar de insatisfação.

– Você é contra o quê, então?

– Não é o caso de ser contra, apenas ainda acho que o Espiritismo... Sei lá, essa coisa de falar com os espíritos me parece mais alucinação.

– Você acha que a vida termina com a morte? – perguntou Renata.

– É difícil dizer, mas há filósofos que pensam assim.

– No entanto, os filósofos também erram – concluiu Pascoal.

– Assim, a nossa conversa vai se tornar um seminário filosófico sobre a morte e não vamos sair do lugar – interferiu Luísa, também sem saber como conduzir o diálogo.

– Muito bem, penso que o que realmente importa no momento é que as pessoas com quem a nossa mãe está tendo amizade são de boa índole moral – disse Ricardo. – Fiquemos, entretanto, de olhos abertos, observando a sua conduta, para termos certeza de que ela não está saindo dos eixos, ou seja, saindo da normalidade psíquica.

– Quanto a isso – aparteou Renata –, ela tem demonstrado muito equilíbrio e prudência. O que está pegando mesmo é o fato de ela começar a pensar de modo diferente de nós. Gostaríamos que ela tivesse a mesma religião que nós. Entretanto, nenhum de nós segue, de fato, a religião que diz professar, ao passo que ela está incorporando em sua vida tudo o que ouvimos ontem em sua casa. Portanto, se alguém está com a cabeça no lugar, parece que é ela.

– Você tem razão – concluiu Luísa. – Quem de nós é realmente religioso? Talvez Pascoal seja o mais próximo daquilo em que minha mãe se tornou. Se ela está levando a sério a sua religiosidade, ótimo. Lembrem-se de que a melhora que ela teve se deve ao encontro dessas pessoas com as quais compartilha a sua semana.

– Nem tanto. Você se esqueceu da psicoterapia.

– É verdade, Ricardo. Digamos, então, que a psicoterapia e os novos amigos sejam os motivadores desse reerguimento da nossa mãe. Ela estava em frangalhos. Hoje, no entanto, parece mais forte e animada do que nós. Não notaram o brilho nos olhos dela, ontem?

– É esse brilho que ainda me preocupa um pouco. Não haverá um homem por trás disso tudo?

– Fale com mais delicadeza, Ricardo. Não é assim que devemos nos referir à nossa mãe.

– Desculpem-me. Não quis ser grosseiro. Digo apenas: será que ela não tem em mente casar-se outra vez?

– E o detetive? Não está devendo um relatório? – perguntou Renata.

– Eu queria deixar essa conversa para depois, mas, já que o assunto veio à baila, devo dizer que estou com o relatório final aqui em minha pasta.

– Gostaríamos que você nos lesse – pediu Luísa.

– Então, vamos lá.

Ricardo procurou o relatório na pasta e, depois de fazer um pouco de suspense, falou que leria apenas as conclusões. Ele tinha uma cópia, que poderia ficar com Luísa e Pascoal, para uma leitura mais detalhada. Em seguida, leu:

– "Enfim, depois de um mês de intensas investigações, chegamos às seguintes conclusões: a) Dona Adélia vai costumeiramente de casa para o trabalho e de lá para casa, no fim da tarde. Não costuma parar em nenhum lugar, salvo se encontra algum conhecido, com quem troca poucas palavras, tomando novamente o rumo de casa, ou quando passa na padaria para fazer suas compras, mas segue logo diretamente para o lar; b) Outra situação em que dona Adélia deixa a loja é quando vai à cabeleireira, geralmente às terças e sextas-feiras. Costuma ficar ali por um período de duas a duas horas e meia, quando se dirige para casa. Nesses dias, as funcionárias fecham a loja às dezoito horas, seguindo cada uma para a faculdade que frequenta, como vim a saber; c) Chegando em casa, dona Adélia ali permanece até a manhã seguinte, quando age exatamente como expresso no item "a"; d) Os dias em que ela vai à cabeleireira são também os dias em que se dirige posteriormente ao Centro Espírita Luz Divina, como já expus no relatório anterior; e) Nos dias em que vai ao centro espírita, dona Adélia toma um táxi e segue diretamente para a instituição. Às terças-feiras, chega ao centro espírita geralmente entre dezenove e trinta e dezenove e quarenta e cinco, saindo dali entre vinte e duas e trinta e vinte e duas e quarenta e cinco minutos. Uma amiga costuma levá-la até sua casa. Quando isso não acontece, ela toma um táxi. Às sextas-feiras, quando vai tomar passe, costuma chegar entre dezenove e trinta e dezenove e quarenta e cinco minutos, e sai dali entre vinte e quarenta e cinco e vinte e uma horas; f) Aos sábados, dona Adélia costuma frequentar os apartamentos dos filhos (dr. Ricardo e professora Luísa). Nesse dia, é comum ela ir ao shopping com a filha, com a nora ou com ambas. Geralmente volta para casa entre vinte e duas e trinta e vinte e três horas, sendo levada de automóvel pelo filho ou pelo genro; g) Aos domingos, dona Adélia recebe dois casais em casa para o almoço ou vai até a residência de um desses casais, para onde também se dirige o outro casal. Das conversas que consegui apurar com a minha aparelhagem, todas versavam sobre o assunto Espiritismo ou sobre assuntos triviais. Em nenhum momento, o tema das conversações foi namoro ou casamento. Devo dizer que também na loja todas as conversas que pude ouvir giravam em torno de mercadorias ou da vida pessoal das clientes, em nenhum momento se falando sobre namoro ou casamento; h) Todas as quartas-feiras, às catorze e trinta, dona Adélia toma um táxi e vai até o consultório de um psicólogo, chamado Lauro. A sessão tem início às quinze horas e termina às dezesseis, quando ela segue, de táxi, para a loja; i) Em trinta dias de intensa investigação, em nenhum momento dona Adélia encontrou-se sozinha com um homem, nada havendo que possa levar à possibilidade de ela estar namorando alguém ou mesmo de ter algum amigo em particular. Estas são as conclusões finais da investigação realizada entre etc.".

Ricardo parou de ler e olhou nos olhos de Luísa, depois se dirigiu para Renata e Pascoal, perguntando:

– E então? O que vocês acham?

Luísa respondeu, com certo alívio:

– Se, após tanta investigação, e durante um mês corrido, ela não demonstrou estar namorando ninguém, temos de acreditar no que disse o detetive, não é mesmo?

– Penso o mesmo – disse Renata.

Pascoal também concordou. Ricardo pensou mais um pouco e perguntou:

– Encerramos as investigações por aqui ou vocês querem que sejam continuadas por mais uns trinta dias?

– Deixemos, por enquanto, como está. Se houver alguma suspeita, nós damos continuidade – asseverou Luísa.

– Todos concordam?

– Para dizer a verdade, Ricardo – disse Pascoal –, eu me sinto mal já com essas primeiras investigações, pois significaram uma grande falta de confiança em dona Adélia. Não temos o direito de nos intrometer em sua vida particular. Portanto, sou contra qualquer tentativa de se contratar novamente um detetive para segui-la. Ela já demonstrou o suficiente que é uma pessoa íntegra, de fibra e superior a qualquer um de nós, que estivemos querendo ditar-lhe as regras da boa conduta moral. Sinto-me, mesmo, envergonhado com o que fizemos.

Ricardo baixou a cabeça, Luísa quis dar uma resposta, mas ficou com as palavras presas na garganta. Foi Renata quem se colocou:

– Excelente, Pascoal. Você traduziu muito bem o que qualquer um de nós deve estar sentindo agora: vergonha. Não caiamos mais nesse erro lastimável. Se tivermos coragem, deveremos, no futuro, dizer a dona Adélia o que fizemos e pedir-lhe perdão. Foi um passo em falso que demos, sem ter dimensionado o erro que cometíamos.

Luísa, que mais estivera convicta de que sua mãe deveria ser investigada, pois não toleraria se ela tivesse um caso amoroso com alguém, ficou nesse momento muito pensativa, buscando cuidadosamente as palavras que diria dali para a frente:

– Não pensei nos mesmos termos que vocês. Quis preservar minha mãe de cometer um desatino. A minha intenção foi muito boa.

– Desculpe-me, Luísa, mas, ainda que ela estivesse decidida a contrair um novo matrimônio, teria todo o direito de fazê-lo. Isso não é nenhum desvio moral. Ela não estaria infringindo nenhuma norma ética ou jurídica, não é verdade, Ricardo?

– É. Nesse ponto, você tem razão. Creio que nos precipitamos. Agimos como crianças com ciúme da mãe, por medo de perdê-la. Na verdade, estávamos defendendo a nós mesmos, e não a ela.

– Essa não – disse Luísa, agastada –, parece que todos estão se virando contra mim. Só falta dizerem que me comportei como uma garota mimada.

– Todos nós nos conduzimos assim, Luísa. Fique tranquila, não queremos jogar a culpa em suas costas. Penso que todos nós estamos no mesmo barco. O que aconteceu foi que a ficha só caiu agora. Vamos encerrar este caso e procurar melhorar ainda mais o nosso relacionamento com a nossa mãe. Você concorda?

– Sim, Ricardo – respondeu Luísa, mais calma. – Vamos fazer assim. Só uma dúvida ainda ficou em minha cabeça.

– Qual? – perguntou Ricardo interessado.

– E se, nas próximas semanas, ela se interessar por algum senhor e começar a namorar? O que faremos?

– Parece que Pascoal já respondeu, Luísa – disse Ricardo.

– Quer dizer que não nos preocuparemos? Ela que namore quem quiser?

Pascoal interveio:

– Não é bem assim, Luísa. E por um motivo muito simples: sua mãe jamais namoraria uma pessoa que não fosse de uma moral íntegra como a dela, de modo que, realmente, não precisaremos nos preocupar se isso acontecer.

Luísa comentou, procurando mostrar-se calma:

– Ainda não assimilo bem essa parte, mas é verdade que não posso interferir nas decisões da minha mãe. Ela é adulta e sabe o que faz. Entretanto, não deixarei de investigar a pessoa escolhida, para me sentir mais segura.

– De qualquer modo – aparteou Renata –, isso ainda não aconteceu. Pelo contrário, o relatório não mostra nenhum indício nesse sentido. Portanto, creio que devemos permanecer serenos. O que mais dona Adélia está precisando é das nossas preces e dos nossos cuidados, e não da nossa vigilância.

– É a pura verdade – confirmou Pascoal. – Aliás, falando em cuidado, creio que um de nós poderia ajudar dona Adélia no seu estudo para o vestibular, não é mesmo?

– Bem pensado – disse Ricardo que, embora não gostando muito de saber que sua mãe estaria frequentando uma faculdade todas as noites, pelo menos achava que, se essa era a sua vontade, ela merecia uma ajuda deles.

Adélia havia ligado para Ricardo nesse mesmo dia pela manhã. A notícia causou certa inquietação no filho:

– Mãe, você pretende frequentar um curso universitário?

– Sim, por que o espanto? Você e Renata também não frequentaram? E o mesmo não fizeram Pascoal e Luísa? Por que eu estaria alijada dessa possibilidade?

Ricardo ficou um tanto confuso, mas procurou dar logo uma resposta:

– Não se trata disso. Eu fico preocupado, pois você estará sozinha pelas ruas à noite.

– Tanta gente faz isso. Serei apenas mais uma pessoa entre tantas.

– Bem, de qualquer modo, meus parabéns pela iniciativa. Você pretendia fazer letras havia muito tempo.

– Eu vou cursar Filosofia.

– Fi-lo-so-fi-a?

– Você ouviu bem.

– Além de ser um curso difícil, é chato e não dá futuro a ninguém.

– Isso não passa de uma projeção das suas dificuldades, Ricardo.

– A psicoterapia está lhe fazendo bem, não é mesmo? Até já está falando como psicóloga.

– É verdade. A análise está me fazendo muito bem. Mas, voltando à sua resposta desbaratada, devo dizer algumas coisas: Em primeiro lugar, se filosofia não é fácil, também não é um bicho de sete cabeças. Dá muito bem para entendermos. Não há tantos alunos que se licenciam nessa disciplina todos os anos? Segundo, chato é quem critica a filosofia sem conhecê-la muito bem ou não conhecendo quase nada. E terceiro, você se esqueceu de que o seu pai, que pagou a sua faculdade, era filósofo e exercia a profissão de professor de Filosofia, e que somente depois de algum tempo tornou-se coordenador de curso?

Adélia riu e concluiu com duas palavras:

– Seu bobo!

Ricardo, encabulado, pediu desculpas e concordou com a decisão da mãe. O mesmo aconteceu com Luísa. Assim, na reunião da família, o assunto causou agitação, mas todos acabaram tendo de concordar com a escolha de Adélia. Pascoal e Renata foram os mais entusiasmados, de modo que agora ele se lembrou da ajuda que deveriam dar à nova vestibulanda.

– Isso é verdade – disse Luísa, ao ouvir a sugestão de Pascoal –, ela está há muito tempo longe da escola, de modo que umas aulas particulares vão lhe fazer muito bem.

– E quem poderia dar esse auxílio?

– Eu mesma, Ricardo, se vocês concordarem.

Com a anuência de todos, ficou acertado que Luísa iria à casa da mãe duas vezes por semana, à noite, e uma aos sábados, pela manhã, se Adélia concordasse.

***

Na terça-feira, Luísa ligou para a mãe que, muito contente, aceitou a oferta e passou a iniciar os seus estudos preparatórios para o vestibular. Ela estava agora com muitas atividades, pois, além de trabalhar diariamente na loja, ia uma vez por semana ao psicólogo, estudava com Luísa três vezes por semana, frequentava o centro espírita duas vezes semanais e reunia-se religiosamente com os amigos aos domingos. Isso, sem contar os sábados à tarde, quando ia ao shopping com a filha e a nora. Nesse dia, ela não ia à loja, que ficava sob os cuidados das duas vendedoras, em quem muito confiava.

Mas, se não bastasse tudo isso, veio-lhe uma ideia à mente: aprender a dirigir e tirar carteira de motorista. Procurou uma autoescola e certificou-se de tudo o que precisava e do tempo médio para conseguir a carteira. Faltava, porém, o carro, cujo preço ela ignorava. Matsumoto falou de um amigo, que era revendedor de automóveis e poderia ajudá-la a escolher o carro certo para ela a um bom preço. Adélia procurou-o, mas achou os preços muito altos, o que a desanimou um pouco. Pensou, então, em comprar um carro usado e teve de consultar Ricardo.

– O quê? Você está querendo comprar um automóvel? Você ficou maluca, mãe? Nem dirigir você sabe.

– Vou começar a ter aulas amanhã.

– Como você faz as coisas sem falar com a gente?

– O que eu estou fazendo agora?

– É verdade. Mas deveria ter-me procurado antes.

– Para você dissuadir-me da ideia?

– O que acontece é que você mudou rápido demais. Mal a gente se adapta a uma ideia, lá vem você com outra. É muito perigoso dirigir nesta cidade doida, mãe. Muito perigoso.

– Mas não é o que você, Luísa, Renata e Pascoal fazem todos os dias?

– Desculpe-me falar, mas nós ainda somos jovens, ao passo que a senhora...

– Sou velha?

– Não foi isso que eu quis dizer. Mas jovem você já não é. Vai ter maiores dificuldades no trânsito.

– Fique tranquilo. Não irei muito longe. Será de casa para a faculdade, da faculdade para casa. Daí para o centro espírita e, de lá, novamente para casa. Mais alguns pequenos percursos.

– Mas...

As palavras morreram na boca de Ricardo. A mãe vencera. Nada havia a fazer para impedi-la de seu intento. No momento oportuno, ele chegou mesmo a ajudá-la a escolher o carro que lhe fosse mais adequado. E, assim, Adélia dava mais um passo em sua nova vida.

Pouco depois da reunião com a irmã, a esposa e o cunhado, Ricardo fez uma última visita a Polidoro, a fim de pagar-lhe o que devia.

– Vim fazer o acerto final, Polidoro. Creio que não haja mais necessidade de investigar a vida da minha mãe. Entretanto, aqui entre nós, gostaria de fazer-lhe mais uma pergunta e quero uma resposta sincera e honesta de sua parte.

– Esteja à vontade, dr. Ricardo.

– Você não notou mais nada em minha mãe, além do que colocou no relatório?

– Como assim?

– Alguma visita feita e que você tenha se esquecido

de relatar ou algum hábito que ela tenha adquirido, por exemplo.

– Tudo o que pude observar, coloquei no relatório. Entretanto, quero dizer-lhe algo mais, dr. Ricardo. Sua mãe ajudou-me muito. Devo-lhe um grande favor.

– Você lhe pediu alguma coisa, Polidoro?

– Não, dr. Ricardo, não lhe pedi nada. O que recebi dela foi algo espontâneo, gratuito.

– Explique-se melhor.

– O senhor tem algum tempo para me ouvir?

– Sem dúvida. Seja breve, mas me fale tudo o que tem em mente.

– Eu sempre tive uma dor de cabeça que me atrapalhava no trabalho e mesmo em casa, quando chegava da rua para o meu descanso. O médico disse-me que se tratava de uma cefaleia crônica diária, de difícil tratamento. Como ele me esclareceu, eu usei analgésicos em demasia, o que ocasionou, com o passar do tempo, o transtorno que me perturbava diariamente. Assim, vinha tomando, sob sua prescrição, antidepressivos tricíclicos que atenuavam a dor, mas não chegavam a me curar da cefaleia. Mesmo no dia em que o senhor esteve aqui pela primeira vez, eu estava com uma dor muito forte, que me prejudicava até a concentração naquilo que o senhor me dizia.

– Tudo bem, mas o que tem isto a ver com a minha mãe?

– Na primeira noite em que ela foi ao centro espírita, eu a segui e também entrei naquela instituição. Confesso que nunca havia estado em lugar semelhante. Notei o silêncio que havia na casa e a receptividade tão grande dos trabalhadores. Encaminharam-me para uma saleta onde um senhor me recebeu com um sorriso franco e me perguntou por que eu estava ali. Tive de pensar rápido e acabei falando a respeito da minha cefaleia. Conversamos também sobre o medo da morte. Entre as explicações que recebi, ele me afirmou que a morte não existe. Melhor explicando: somos espíritos imortais e o corpo é apenas uma vestimenta. É ele que morre, ao passo que o espírito permanece.

– Tudo bem, Polidoro, já me falaram sobre isso também. Mas você esqueceu o assunto que me preocupa: minha mãe.

– Não esqueci, não. Depois desse dia em que tomei o passe pela primeira vez, a minha dor de cabeça começou a diminuir. Continuo indo lá todas as semanas e já estou terminando o livro com que aquele senhor me presenteou. A cada semana fico mais tempo sem dor e, quando ela vem, é com menos intensidade. Também tenho procurado seguir os conselhos que me dão naquela casa. Diminuí o cigarro e o uísque, que gosto de tomar de tardezinha. E tenho procurado ser mais calmo e paciente em minhas atividades. Agora, a pergunta: a quem eu devo tudo isso senão à sua mãe que, sem mesmo saber, levou-me até aquele centro espírita? Se eu não a estivesse seguindo, nunca teria entrado naquela instituição e continuaria com a vida intranquila e insípida de sempre. Portanto, é à sua mãe que devo a minha melhora de vida. Doutor Ricardo, só posso falar bem dela. Todas as vezes em que cruzei com ela pelos corredores do centro espírita, sempre a vi compenetrada naquilo que ia lá fazer, ou seja, tomar o passe. E quando ela ia ouvir as palestras e as mensagens passadas pelos espíritos, sempre a vi atenta ao que se dizia. Perdoe-me, mas ela nem deveria ter passado por esta investigação. Ela não merecia isso, dr. Ricardo. Ame a mãe que o senhor tem e procure respeitá-la sempre, porque ela merece.

Ricardo, que sempre tratou o detetive com certo desdém, pela primeira vez sentiu-se inferiorizado diante dele. Procurou fazer logo o acerto, pagando o que Polidoro ainda tinha por receber e saiu de lá procurando pôr as ideias em ordem. Entretanto, antes de fechar a porta do escritório, o detetive ainda lhe disse com sinceridade e interesse:

– Doutor Ricardo, penso que o senhor deveria conhecer esse centro espírita. Creio que poderá fazer-lhe muito bem. Não devo me intrometer em sua vida, mas pense nisto: o senhor não tem nada a perder. Já os ganhos, poderão ser muito grandes.

Ricardo, mais uma vez, ficou sem saber o que responder. Apenas virou as costas e bateu em retirada. Polidoro, por sua vez, fechou a porta e sentiu-se grato por ter dito o que lhe estava entalado na garganta. "Este foi o verdadeiro *relatório final*" – pensou com um sorriso sereno nos lábios.

20

Pacto de vida

Depois do seu primeiro passeio pela casa de repouso, Maurício passou a voltar todos os dias ao jardim do estabelecimento, encontrando-se com outras pessoas com as quais teve oportunidade de trocar muitas ideias e sentimentos. Uma delas foi um senhor de seus cinquenta anos, que lia tranquilamente O P*roblema do Ser, do Destino e da Dor*, do filósofo espírita Léon Denis. O fato chamou a atenção de Maurício, que se aproximou dele, demonstrando interesse em conhecê-lo.

– Por favor, sente-se aqui.

– Desculpe-me. Estou atrapalhando a sua leitura.

– De modo algum. É sempre bom ter alguém para conversar. Continuo a leitura depois.

– Que livro é esse que você está lendo?

– Estou fazendo um estudo desta excelente obra de Léon Denis. Aprecio a sua maneira simples e profunda de escrever, mas, acima de tudo, gosto das respostas que dá a perguntas básicas como: "Quem somos?", "De onde viemos?", "Para onde vamos?" e "Por que sofremos?". Muitos pensamentos fundamentais sobre o ser humano estão indelevelmente registrados nesta obra magistral.

– Você foi filósofo na Terra?

– Não, não. Fui geógrafo.

– Entendo.

– E, como geógrafo, especializei-me em geopolítica. Meu interesse maior era o estudo da estratégia, da manipulação e da ação política das grandes nações mundiais. Dei aulas em várias faculdades, mas fixei-me em uma delas, onde lecionei por muitos anos. Ali não se pregava o egocentrismo e a competição, sendo, ao contrário, uma instituição humanista, teísta e cristã, que valorizava a fraternidade, a liberdade, a igualdade e a justiça. O diretor era um pedagogo cristão e convicto da sua fé. Mas, pelo meu temperamento tempestuoso e violento, extrapolei os limites culturais dessa organização, ignorando todo e qualquer humanismo e, muito menos, qualquer resquício de espiritualidade. Fui um materialista convicto e impertinente. Fui mesmo daqueles que afirmavam que o cérebro segrega pensamentos como o fígado segrega a bile.

– Conheço muito bem essa vertente do pensamento. Fui professor de Filosofia.

– Ora, ora. Então, estou falando com a pessoa certa. Mas o que pretendo mostrar mesmo é que essa crença errônea que professei, aliada à minha personalidade violenta, só me trouxe aborrecimentos na vida.

Maurício perguntou-lhe o nome.

– Pode me chamar de Alencar. Na universidade, era conhecido como "Tenente Alencar" pela rigidez com que estabelecia regras e exigia o seu cumprimento em sala de aula.

Após rirem, Alencar quis conhecer um pouco a respeito de Maurício.

– Meu nome é Maurício. Fui professor de Filosofia numa faculdade de São Paulo, onde me tornei coordenador de curso. Mas gostaria de ouvir mais a seu respeito. Você estava fazendo a ligação entre a sua última existência na Terra e a leitura de Léon Denis.

– É verdade. A gente ri, mas se fiz da vida dos outros um inferno, quem primeiro caiu nas suas chamas fui eu. Os anos em que vivi na Terra foram muito amargos. Semeei vento e colhi tempestade. Ninguém conseguia conviver comigo devido à minha personalidade instável e agressiva. Na minha juventude, envolvi-me em muitas brigas de rua. Quando entrei para o exército, fui logo malvisto pelos outros recrutas, mas tive a sorte de ficar sob as ordens de um sargento compreensivo e tolerante. Foi por causa dele que não participei de outras brigas e até passei a ter um comportamento exemplar. Logo fui promovido a cabo, auxiliando-o nas atividades cotidianas do quartel. Após deixar o serviço militar, conheci uma jovem muito bonita, que cursava o último semestre de letras. Alguns anos depois, nos casamos. Só fiz a minha esposa sofrer. Para começar, não permiti que ela lecionasse. Queria que ela ficasse em casa, cuidando do lar. Se ainda ganhava pouco, novas promoções surgiriam logo mais à vista. Era só uma questão de tempo. Ela argumentava que não se tratava de dinheiro, mas de vocação. E eu, sarcasticamente, respondia que vocação de mulher é para "rainha do lar". Enfim, pressionei-a tanto, que ela se acomodou e desistiu de seus sonhos, passando a ter uma vida insípida entre as quatro paredes do nosso apartamento. A única coisa que lhe permiti foi escrever artigos literários para a revista da faculdade onde se graduou. Certo dia, um professor dessa mesma instituição enviou uma carta à redação da revista elogiando as crônicas da minha esposa, chegando a fazer uma comparação entre o seu estilo e o de Machado de Assis. A carta foi publicada em tom de crítica literária. Fiquei furioso. A partir daí, não permiti mais à minha esposa continuar escrevendo. Foi um período muito difícil para ela que, justamente em nome do filho, continuou a morar comigo, embora não houvesse mais a chama do amor entre nós. O garoto tornou-se arquiteto e começou a trabalhar numa grande empreiteira. Educou nosso filho de modo esmerado, incutindo-lhe valores cristãos e cidadania. Eu o via poucas vezes, pois ficava grande parte do meu tempo na universidade, mas ele tinha longos diálogos com a mãe, cheios de risos e carinho.

Alencar fez uma pausa para enxugar uma lágrima que escorrera face abaixo. Olhou algum tempo para o vazio e depois, com vagar, continuou:

– Tanto fiz de mal para a minha esposa que, um dia, ela reclamou de dores no peito e falta de ar. Achei que era estratégia de mulher para conseguir alguma atenção, mas concordei em que ela fosse ao médico. Implorou-me que a acompanhasse, pois poderia ser algo sério. De início, não concordei, mas tal foi a insistência que, de mau humor declarado, levei-a a um pneumologista. Após a análise da radiografia, fui chamado para uma conversa particular com o especialista. Sentado à sua frente, ouvi, com todas as letras, que a minha esposa estava com câncer nos pulmões, já em estado muito avançado. Não acreditei. Poderia ter sido um engano. O médico deveria fazer nova análise na radiografia. Mas a sua resposta foi categórica: o caso era muito sério. Se o câncer tivesse sido detectado muito antes, a situação agora não seria grave, mas, dado o estado avançado da doença, deveria ir imediatamente consultar um oncologista, pois o prognóstico era assustador. Levei minha esposa ao oncologista indicado, que apenas confirmou o que havia dito o outro médico. Não havia quase mais nada a fazer. Entretanto, a minha esposa passou por sessões de quimioterapia e radioterapia, cujos efeitos foram nulos e apenas serviram para aumentar o seu martírio. Foi um ano de sofrimento para ela e de sentimento de culpa para mim.

– Você achou que era culpado pelo que acontecera com ela? – perguntou Maurício muito interessado.

– No momento em que a doença foi diagnosticada, não. Para dizer a verdade, eu achava que o câncer era apenas uma doença física e mesmo hereditária, que podia atacar qualquer pessoa com quadro semelhante na família, portanto, não havia motivo para culpa.

– E como isso aconteceu?

– A dor da culpa começou quando um colega me deu um artigo para ler. Falava muito sobre o câncer, mas não por seu lado físico, e sim psicológico. Dizia, inicialmente, que a doença é desenvolvida não apenas por um fator, mas pela somatória de vários: hereditários, psicológicos e bioenergéticos. Depois, centrava-se na dimensão psicológica do câncer, afirmando que, entre as causas apontadas, sem dúvida estavam presentes, em muitos casos, a mágoa e a depressão. A minha esposa sofria de depressão e, quando pensei nisso, tive claro em minha mente que a depressão fora devido a ela não poder dar vazão a seus dotes literários e, mais do que isso, a tudo que um ser humano tem de expressar para se tornar pessoa plena. Eu havia podado tudo isso. Ela devia estar muito magoada comigo, mesmo sem conversar a respeito. Eu havia tolhido durante muitos anos a possibilidade de ela se expressar como um ser humano normal, com suas qualidades e talentos. Maurício, com minha conduta tresloucada, eu havia impedido a minha esposa de respirar. Daí o câncer nos pulmões... Eu matei a minha esposa, Maurício! Eu matei a minha esposa! Eu sou um assassino, Maurício, um assassino!

Alencar não conseguiu dar continuidade à sua confissão.

Alguns dias se passaram e Maurício visitou Alencar em seu quarto. Foi muito bem recebido pelo novo conhecido, que pediu desculpas pelo ocorrido naquela manhã. E conseguiu terminar com mais tranquilidade o relato que começara.

– Ainda sinto uma dor muito grande no peito, às vezes, Maurício. Por esse motivo, não poderei sair daqui muito cedo. Diz-me, porém, o médico que cuida do meu caso, que tudo depende de mim. Em vez de ficar me lastimando, afirma ele, é melhor que eu me arrependa do que fiz e procure traçar um futuro melhor para mim. Depois que a minha esposa faleceu, sofri muito, mas evitei ao máximo chorar. O meu sofrimento era interior, fechado a sete chaves. Talvez, por essa razão, eu tenha morrido de infarto do miocárdio alguns anos depois. Foi após a minha morte – se posso falar assim – que comecei a chorar. Mas não vim diretamente para cá. Vagueei durante um tempo, que não consigo medir, por lugares lúgubres e escuros, que não desejo para ninguém. Passei a acreditar que estava sendo castigado por Deus. E concluí: "Ah! Aqui é o inferno". Notei que em muitos dos locais por que passara o solo estava calcinado e apresentava um tapete interminável de cinza e enxofre. A sede e a fome consumiam-me as entranhas. Dos meus lábios ressequidos não saía nenhum verbo, do meu coração escorria uma gosma de tremor e desespero. Caminhei assim sem saber se era dia ou noite. Certo dia, subindo por uma viela aberta em meio a uma colina repleta de árvores retorcidas e esqueléticas, olhei para o topo e vi um céu avermelhado no meio do negror do que parecia uma noite interminável. A cena chocou-me, pois me representou o desespero final. "Aqui é o fim", pensei, jogando-me ao solo, completamente vencido, "não tenho mais forças para continuar. Meu Deus, tende compaixão de mim. O que posso fazer para mudar tudo isto? Dizei-me, Senhor, o que fazer. Não posso mais prosseguir nesta via interminável. Dobro-me diante do vosso poder e sigo todas as vossas determinações, quaisquer que sejam". Já sem forças, desmaiei no meio da subida recoberta de pedras e cinza vulcânica.

Maurício, impressionado com o relato, ficou a olhar fixamente no rosto de Alencar, esperando o desfecho daquela história que tocara o seu coração.

– E o que aconteceu em seguida? – perguntou muito interessado.

– Você já deve ter notado que tenho dificuldade com o tempo. Recordo-me de que, ao recobrar os sentidos, vi uma senhora sorridente, que me disse, de braços abertos: "Seja bem-vindo, Alencar". Estranhei aquela ternura num ambiente tão hostil. Havia uma tênue luz que saía de suas vestes, mas eu me concentrei em seu rosto. Parecia-me familiar, embora não me lembrasse de alguém com tal beleza. Fiquei algum tempo emudecido, apenas contemplando o rosto sereno daquela senhora. Contudo, como se um raio caísse sobre a minha cabeça, tomei conhecimento imediato de quem se tratava. Dei um grito que saiu lá de dentro, como um animal acossado sem ter para onde fugir. "Leonor! É você? Meu Deus! Perdoe-me. Leonor, perdoe-me!". Era minha esposa, Maurício. Imagine a minha situação. Prostrei-me a seus pés e comecei a lhe pedir perdão desesperadamente. Não tinha coragem de olhar novamente para o seu rosto. Ela, porém, com toda a ternura, segurou as minhas mãos e me disse com muita suavidade: "Você já está perdoado, Alencar. Agora é o momento de recuperar-se e poder dar um novo rumo à sua vida".

Notei, então, que havia com ela dois jovens que me deram as boas-vindas. Depois, senti um grande cansaço e novamente desmaiei. Ao acordar, estava num posto de socorro, onde permaneci por muito tempo. E quando as pessoas que cuidavam de mim notaram que eu havia melhorado um pouco, trouxeram-me para cá. Já era para eu ter saído daqui, mas devido à minha cabeça dura, ainda sofro muito pelo que fiz à minha esposa e ao meu filho, entrando num desespero desolador, às vezes, quando tenho as minhas recaídas.

– E a sua esposa? Você pôde vê-la novamente?

– Recebi a sua visita uma única vez. Infelizmente, para mim, ela está noutra localidade, com suas tarefas cotidianas a serem cumpridas. Mas disse que ora em meu favor todos os dias, pedindo ao Senhor que eu possa me recuperar logo para dar melhor sequência à minha vida. Aqui, Maurício, tudo depende mais de nós que dos outros. Cabe a nós a iniciativa de nos transferirmos daqui para alguma colônia que possa nos abrigar, de acordo com os nossos méritos.

– Perdoe-me a expressão terrena, Alencar, mas "é aí que o bicho pega".

– Eu que o diga. Mas vamos nos esforçar bastante para deixarmos de ser sanguessugas e poder fazer alguma coisa de bom para nós e para os outros. Devo dizer que a leitura que fiz de Léon Denis vem me ajudando muito neste sentido.

– Concordo plenamente com você, Alencar.

– Tive uma ideia, meu amigo. Posso chamá-lo assim?

– É claro. Fico honrado em poder ser seu amigo. Você mostrou ser um homem de fibra.

– Muito obrigado. Acho que a minha infância sofrida me ajudou neste aspecto, mas agora quero ser também um homem de paz e amor.

– Se eu puder ajudá-lo, conte comigo.

– Pois é aqui que entra o pacto de que lhe falei.

– Estou curioso para conhecê-lo.

– Não se fala, às vezes, na Terra em pactos de morte?

– Infelizmente, sim.

– Pois bem, por que nós não fazemos o inverso? Um pacto de vida!

– Gostei da expressão, mas explique-me em que consiste.

Alencar riu naturalmente, pensou um pouco e depois disse:

– Você está querendo sair logo daqui?

– A bem da verdade, devo dizer que gostei muito deste local e das pessoas que cuidam de mim, mas acho que outras pessoas necessitam bem mais da boa vontade e dos préstimos dos trabalhadores daqui. Quero sair logo, sim.

– Então, façamos o seguinte: vamos nos encontrar todos os dias no jardim, lá embaixo. Você me dirá como se sente e tudo o que fez de positivo e também de negativo no dia anterior. O que você tiver feito de positivo poderá ser um estímulo para que eu também faça. O que tiver feito de negativo, nós discutiremos como agir dali para a frente, a fim de poder emendar-se. É claro que eu também farei o mesmo diante de você. Com isto, tomaremos mais cuidado para só fazermos o bem e, consequentemente, evoluirmos mais rapidamente, podendo sair daqui com mais brevidade. O que você acha?

Maurício, que tudo ouvira atentamente, pensou na responsabilidade de tomar tal atitude. Afinal, ficar lendo na cama, como ele costumava fazer, era muito bom, como também era agradável conversar com os internos no jardim. Já fazer um pacto desse exigia disciplina férrea e grande responsabilidade. Chegou a pensar que, pelo fato de Alencar ter sido um homem rígido e rigoroso, não poderia pensar em outra coisa que não fosse ordem e disciplina. Concluiu, porém, que assim pensando estava sendo um acomodado e um egoísta por tomar o lugar de pessoas mais necessitadas que ele naquele refúgio de paz e tranquilidade.

– E então? – perguntou Alencar, preocupado. – O que você acha?

Sem ter escapatória, Maurício riu, apertou a mão do novo amigo e disse, procurando colocar firmeza em suas palavras:

– Está selado o pacto.

– O pacto de vida – concluiu Alencar, feliz por ter conseguido um resultado muito positivo do seu encontro com Maurício.

Agora as coisas teriam de ser diferentes. Nada de corpo mole e irresponsabilidade. "Chegou a idade da responsabilidade moral", pensou Maurício, rindo internamente por ter, certamente, tomado uma decisão correta.

21

Boas notícias

ADÉLIA CUMPRIU TUDO o que prometera. Estudava para prestar vestibular; matriculou-se na autoescola e comprou um carro seminovo, assim que recebeu a carteira de habilitação; e estudava o Espiritismo no Centro Espírita Luz Divina. Tudo isso ao mesmo tempo em que intensificava os trabalhos na sua loja, ao introduzir uma nova linha de mercadorias: computadores, *notebooks* e componentes de informática.

A procura pelos produtos de informática superou as expectativas de Adélia, que precisou ampliar as instalações, alugando uma grande sala ao lado da loja. Com isso, fez uma divisão: no local antigo ficou a parte de miudezas e na nova sala o setor de informática, que se tornou rapidamente o carro-chefe das vendas.

Se, materialmente, as coisas estavam indo muito bem, o mesmo ocorria na dimensão espiritual. Adélia entregou-se com satisfação ao estudo do Espiritismo. Ao mesmo tempo, conheceu outras pessoas que buscavam, como ela, a melhoria interior, o que ampliou o seu círculo de amizades, antes tão restrito. No tocante às aulas, eram motivadoras e sustentadas pelas obras mestras de Kardec. Numa delas, alguém perguntou sobre a erraticidade, e a resposta da instrutora instigou a curiosidade de Adélia:

– O que é erraticidade? – perguntou uma das alunas. Respondeu a instrutora:

– Erraticidade é o intervalo entre duas encarnações, quando o espírito aguarda a oportunidade de nova encarnação.

– E onde ele fica nesse momento?

– Depende do seu nível de adiantamento espiritual. Se cumpriu fielmente as tarefas que tinha a desempenhar em sua última encarnação, ele permanece numa colônia espiritual, aprendendo e desenvolvendo novas tarefas, como preparação para a encarnação seguinte. Se, ao contrário, descumpriu as suas tarefas e preferiu a direção do descaminho, entregando-se ao ócio ou aos vícios, será atraído para situações que correspondam à sua faixa evolutiva e ficará expiando as faltas anteriormente cometidas.

– E quanto tempo permanece um espírito na erraticidade? – questionou um senhor, sentado perto de Adélia.

– Trata-se de uma situação temporária do espírito, enquanto estagia no plano espiritual. Diz *O Livro dos Espíritos* que essa situação pode variar desde algumas horas até alguns milhares de séculos. A bem da verdade, não existe um limite extremo definido para a erraticidade, que pode se prolongar por um tempo muito longo, mas que nunca é perpétua. Mais cedo ou mais tarde, o espírito consegue uma oportunidade de recomeçar uma existência que se preste à purificação das suas existências anteriores.

– E o que faz o espírito durante esse tempo? – perguntou um jovem, cuja mãe tinha falecido alguns anos atrás.

– Em termos globais, podemos dizer que três são as atividades dos espíritos na erraticidade: missão, estudos e expiações. Vou lhes explicar: na erraticidade, o espírito executa atividades, tanto quanto aqui no plano terreno. Entretanto, essas atividades variam de acordo com o nível de desenvolvimento alcançado pelo espírito. O vocábulo *missão* pode, assim, ser entendido como uma tarefa proporcional ao estado evolutivo do espírito. Ela pode ser executada pelo espírito na erraticidade ou enquanto ele está encarnado, dependendo da finalidade da missão. Há missões que são confiadas apenas a espíritos superiores, mas há missões de variados graus de importância que são entregues a espíritos de todas as ordens. Existem, pois, espíritos que realizam uma missão específica durante a erraticidade. Pode ser, por exemplo, a tarefa de um espírito que foi um grande médico espiritualista na Terra e, agora, na erraticidade, recebe a missão de formar espíritos jovens na ciência de medicar, dado que no plano espiritual há também hospitais, embora com tratamentos diversificados e mais avançados que os do nosso plano. Há inúmeras tarefas que podem ser executadas na erraticidade, como as atividades nos hospitais, escolas, administração, equipes socorristas e tantas mais. Outra atividade muito executada na erraticidade são os estudos que visam ao autoconhecimento, por meio do qual o espírito toma consciência de suas existências anteriores e identifica os erros e desvios que o afastaram do caminho que conduz à perfeição possível ao Homem e à sua consequente felicidade. Há, por fim, as atividades resultantes de expiações. A expiação é o resultado da má conduta do espírito diante da lei de Deus. Tem a finalidade de adverti-lo sobre o mal praticado e de oferecer oportunidade de corrigi-lo. O sofrimento oriundo da expiação não é propriamente um castigo, mas uma corrigenda divina. Ela se expressa, particularmente, por um período mais longo na erraticidade até a oportunidade de uma nova encarnação. Durante esse período, o espírito tem ocasião favorável de aprender mais e de se emendar de faltas passadas, preparando-se condignamente para a nova oportunidade de encarnação.

A explicação satisfez tanto a quem fez a pergunta como a Adélia, que logo pensou em Maurício. "Onde estará você, Mao? Como estará? Bem? Deus o queira. Que tipo de atividade você estará executando agora?". Muitas imagens de momentos saudosos passaram pela sua memória, o que fez com que se desligasse da aula por alguns minutos. A expositora, percebendo a sua distração, perguntou-lhe:

– Adélia, entendeu o que é a erraticidade e como ali agem os espíritos desencarnados?

– Sim... Sim. Entendi. Desculpe-me. Eu estava pensando no meu marido, que se encontra em tal estado. Tenho feito muitas orações por ele, entretanto, sempre que sua imagem me vem à memória, muitas indagações tomam conta da minha alma e, às vezes, entristeço-me um pouco.

A expositora perguntou-lhe o nome do marido e há quanto tempo havia desencarnado. Obtidas as respostas, solicitou que os alunos a acompanhassem numa prece para o desencarnado.

– Façamos, então, uma prece em favor do espírito Maurício Benevides.

Após silêncio geral, a expositora orou:

– Meu Deus, elevamos agora o pensamento até Vós e vos louvamos pelo dom da vida que nos ofertastes. Agradecemos igualmente as oportunidades de refazimento espiritual que nos destes neste dia e vos imploramos auxílio ao espírito Maurício Benevides, que se acha no estado de erraticidade e necessita das vossas bênçãos para o seu equilíbrio interior e harmonia com a vossa lei. Que ele tenha dos bons espíritos o apoio necessário nesta fase de recuperação; que possa receber os ensinamentos precisos para a sua reforma íntima e consiga cumprir com as tarefas que lhe forem designadas pela espiritualidade maior. Meu Pai, que também Adélia Benevides encontre a paz, a harmonia e o caminho verdadeiro neste momento de transição e reajuste da sua existência. Derramai sobre ambos as vossas divinas bênçãos. Assim seja.

Com essa prece, Adélia recebeu o alento de que

necessitava naquele momento. E Maurício, que se achava lendo em seu quarto *O Evangelho Segundo o Espiritismo*, pensou momentaneamente na esposa, mas não mais com dor e desespero como antes. Uma onda de paz e tranquilidade inundou-o por inteiro e ele sorriu, enviando um abraço e um beijo para aquela que ficara no plano terreno a cumprir as suas tarefas reencarnatórias.

***

Algum tempo depois daquela aula no curso de Espiritismo, Adélia foi à faculdade para entregar um documento que faltara no ato da matrícula. Fez questão de procurar o diretor para trocar algumas palavras. Foi novamente muito bem recebida e, desta vez, ele colocou em suas mãos uma pasta com documentos que Maurício deixara no fundo de uma gaveta.

– São documentos pessoais do professor Maurício, dona Adélia – disse o diretor ao entregar-lhe a pasta. – Eles estavam no fundo da gaveta de uma mesa que havia sido retirada da sala que ele ocupava. Por favor, leve-os.

Adélia quis saber também o que acontecera com Ademar e Suzana, que Maurício tinha pensado em demitir.

– Eles continuam a lecionar. Na verdade, Maurício não chegou a demiti-los.

– Ele estava com uma grande dúvida. Entretanto, chegou a me ligar alguns minutos antes de ter o infarto, dizendo-me que ainda não iria demiti-los. Ele havia decidido conversar mais uma vez com eles antes de tomar a decisão final. Chegou a me dizer que talvez estivesse sendo muito intransigente.

Adélia lembrou-se da aula em que a expositora falara sobre a erraticidade. "Ele deve ter tido uma passagem tranquila, pois sempre foi um homem correto, honesto e responsável. Na erraticidade, deve estar aprendendo muitas coisas, a fim de ter uma nova encarnação muito mais feliz." Notou que ficara em silêncio por alguns segundos e disse em tom emocionado para o diretor:

– O senhor não sabe como me deixou feliz por ter-me dado essa notícia. Pensei várias vezes em ligar-lhe para saber da decisão sobre esses dois professores, mas, afinal, isso era assunto da faculdade, e não meu.

– Dona Adélia, aqui a senhora tem sempre as portas abertas. E devo dizer-lhe, mais uma vez, o quanto fico feliz por vir a tê-la como aluna do curso de Filosofia. Quem sabe algum dia a senhora possa vir a substituir o professor Maurício, não é mesmo?

– Não sonho tão alto, mas também estou muito satisfeita por ter tomado a decisão de vir estudar nesta faculdade tão conceituada e que me traz alegres memórias.

Naquele momento, a porta se abriu e o professor Ademar entrou. Ao notar que havia alguém na sala com o diretor, pediu desculpas e virou-se para sair, no que foi interrompido:

– Espere um pouco, professor. Não conhece esta senhora?

Ao voltar-se para Adélia, ele se emocionou. Correu até ela e a abraçou efusivamente:

– Que satisfação em revê-la, dona Adélia. Como tem passado?

– Graças a Deus, bem, professor Ademar. E você?

– Muito bem mesmo. Afinal, devo a seu marido, o professor Maurício, o fato de estar ainda a lecionar nesta faculdade.

– Com certeza, você deve mais à sua competência. Quanto ao meu marido, foi um homem enérgico, mas nunca, que me lembre, cometeu uma injustiça. Nem mesmo alguns minutos antes de desencarnar.

– Isso me emociona muito, dona Adélia. Nunca me esquecerei desse homem justo e competente.

– Obrigada, professor. E a professora Suzana, como está?

– Acabei de encontrá-la no corredor. Estava indo para a sala de aula.

– Dê-lhe um forte abraço por mim. Vocês não sabem o quanto fiquei feliz por saber que continuam lecionando nesta instituição.

Adélia conversou mais um pouco e, em seguida, despediu-se do diretor e do professor Ademar, indo para a loja com o coração repleto de alegria. À noite, já em casa, abriu a pasta com grande curiosidade. Ali estavam anotações sobre uma palestra a respeito da avaliação escolar que Maurício faria numa reunião dos professores. Havia também um exemplar do livro *Filosofia do homem*, de Basave

Del Valle, em que ela notou várias frases sublinhadas por Maurício, tendo uma delas chamado, em particular, a sua atenção. Era o trecho que dizia: "Dentro da extensa unidade natural que nos estrutura, cada um de nós tem tão originais características que, morto um homem, desaparece um mundo e conseguintemente uma interpretação original e insubstituível de todo o Universo".

Ela chegou a ler três vezes o excerto, depois pensou, com lágrimas nos olhos: "Como é verdadeiro este pensamento. Tendo Maurício deixado este plano, foi com ele uma forma peculiar de ver e entender o mundo. Ele tentou várias vezes passar-me essa interpretação do Universo, mas a minha pequenez não me deixou prestar a atenção suficiente para poder entendê-la e guardá-la em meu coração. Fico triste por ter sido tão displicente. Eu poderia ter aprendido muito com o Mao. Agora, estou aqui nadando de costas em minha profunda ignorância. A única coisa que me deixa ainda animada é o fato de eu ter decidido estudar Filosofia. Que petulância, meu Deus! Eu, Adélia Benevides, relapsa, inculta e ignorante, ter o atrevimento de estudar Filosofia. Bem, se resolvi conhecer esta disciplina e estou disposta a estudá-la com tanta motivação, talvez seja porque deixei de ser relapsa. Inculta e ignorante ainda sou, mas a filosofia vai preencher esse vazio, ao dar-me a condição de interpretar melhor a vida e de conduzi-la com mais segurança. É verdade, talvez eu deva mudar os termos 'petulância' e 'atrevimento' por 'coragem'. Se os primeiros termos são negativos, este último é até considerado uma virtude, portanto, estou sim no caminho certo. Não desistirei, por maiores que venham a ser os obstáculos. Licenciar-me-ei como uma justa homenagem ao meu querido Mao".

Encontravam-se ainda dentro da pasta outros papéis rascunhados por Maurício. Entretanto, uma folha dobrada chamou a atenção de Adélia. Estava escrito a lápis: "Compromisso Particular". "O que será isto?", pensou, enquanto refletia sobre ler o que ali se achava ou destruir a folha sem nunca saber a respeito do seu conteúdo. A dúvida foi grande. "Estarei maculando a honra de Maurício ao tomar conhecimento deste compromisso? Não se trata de uma curiosidade mórbida? Estarei vasculhando indevidamente os segredos e as particularidades da vida alheia?". Ficou a cismar preocupadamente por um bom tempo. O que ela não sabia era que o seu espírito protetor, que já estivera em inúmeras oportunidades da sua vida a lhe sugerir bons pensamentos, sentimentos elevados e decisões sensatas, também neste momento se fazia presente.

O guia espiritual é um espírito que já passou por inúmeras experiências em suas sucessivas encarnações, tendo conquistado, por esforço próprio, um nível hierárquico elevado, de modo que é sempre superior a seu protegido em moral e sabedoria. A sua meta é amparar e conduzir o tutelado pelos caminhos do progresso. É ele quem orienta e dá bons conselhos por meio de pensamentos inspirados. Todavia, respeita o livre-arbítrio do seu favorecido, não tomando decisões por ele nem interferindo nas suas resoluções. Trata-se de um espírito que está sempre à disposição do seu protegido, a fim de favorecer-lhe o encaminhamento para a sua reforma íntima. A proteção oferecida pelo guia espiritual abrange desde o nascimento do seu pupilo até a sua desencarnação, podendo mesmo estender-se pela erraticidade e prosseguir em outras encarnações. Mas ele pode também se afastar do protegido, desde que este se decida pela má influência de espíritos inferiores. Neste caso, ele deixa que a pessoa adquira experiência à custa de sua própria queda. Isto não quer dizer que a abandone definitivamente. Na verdade, permanece pronto para novamente cooperar com o progresso do protegido assim que ele abandonar as más influências, buscando novamente o caminho do bem. Chamado, muitas vezes, de "herói anônimo", o espírito protetor é um fiel conselheiro de quem dispomos para o auxílio constante na trajetória que, livremente, escolhemos para a nossa existência. Enfim, como já se disse, ele cumpre a missão de um pai no tocante ao trato com o seu filho, guiando o seu tutelado pela trilha do bem e da verdade, auxiliando-o com os seus conselhos, consolando-o em seus sofrimentos e incutindo-lhe coragem nas provas e obstáculos que tiver diante de si no transcorrer da vida.

Pois bem, quando Adélia resolveu abrir a folha e lê-la, não sabia que fora inspirada por seu espírito protetor. Foi com ansiedade e certo tremor nas mãos que desdobrou o papel e fixou-se em seu conteúdo:

Compromisso Particular

Eu, MAURÍCIO BENEVIDES, *comprometo-me, a partir deste dia, a aplicar-me com todas as forças para cumprir integralmente os seguintes itens relativos à minha querida esposa* ADÉLIA MARTINS BENEVIDES:

1. *Demonstrar, de modo prático, o amor que sinto por ela.*
2. *Manter-me na via da razão e da lógica, sem permitir o definhamento das minhas emoções e sentimentos positivos em relação a ela.*
3. *Buscar o equilíbrio e a harmonia entre a minha introversão e a extroversão, que constitui o seu tipo psicológico.*
4. *Procurar ouvi-la mais, estabelecendo um diálogo autêntico, em vez de pressioná-la, impingindo-lhe os meus pontos de vista, nem sempre corretos ou apropriados às ocasiões.*
5. *Esforçar-me por respeitar os seus pontos de vista, repletos da verdade interior alimentada pelas suas crenças e por suas convicções, frutos de sua experiência de vida.*
6. *Cultivar a abertura e a aceitação das diferenças existentes entre as nossas visões de mundo.*
7. *Buscar que os conflitos que surjam entre nós sejam percebidos apenas como diferenças de opinião, e não como motivos de disputas e desavenças.*
8. *Fazer com que esses conflitos convertam-se em meios para cada um de nós enriquecermos os nossos próprios conhecimentos e experiências, aprendendo com os conhecimentos e experiências do outro.*

9. *Entender que o casamento deve ser um instrumento de autorrealização, conferindo a cada uma das partes liberdade responsável, e não um mero acordo burocrático ou uma prisão consentida.*
10. *Ampará-la em todas as suas dificuldades e provações, tornando-me um companheiro fiel e amoroso, respeitoso e cordial, ofertando-lhe, enfim, o meu amor incondicional.*

Adélia não sabia o que dizer a respeito do que acabara de ler com toda a atenção. Ao final, havia a assinatura de Maurício. O compromisso era datado de alguns dias antes de seu desencarne. O coração da viúva acelerou e a respiração começou a ficar difícil. Era emoção demais para um coração já fragilizado por tudo o que lhe ocorrera no plano sentimental desde o desencarne do marido. Esse compromisso representava a tentativa de um recomeço de vida por parte dele. Era mesmo o que lhe haviam dito várias vezes no centro espírita, o começar de uma reforma íntima, de uma renovação interior. "Como Maurício era grande", pensou Adélia, enquanto vertia um choro de tristeza, de saudade e até de arrependimento por não tê-lo valorizado como devia, enquanto estava fisicamente junto dela. "Não o valorizei devidamente. Eu sabia também que ele era um homem digno, entretanto, diante destas linhas, percebo que superava em muito tudo aquilo de bom que eu poderia pensar a seu respeito. Nunca me passou pela cabeça elaborar um compromisso como este, buscando eliminar falhas e acentuar acertos, na direção do aprimoramento da nossa relação. Eu era muito desatenta, embora o amasse ou, pelo menos, pensasse que, de fato, o amava. O meu amor era superficial, já o dele procurava atingir o núcleo do ente amado. Hoje consigo elaborar esta reflexão devido ao que já aprendi com meus amigos do centro espírita, sempre fundamentados na codificação de Kardec. Creio que o nosso amor ganharia muito em qualidade espiritual se ele ainda estivesse fisicamente junto de mim. Se isto me entristece, por outro lado noto que eu não tinha ainda a maturidade que hoje começo a apresentar. Há, ainda, outro consolo: Mao não desapareceu, como creem os materialistas quando se defrontam com o fenômeno da morte. Como diz Matsumoto, 'ele mudou de endereço'. Ele continua vivo, preparando-se para uma nova encarnação, que possa ser melhor que a anterior. O nosso esforço para melhorar é importante porque, quando conseguimos dar alguns passos à frente numa encarnação, na próxima, muitos problemas já estarão resolvidos e teremos oportunidade de cumprir novas tarefas e resgatar velhas dívidas para crescermos ainda mais, sempre rumo à perfeição possível ao ser humano. Mao, mesmo sem conhecer o Espiritismo e sem se colocar como adepto do cristianismo, fez isso melhor que muita gente que se diz católica, evangélica ou espírita. Ele mostrou que não é o rótulo que nos faz melhores, mas o esforço individual para superar as dificuldades que a vida nos apresenta. Quero, a partir de hoje, meu querido Mao, agir na direção do exemplo que você me deixou. Buscarei aprimorar-me, melhorando o meu relacionamento com os meus semelhantes. Sei que isto não é fácil, mas se você se empenhou a ponto de elaborar um compromisso particular com você mesmo, por que eu iria fugir dessa promessa de melhoria contínua, que me é uma necessidade de primeira grandeza? Cairei algumas vezes, Maurício, mas me espelharei em seu exemplo e me levantarei para prosseguir na jornada para a minha autorrealização. Obrigada por tudo, Mao, pela sua sabedoria e amor tão grande que me envolveu o corpo e a alma, inspirando-me o recomeço do meu palmilhar na Terra. Muito Obrigada!" Adélia ficou a chorar por mais algum tempo, depois, ergueu a cabeça e sorriu agradecida. Pesando tudo o que acontecera, concluiu que tinha sido um dia muito luminoso em sua vida.

22

Conhecendo a Colônia Espiritual

Era muito cedo quando Maurício recebeu a visita de Vítor, que chegou com o seu costumeiro sorriso.

– E, então, está pronto para o passeio?

Maurício pousou no lençol o livro que estudava e lançou um olhar indagador para o amigo.

– No pátio?

– Não, meu caro. O pátio você já conhece.

– Então, de que passeio você fala?

– O passeio pela colônia.

– Pela colônia?

– Você já foi autorizado a conhecê-la. Portanto, não percamos tempo.

Maurício ficou emocionado. Depois que fora autorizado a descer para o pátio, ele aguardava com ansiedade o momento em que pudesse, finalmente, conhecer o local em que se localizava a casa de repouso.

– Vítor, que bela notícia. Você não sabe quanto esperei por este momento.

– Sei, sim. Foi por essa razão que cheguei bastante cedo aqui.

Em pouco tempo, desceram com cuidado as escadas, ignorando o elevador, e se dirigiram para a portaria externa. Os portões foram abertos e teve início o grande passeio de Maurício pela colônia Paz e Amor, que ele tanto queria conhecer.

– Que vista linda! – exclamou Maurício, vendo os raios multicoloridos do sol sobre as árvores.

Estavam numa alameda repleta de árvores bonitas, com ramos verde-esmeralda e flores cor-de-rosa. O ar era puro e o frescor das folhas fazia-se sentir no ambiente de um fulgor que não ofuscava a vista. As árvores de ambos os lados encontravam-se no cimo, formando uma espécie de túnel esverdeado, entremeado pelo rosa das flores. Por ali seguiram os amigos num silêncio reverente. Depois de terem andado uns cem metros, Vítor quebrou o silêncio:

– Um pouco mais à frente, você poderá vislumbrar a cidade lá embaixo, com seu casario multissecular e suas ruas tranquilas.

Maurício continuou caminhando em silêncio. Permanecia extasiado em meio àquele ambiente paradisíaco, de um frescor calmante e de um perfume amenizador, que lhe equilibrava as energias, substituindo a ansiedade por uma leve sensação de paz interior. Em pouco tempo, conseguiu ver, incrustada no vale, a cidade que emitia uma luz branco-azulado, deixando a sensação de suave bonança.

– Como tudo isto é lindo, Vítor. Eu nunca poderia imaginar que houvesse um lugar tão bonito e tão calmo. Não se parece em nada com a São Paulo em que vivi e supera em beleza e tranquilidade qualquer cidadezinha do interior, onde eu buscava refúgio em minhas férias.

Para contemplar melhor a paisagem, Maurício sentou-se na beirada da alameda e permaneceu por alguns minutos absorto no magnífico panorama que se desenrolava à sua frente. Depois, pediu desculpas:

– Perdoe-me, Vítor. Fiquei viajando em meus pensamentos. Nem sei há quanto tempo estamos aqui.

– Eu sou apenas o seu guia, para que você possa conhecer a colônia. Esteja à vontade.

– Creio que podemos continuar. Desceremos até a cidade?

– Sim. Quero que você observe muito bem o que lhe convier.

Continuaram descendo a montanha que, a cada momento, apresentava algum aspecto inusitado. Maurício inebriava-se com os novos contornos da paisagem por ele desconhecida. Depois de muitos minutos, chegaram à cidade, entrando por outra alameda, ornamentada com graciosas árvores, cujas flores amarelas exalavam um tênue perfume. Para enxergar melhor as alas de árvores floridas, Maurício postou-se no meio da rua e ficou a observar absorto a beleza do colorido translúcido que se propagava por toda a extensão da alameda. Depois de muito elogiar a formosura do arvoredo e a arquitetura simples das casas enfileiradas, notou que não havia passado ninguém na rua até aquele momento.

– Vítor, há tanta beleza natural nesta alameda, mas onde estão as pessoas? Não há uma viva alma por aqui.

– Os moradores estão, em sua maioria, cumprindo as suas tarefas.

– Trabalhando?

– Sim, trabalhando.

– E eu estou aqui fazendo papel de turista e vivendo à custa dos outros?

– Tudo tem o seu tempo, Maurício. Hoje você está conhecendo a colônia. Amanhã poderá estar também trabalhando nela.

– Tenho pensado muito nesse assunto. É verdade que desejo trabalhar, mas quando digo isto, pergunto-me "trabalhar em quê?", e fico sem nenhuma resposta.

– Vamos combinar uma coisa: você põe essa ansiedade de lado, aproveita os bons momentos que lhe foram concedidos hoje e amanhã começamos a falar sobre esse assunto com a seriedade que ele merece. Combinado?

Maurício entendeu o recado, pediu desculpas e concordou.

– Negócio fechado. Não está mais aqui quem reclamou. Quero conhecer cada detalhe da colônia. Vamos lá! Ei, espere! Veja aquela moça vindo em nossa direção. É a primeira pessoa que noto por aqui.

A moça, de uns vinte e cinco a vinte e oito anos, continuou o seu caminho em direção aos dois amigos.

Quando se aproximou deles, deu um largo sorriso. Maurício ficou meio encabulado, pois estivera olhando-a durante todo o percurso que fez até eles. Vítor riu da situação e cumprimentou a jovem, abraçando-a.

– Bom dia, Amanda. Tudo bem?

– Tudo bem, Vítor. Esta é uma bela manhã para se conhecer Paz e Amor.

– Com certeza. Este é o nosso companheiro Maurício.

– Muito prazer, Maurício.

– O prazer é todo meu, Amanda.

– Então, está pronta para ciceronear Maurício?

Maurício não entendeu o que estava havendo e Vítor foi rápido em explicar-lhe:

– Tenho um compromisso pela manhã, de modo que Amanda se prontificou a mostrar-lhe tudo de Paz e Amor que possa ser importante para o seu conhecimento. Encontrar-me-ei com vocês mais tarde. Tudo bem?

– Claro. Serei um visitante muito atento, sem dúvida.

– Ótimo. Então, até à tarde.

Vítor deixou os dois amigos e seguiu para o cumprimento de sua tarefa.

– Você trabalha aqui também?

– Sim. Eu sou professora. Leciono para uns aluninhos maravilhosos.

– Aluninhos?

– São crianças de cinco a dez anos, que me dão muita alegria e me ajudam de modo inestimável a corrigir falhas de encarnações anteriores, para que tenha uma existência mais proveitosa na próxima encarnação.

– Entendi. E iremos visitar essa escola?

– Claro! Faço questão de ir até lá com você. Aliás, será o primeiro lugar que visitaremos. Antes, porém, quero dar-lhe uma visão geral da área educacional desta colônia. Temos aqui uma prefeitura que, à semelhança das prefeituras terrenas, administra toda a colônia. A escola em que trabalho é composta de três departamentos: Formação Infantil, Desenvolvimento Juvenil e Apoio à Maturidade. Quando uma criança desencarna e vem até aqui, damos-lhe todo o apoio na passagem para este plano e buscamos formar o seu caráter por meio de um programa que lhe mostra a melhor maneira de se postar diante da vida. Mas o mais importante é o exemplo que essas crianças precisam ter, não só da parte dos professores como dos moradores de Paz e Amor. Cada cidadão deve ter um comportamento exemplar, de acordo com as orientações do Divino Mestre em seu Evangelho. Já os jovens aprofundam-se no conhecimento integral do ser humano, sempre com a prioridade voltada à sua conduta ética. Eles aprendem tudo o que precisam saber sobre a reencarnação, a fim de que possam usar esse conhecimento em sua próxima encarnação.

– E os adultos? – perguntou Maurício com grande interesse.

– Para eles, há cursos de aperfeiçoamento. Eles se aprofundam nos ensinamentos recebidos pelos jovens.

Há também muitas palestras e seminários que lhes são oferecidos para que possam discutir temas relevantes e tirar dúvidas a respeito de assuntos que ainda não estão muito claros.

– Muito interessante. Quero ir logo à escola.

– Então, não percamos tempo. Ela não é longe daqui.

Prosseguiram a caminhada pela alameda, cortaram algumas ruas e chegaram diante de um jardim com muito verde.

– Parece que estou sonhando, Amanda. É muito bonito. Sinto o silêncio e a tranquilidade tomarem conta de todo o ambiente.

– Aqui na frente do prédio, no térreo, funcionam a Diretoria e a Secretaria Geral. Mais ao fundo, estão as salas da Formação Infantil. Vamos entrar?

Dentro do edifício, passaram pela recepção e seguiram para o Departamento de Formação Infantil. Maurício foi apresentado à secretária e seus assistentes, seguindo depois para as salas de aula. Em cada sala havia uma professora ou professor ministrando aula para vinte crianças. Maurício reparou que em algumas classes as crianças faziam trabalho em equipe e, em outras, participavam de alguma dinâmica, sempre com muito ânimo e alegria. Nesse momento, lembrou-se dos professores que quase tinham sido demitidos por ele pelo simples fato de fazerem muito uso de dinâmicas de grupo. "Ainda bem que, num último momento, tive a sensatez de decidir pela permanência deles na faculdade. Quem diria que aqui também se usam dinâmica de grupo e jogos pedagógicos?" Ao pensar assim, sorriu meneando a cabeça. Amanda, lendo os seus pensamentos, fez uma consideração:

– Você agiu de modo acertado quando reconsiderou a sua decisão. A sua visão sobre dinâmicas de grupo e jogos educacionais era ultrapassada. Dinâmicas e jogos fazem com que os alunos reflitam mais e cheguem por si mesmos à conquista do conhecimento que lhes interessa, e não que interessa simplesmente ao professor. Daí a sua recusa. Em seu íntimo, e de modo inconsciente, você pensava perder o poder sobre eles quando se libertassem, em parte, de suas decisões particulares para tomarem eles mesmos as suas próprias decisões. Mas venceu o bom senso e você tomou a decisão correta.

– Como você soube de tudo isso?

– A sua aura é um livro aberto e seus pensamentos não são ocultos como lhe possam parecer. Aqui não precisamos das palavras. Mas não é só isso: já me informaram a seu respeito anteriormente.

– É verdade. Vítor me falou sobre a leitura de pensamentos, mas eu havia me esquecido. Entretanto, fico feliz por saber que tomei a decisão justa para o caso dos professores.

Continuaram a visita, subindo para os andares superiores, passando por mais algumas salas de aula, onde os alunos eram compostos de jovens ou adultos. Seguiram pela vasta biblioteca, pelo grande auditório e por quatro auditórios menores. Depois, dirigiram-se ao pátio e à grande área verde que chegava até os fundos do terreno. Num jardim de relva muito verde, havia crianças brincando alegremente junto aos professores.

– Mesmo na Terra – disse Amanda, olhando para os olhos de Maurício – os jogos e as brincadeiras são considerados pelos pedagogos e psicólogos educacionais como valioso instrumento de ensino. Enquanto as crianças brincam, estão aprendendo regras de vida que o professor ou a professora lhes passa de modo suave, porém, profundo e permanente.

O olhar de Amanda perturbou Maurício, que se viu como uma criança encabulada diante da professora a lhe passar uma reprimenda. Mais uma vez a jovem, lendo seus pensamentos, corrigiu:

– Não o estou recriminando. Não tenho ascensão moral suficiente sobre você para fazer isso. Nem o faria se fosse superior. Todos nós erramos, mas temos oportunidades suficientes, concedidas pelo Pai, para nos corrigir e prosseguir em nossa gloriosa jornada. Apenas procuro mostrar-lhe como os sentimentos nobres e as emoções agradáveis podem ser-nos úteis em nossa formação moral, em nossa elevação espiritual.

Maurício ficou ainda a observar por algum tempo aquelas vivazes e saudáveis crianças, que sorriam e soltavam gritinhos, enquanto participavam dos jogos propostos pelos professores. Pensou em seus filhos, quando tinham a mesma idade. Amanda procurou tranquilizá-lo:

– Deixe as preocupações de lado, Maurício. Não

deixe que a apreensão ou a culpa estraguem o seu passeio de reconhecimento. Agora, deixemos esta casa de ensino. Temos ainda outros locais a visitar.

Deixando a escola, ambos foram até uma estação de linhas arrojadas, em que tomaram um trem, cujo *design* deixou Maurício boquiaberto.

– Eu não sabia que havia trens tão avançados e estações tão modernas por aqui – disse, enquanto se deslocavam para o centro da colônia.

Já na região central, ele notou que não havia altos edifícios, como se acostumara a ver nas grandes cidades terrenas. O trânsito de pessoas não era grande, pois, como ele deduziu, a maioria das pessoas deveria estar fazendo algum tipo de trabalho. Numa grande praça, coberta de árvores frondosas e flores multicoloridas, havia um enorme edifício que se elevava para o céu azul, quase num formato de pirâmide, mas que se afunilava tanto a ponto de formar uma agulha no seu topo. Chegava a lembrar um edifício projetado por Niemeyer ou Le Corbusier.

– Ali é o Templo da Paz – disse Amanda. – Quer conhecê-lo?

– Sim, eu quero.

Ambos se dirigiram até o prédio e, quando entraram, Maurício ficou maravilhado com a beleza do seu interior. O teto era muito alto e dali desciam raios de uma luz muito branca, que se derramava sobre as cadeiras colocadas em forma de semicírculo. Na frente, os raios convergiam para o local onde havia um grande palco. Amanda, notando a atitude extática em que Maurício se encontrava, tomou a palavra:

– Vejo que você gostou muito daqui.

– Você falou comigo?

– Sim. Eu disse que você gostou muito daqui. Como temos outros locais para visitar, proponho-lhe o seguinte: sairemos agora, mas voltaremos à noitinha para ouvir a palestra de Nadir. Sempre que ela vem até nós traz uma mensagem de paz, amor e sabedoria.

– Quem é Nadir?

– Uma irmã que já galgou planos superiores, mas, sempre que pode, vem até nós para nos impulsionar, a fim de que também possamos nos elevar espiritualmente sob os efeitos da Lei do Progresso.

– Nesse caso, continuemos o passeio.

Saindo do templo, seguiram para uma grande praça, em cujo centro estava instalado um belo edifício de arquitetura arrojada.

– Vejo que vocês têm arquitetos de primeira grandeza – disse Maurício enquanto contemplava as linhas contemporâneas do prédio.

– É verdade. Nossos edifícios, além de belos e funcionais, primam pelas linhas contemporâneas de sua arquitetura. Esta é a prefeitura, administrada sábia e amorosamente pelo irmão Teodósio.

– Pelo que tenho visto até agora, a administração de Teodósio pode servir de modelo para aquilo que se entende na Terra por governo. Se não fosse pelo egoísmo e a corrupção, poderiam todos lá morar em cidades como este paraíso que é Paz e Amor. Não haveria pobreza, miséria, fome e violência, que hoje dominam aquelas paragens.

– A Terra é ainda um mundo de provas e expiações, Maurício. E, enquanto permanecer nesse estágio, não poderá sair dessa situação.

– Desculpe-me, Amanda. Não entendi o que quis dizer.

– O indivíduo humano caminha paulatinamente de um estágio a outro em seu desenvolvimento físico, intelectual e emocional, não é verdade? O mesmo ocorre no plano moral.

– Sim. Sem dúvida.

– O mesmo ocorre com a humanidade como um todo, que vem se desenvolvendo igualmente de modo paulatino. Você era, até pouco tempo, um espírito encarnado. E convivia com outros espíritos também encarnados. Em outros mundos, há igualmente espíritos que estão em níveis acima ou abaixo da Terra. Pois bem, para atender ao desenvolvimento desses diferentes espíritos, há diferentes categorias de mundos. Em termos didáticos, podemos falar em cinco tipos de mundos: mundos primitivos, mundos de provas e expiações, mundos de regeneração, mundos felizes e mundos divinos, como classificou Allan Kardec. Os *mundos primitivos* são formados há menos tempo, é onde a vida se expressa em seu estágio inicial. A Terra foi, durante certo período, um mundo primitivo. Mais tarde, passou a fazer parte de outra classe, que engloba os *mundos de provas e expiações*. Esses mundos servem de lugar de exílio para os espíritos rebeldes à lei de Deus. Neles, o homem leva uma vida cheia de vicissitudes por ser ainda imperfeito, havendo para seus habitantes mais momentos de infelicidades do que de alegrias, pois predominam as paixões; a avareza; a violência, que gera guerras; e o egoísmo, que leva às injustiças sociais. Os seus habitantes vivem pelo instinto e a força bruta é a lei. Enfim, nesses mundos existe predominância do mal sobre o bem. A terceira categoria é a dos *mundos de regeneração*, onde as almas se depuram num ambiente isento das paixões desordenadas e das maldades próprias dos mundos inferiores. Trata-se de mundos de paz, confiança entre todos, solidariedade e igualdade. Neles, não há ainda a felicidade completa, mas um início de felicidade, pois há provas a suportar, não havendo mais, entretanto, expiações dolorosas. Temos, também, os *mundos felizes*, em que seus habitantes não precisam mais passar por provas. Em meio aos seus entes queridos, não sofrem a dor por que passam os habitantes dos mundos inferiores. Ali se vive num ambiente de amor e fraternidade, onde reinam as virtudes e a convivência se expressa em perfeita sintonia com a vontade do Criador. E, por último, os *mundos celestes* ou *divinos*, onde habitam os espíritos depurados e onde reina exclusivamente o bem. Constituem-se tais mundos nas moradas dos espíritos puros, desmaterializados e resplandecentes de glória. Em síntese: Mundos Primitivos são aqueles destinados às primeiras encarnações da alma humana. Mundos de Provas e Expiações são aqueles em que ocorrem resgates de existências anteriores e onde os habitantes passam por provas que, bem suportadas, lhes permitem a ascensão a mundos superiores, nessa hierarquia. Neles, domina o mal. Nos Mundos de Regeneração, nos quais as almas ainda têm de expiar, reina a paz e se haurem novas forças no repouso das fadigas de lutas passadas. Nos Mundos Felizes já não há necessidade de provas e o bem sobrepuja o mal. Nos Mundos Divinos, habitação dos espíritos puros, reina exclusivamente o bem.

– Nunca tinha ouvido isso, Amanda. Tenho muitas coisas a aprender.

– Todos nós temos, Maurício. E, para você, que foi um professor de Filosofia, nada melhor do que relembrar Sócrates, ao dizer: "Nada sei. Só sei que nada sei". Somos todos aprendizes.

– Essa é uma grande verdade.

– Mas eu só disse isso porque você havia afirmado que, se não fosse pelo egoísmo e pela corrupção, poderiam os habitantes da Terra morar em cidades como este paraíso que é Paz e Amor. Pois saiba que haverá um dia em que isso será possível.

– Que maravilha!

– E será quando a Terra deixar de ser um mundo de provas e expiações para se tornar um mundo de regeneração e seguir por esse caminho evolutivo até se converter em um Mundo Divino.

– Você quer dizer que a Terra também se desenvolve?

– Sem dúvida. Quando eu digo "Terra", estou

querendo falar de seus habitantes, mas o próprio planeta passará por transformações, em sintonia com a evolução do ser humano.

– Fico feliz, mas ao mesmo tempo triste, pois quantos séculos ainda faltam para que tudo isso aconteça...

– O tempo necessário para as mudanças depende de cada um de nós, Maurício. Se nos mantivermos em consonância com a lei divina, a transformação será muito rápida, caso contrário, esperaremos milênios para que tal fato ocorra.

– Estou com uma dúvida, Amanda. E se eu e você, por exemplo, transformarmo-nos rapidamente, mas o restante dos homens continuar sob o império do egoísmo? Teremos de esperar que eles também se modifiquem?

– Não, não teremos de esperar. Nesse caso, reencarnaremos em mundos mais avançados.

– Agora fica ainda mais claro por que tudo depende de cada um de nós.

– De fato. Mas vamos seguir em frente. Ainda quero lhe mostrar outros aspectos da colônia.

Tomando novamente o trem, seguiram para outros locais da cidade que, cada vez mais, mostrava a sabedoria de seus construtores e o excelente governo de seus administradores. Às seis e meia, voltaram para o Templo da Paz. Já havia um bom número de espíritos, tanto na parte térrea quanto nas galerias laterais. Acomodaram-se e, em meio ao silêncio que reinava, prepararam-se espiritualmente para a palestra que, em breve, iriam ouvir.

Passados alguns minutos, uma luz azulada muito tênue desceu sobre a parte frontal do templo. As poucas vozes que se faziam ouvir silenciaram totalmente. Pouco depois, entraram três espíritos em atitude de concentração. Um deles adiantou-se e, com uma voz conhecida de Maurício, disse as seguintes palavras:

– Queridos irmãos, estamos neste recinto, mais uma vez, para ouvirmos as palavras reconfortantes da nossa irmã Nadir, que se dispôs a nos dar uma nova lição de ânimo e coragem para prosseguirmos em nossa caminhada rumo ao Pai. É com satisfação que a recebemos. Ao mesmo tempo, agradecemos a sua boa vontade em deixar o plano em que se encontra para nos dar as mãos, como tem feito com grande regularidade. Irmã Nadir, nossos comoventes agradecimentos.

Em seguida, ele se afastou e fez sinal para que um dos espíritos se adiantasse. Nesse momento, Maurício pôde ver com clareza a fisionomia de Margarida que, baixando a cabeça, sentou-se diante da mesa para também tomar proveito das palavras da convidada.

– Caríssimos confrades, recebam as minhas saudações neste momento de júbilo, em que temos a oportunidade de nos reunir para meditar a respeito da lição maior que nos deixou o Divino Mestre quando de sua peregrinação pelo orbe terrestre, onde já estivemos tantas vezes e para o qual ainda retornaremos outras tantas, antes que possamos ficar isentos do processo reencarnatório. Foi no momento em que os fariseus, para colocá-lo à prova, fizeram-lhe a pergunta sobre qual seria o maior dos mandamentos, que Ele nos deu uma das suas mais belas e maiores lições. Qual foi a sua imediata resposta? "Amarás o Senhor teu Deus, de todo o teu coração, de toda a tua alma, de todo o teu espírito. Este é o maior e o primeiro mandamento. E aqui está o segundo, que é semelhante ao primeiro: Amarás o teu próximo, como a ti mesmo. Toda lei e os profetas se acham contidos nestes dois mandamentos." E nós, como ficamos diante destes imperativos provindos do Senhor? Em primeiro lugar, será que temos amado o Pai de todo o coração e de toda a alma? Como temos expressado esse amor? Apenas intelectualmente? Ou por meio dos nossos atos cotidianos? A fé sem obras é morta. O amor é um sentimento nobre que, se verdadeiro, nasce do nosso íntimo, das profundezas divinas do nosso ser. E, quando isso acontece, ele se expressa nos atos que cometemos no relacionamento com os nossos irmãos. Se quisermos saber se estamos amando a Deus sobre todas as coisas, façamos uma introspecção. Olhemos para dentro de nós mesmos. Temos nos lembrado de louvar ao Pai? Temos nos lembrado de agradecer-lhe pelo dom da Vida que introduziu em nós? Temos trazido em nosso coração a sua memória? Ou, diante dos afazeres do dia a dia, temos por hábito olvidar todos os benefícios do Senhor? Não é preciso muito, basta igualmente que abramos os olhos e olhemos à nossa volta. Tudo o que enxergarmos estará impregnado da bondade e do amor de Deus. Mas, descuidados que somos, entrevemos tudo, menos os vestígios que o Pai nos deixou, a fim que nos lembrássemos da sua obra divina. Vejamos a imensidão do Universo, preenchido por inúmeras constelações, fúlgidas estrelas, astros banhados pela forte luz dos sóis incandescentes e argênteos satélites a iluminar as noites frias de planetas milenares. Contemplemos a Terra. Observemos atentamente os oceanos sem fim; os mares que alimentam com seus frutos populações espalhadas por todos os continentes; os rios que aplacam a sede dos homens sequiosos do líquido vital; as florestas que, pela fotossíntese, eliminam o gás carbônico, brindando a todos com o oxigênio revitalizador; e o próprio ar, que permite a vida dos seres humanos, dos animais e das plantas, que compõem o *habitat* em que a humanidade vive as etapas de sua caminhada evolutiva para o Pai. Admiremos as criaturas que vivem aninhadas no colo amoroso do planeta Terra, coroado pela grinalda de flores multicoloridas e de saborosos frutos, com que se alimentam animais e homens, em sua peregrinação multissecular pelos caminhos da evolução aperfeiçoadora. Admiremos o corpo físico de cada ser humano; encantemo-nos com a sutileza do seu corpo espiritual; veneremos a centelha divina que refulge no interior de cada ser humano, criado à imagem e semelhança divinas e onde se instalou para sempre o Reino de Deus. Assim conjeturando, é possível que não amemos a Deus de todo o nosso coração... E de toda a nossa alma?

Nadir fez uma pausa a fim de que cada ouvinte pudesse meditar por um instante sobre o primeiro dos mandamentos.

– Em segundo lugar, afirmou categoricamente o Mestre: "Amarás o teu próximo, como a ti mesmo". Notem que nós não devemos apenas amar o próximo, mas amá-lo como amamos a nós mesmos. E é aqui que me surge a pergunta: "Será que nós nos amamos devidamente?". Se fizermos uma serena introspecção, seremos forçados a reparar que caminhamos entre dois extremos: ou nos desprezamos, julgando-nos inferiores aos demais, ou nos idolatramos, colocando-nos muito acima deles. Mas, se nos desprezarmos, como poderemos ter amor por nós mesmos? E que dizer em relação aos semelhantes? É verdade que temos ainda muitas dívidas a serem resgatadas. E não apenas dívidas contraídas em nossa última encarnação, mas também em encarnações mais antigas. Isso é mesmo verdade, entretanto, não podemos concluir daí que somos indignos do amor, ainda que seja do amor por nós mesmos. Temos de ser justos em relação à nossa vida pregressa, mas a justiça não elimina o amor. Amando-nos, ou seja, amando a partícula de divindade que se oculta em nós, estaremos mais aptos a julgar os nossos atos. E mais: estaremos aptos a nos melhorar para aprimorarmos o amor que brota do nosso íntimo. Precisamos amar a nós mesmos. Não podemos, entretanto, cair no outro extremo, julgando-nos superiores aos demais e supervalorizando os nossos atos e as nossas intenções. Quem se idolatra, na verdade, está usando uma fria máscara para encobrir a repulsa que sente por si mesmo. Qualquer que seja a extremidade em que nos situarmos, estaremos fora do alcance do verdadeiro amor, que nasce da gratidão que temos em relação ao Pai, que nos ofertou o dom da Vida. Todos nós temos a centelha divina que, muitas vezes, encobrimos com o alqueire de que nos fala Jesus. E quando não conseguimos enxergar a luz que brilha em nosso interior, perdemos também a chama do amor que deveria irradiar de nós para os outros, que de nós se acercam. Precisamos nos situar no centro, tomando conhecimento das nossas falhas e procurando corrigi-las dentro das nossas possibilidades e com o auxílio de espíritos que também passaram pelo que sofremos hoje e que já não padecem os mesmos males que nos afligem agora. E, a partir daí, precisamos nos dedicar o amor devido, que brota da convicção de que uma centelha brilha em nosso interior, originária do hálito divino do Senhor. Amando essa fagulha perene, estaremos amando a nossa real natureza, que provém do Criador e, portanto, é divina. Será que estamos querendo um motivo ainda maior para nos dar o direito de amar a nós mesmos? Então, por que teimamos em nos desprezar? Por que nos supomos mais sábios que Deus, reservando-nos apenas o desapreço e o desdém? Mas, de outro lado, não somos superiores aos demais por causa disso. Se a nossa origem e natureza são divinas, o mesmo ocorre com os demais. Neste aspecto, estamos situados no mesmo plano. Os desníveis hierárquicos que ocorrem entre nós não são devidos à nossa origem ou natureza, mas às escolhas que fazemos no cotidiano e às ações daí decorrentes. E, se nesse emaranhado de atos, situamo-nos espiritualmente acima de alguém, o que nos compete é auxiliá-lo a subir para chegar aonde nos encontramos. Se o desprezamos por considerá-lo inferior, é porque, no mínimo, estamos no mesmo nível que ele, mas pode ser que estejamos até abaixo. Quem, por suas obras milenares, está num plano superior, pelo simples fato de aí estar, já cultivou no seu íntimo o desejo ardente de ajudar os irmãos menores por meio do amor fraterno. Isto é, já cumpre o segundo dos mandamentos. Já ama o próximo como a si mesmo.

Maurício não perdia nenhuma palavra que Nadir expressava com sabedoria e amor. Amanda, notando-lhe a compenetração, sorriu levemente, pois estava convicta de que a semente fora lançada em terreno fértil.

Enquanto isso, depois de outras considerações, Nadir encerrava a sua preleção, dizendo:

– Irmãos, irmãs, somos devedores em relação à Vida, em relação a Deus. Somos devedores por não havermos cumprido, em tantas encarnações, estes dois mandamentos a que reduziu o Mestre Divino o decálogo recebido por Moisés no Monte Sinai. Estamos passando pelas existências que nos foram concedidas como acumuladores de débitos. O que temos feito, entretanto, para saldá-los? Que ações temos praticado para podermos encerrar a conta a pagar? Quando nos são dadas oportunidades de resgate, reclamamos, protestamos e nos lamentamos, como vítimas indefesas. Lembremo-nos de que tudo que interfere em nossa caminhada, surgindo como um empecilho, na verdade, é uma ocasião oportuna para eliminarmos algum dos nossos compromissos passados não cumpridos. Mas podemos, ainda, resgatar as nossas dívidas por outro meio, sem a necessidade da superação de bloqueios, que nos causam dor e sofrimento. Podemos eliminá-las pelo amor. Para tanto, basta que sigamos à risca as palavras de Jesus, ao sintetizar o decálogo: "Amar a Deus de todo o coração, de toda a alma, de todo o espírito. E amar o próximo, como a nós mesmos". Isto é tão certo, é tão seguro, é tão verdadeiro, que o Mestre não titubeou em concluir: "Toda lei e os profetas se acham contidos nestes dois mandamentos". Precisamos de orientação mais simples? Meditemos nestes dois imperativos sagrados, mas, acima de tudo, esforcemo-nos sempre por colocá-los em prática. Aqueles que aqui estão e continuam ainda na peregrinação terrena, ao se levantarem logo mais para a faina diária, não deixem que essas reflexões se percam, não deixem que caiam no esquecimento. Exercitem-se para a sua renovação interior, cumprindo estes dois mandamentos e, com certeza, virão para cá mais preparados para uma nova encarnação em nível muito superior à que estão sujeitos hoje. E aqueles que se acham no período remissivo, na erraticidade, aproveitem o tempo que lhes resta para a futura encarnação, também buscando praticar esta lição soberana que o Divino Mestre nos deixou. Que cada um se ponha a trabalhar em benefício do próximo e se dedique de coração às tarefas que lhe forem designadas. O amor tudo pode. O amor tudo vence. O amor regenera e nos coloca no caminho seguro para a nossa elevação espiritual. Fiquem com Deus, amados irmãos, amadas irmãs.

Enquanto Nadir deixava lentamente o recinto, uma luz indefinível, de rara beleza, espalhava-se por todos os cantos do templo. E o silêncio continuou a reinar por vários minutos, em que os ouvintes meditavam sobre o que tinham ouvido.

Lá fora, onde havia ainda alguns círculos de pessoas entusiasmadas a falar sobre a palestra, Maurício teceu seus comentários de espanto e admiração pela postura angelical de Nadir e a profundidade de suas palavras. Ele pensava muito para expressar-se, pois não encontrava termos que transmitissem o seu assombro pelo conteúdo aparentemente simples do discurso, mas que calava fundo na alma de todos os ouvintes, não deixando ninguém na indiferença. Depois de alguns comentários fervorosos, ele fez a pergunta para a qual ainda não obtivera resposta:

– Eu apenas não entendi o que Nadir quis dizer quando, aparentemente, referiu-se a duas classes distintas de pessoas que estavam a ouvir a sua preleção. Por que ela se referiu aos que continuam na "peregrinação terrena" e aos que se acham no "período remissivo"? Sei que esta segunda expressão significa o período em que nos encontramos, entre uma encarnação e outra, não é mesmo? Mas a quem ela se reportava, ao falar àqueles que continuam na "peregrinação terrena"?

– Você tem razão, o período remissivo é a erraticidade, ou seja, a situação temporária dos espíritos, enquanto se conservam no plano espiritual, como nós, aguardando a oportunidade de uma nova encarnação, a fim de que prossigam na sua jornada evolutiva. Já quando Nadir se referiu aos que continuam na sua peregrinação terrena, estava se dirigindo aos espíritos encarnados que também ouviam a sua preleção.

– Como assim?

– No auditório não havia apenas espíritos que se acham no plano espiritual, mas também espíritos que se encontram no plano terreno, ou seja, pessoas que estão vivendo uma nova encarnação e, à noite, quando o espírito se desprende do corpo, dirigem-se para onde haja vibrações com as quais se sintonizem. As pessoas que se encontravam no templo são, portanto, aquelas que se interessam por sua reforma íntima e tiveram a oportunidade de participar desse encontro, cujo objetivo foi, em última instância, a promoção da nossa renovação interior.

– Preciso tornar-me repetitivo: tenho muito a aprender. Outra coisa que me chamou a atenção foi a presença de Margarida junto a Nadir.

– Quando ela vem à colônia Paz e Amor, costuma estar acompanhada de dois assistentes. Hoje, de fato, entre eles estava Margarida, que é um espírito elevado e já não está mais entre nós. Ela mora em outra colônia, cujos habitantes conquistaram, por merecimento, um nível superior ao dos nossos moradores.

– E, mesmo assim, ela foi me visitar? Por que fez isso, se nem me conhecia?

– Foi a pedido de Vítor. Você precisava conhecer o lado espiritual da educação, e ela domina muito bem esse aspecto, pois, já na Terra, aplicava-o magistralmente com os seus alunos.

– Pude notar a grandeza da sua alma quando ela esteve comigo. E Vítor, como a conheceu?

– Bem, para falar sobre isto, ninguém melhor que ele mesmo.

Amanda sorriu, apontando para Vítor, que chegava junto aos dois. Após abraçá-los, respondeu à pergunta de Maurício:

– Trabalhamos juntos aqui em Paz e Amor até nos convidarem para outras tarefas, quando cada um foi desenvolver um tipo de trabalho diferente. No entanto, mantemos estreitos laços de amizade. É sempre um prazer e um aprendizado estar junto de Margarida. Aliás, ela ainda vai visitá-lo mais uma vez antes que você inicie os seus trabalhos.

– Eu ficarei por aqui mesmo?

– Ainda não lhe posso dizer. Confie em que tudo será arranjado para sua melhoria interior.

– Fico feliz, pois devo dizer com sinceridade que aquilo que pude ver hoje aqui deixou-me muito entusiasmado para iniciar as minhas atividades, fazendo-me deixar de ser um parasita a sugar dos frutos do trabalho alheio.

– É muito bom que pense assim, entretanto, você não é um parasita, mas alguém que ainda precisa da ajuda de quem tem a competência para prestar-lhe assistência. Por pouco tempo ainda terá de ficar na casa de repouso em que se encontra. Chegado o momento certo, a própria Margarida avisá-lo-á e o endereçará para o local que lhe for mais apropriado.

– E que tipo de trabalho poderei fazer?

Vítor sorriu amigavelmente e respondeu:

– No momento oportuno, você saberá. Agora, penso que precisamos voltar.

– Mais uma pergunta apenas. Poderei vir até aqui outras vezes para ouvir novas palestras?

– Você poderá acompanhá-lo, Amanda?

– Sem dúvida. Assim que for possível, eu o trarei ao Templo da Paz novamente.

A volta para a colônia foi muito animada. Ao despedir-se de Vítor e de Amanda, chorou de emoção e agradeceu efusivamente pela oportunidade que lhe fora concedida.

Já na cama de seu quarto, ele teve oportunidade de fazer uma reflexão sobre o rumo que tomou sua vida quando de sua última encarnação.

– Boa noite, Maurício. Trouxe-lhe este delicioso suco. Vai lhe fazer bem. Você precisa agora de repouso.

– Muito obrigado.

– Pelo seu aspecto, sei que a palestra da irmã Nadir fez você refletir bastante, não foi?

– Como soube que estive no Templo da Paz?

– Um dos motivos para você visitar a colônia foi justamente ouvir aquela preleção.

– Tudo tem o seu motivo.

– E é por essa razão que você busca meios de melhorar a sua vida, em harmonia com o conteúdo da palestra.

– É verdade. Mas penso também no que deixei de fazer em relação à minha esposa e aos meus filhos. Não consigo encontrar um meio de ajudá-los a buscarem o lado espiritual da vida, Júlia. E isto me deixa apavorado, pois as consequências futuras dessa lacuna poderão ser aterradoras.

– Cada um é responsável pela sua vida, Maurício. É claro que aqueles que foram incentivados ao bem, desde a infância, têm maiores possibilidades de o praticarem na vida adulta, mas mesmo aqueles que não tiveram essa sorte poderão, por sua livre escolha, trilhar o mesmo caminho. Mais uma coisa: ninguém dá o que não tem. Você não conseguiu descobrir a espiritualidade, como poderia repassá-la a seus familiares? Mas há um meio, sim, de você influenciar a sua esposa e os seus filhos para esse lado luminoso da vida.

– Qual?

– A prece.

Apesar de ter ouvido falar em prece e de, mesmo sem o saber, tê-la feito em algumas poucas circunstâncias, neste caso específico, ele se havia esquecido completamente dela.

– Na Terra, não fui de fazer preces, Júlia. De modo que não decorei nenhuma.

– Ninguém precisa decorar preces, Maurício. Ela é um diálogo entre você e Deus, portanto, deve nascer de seu coração, do seu íntimo. Você até pode decorar uma ou outra, mas toda prece decorada também deve ser dita de coração, e não mecanicamente. A prece é agradável a Deus quando proferida com fé, fervor e sinceridade. Afinal, orar é pensar em Deus, é aproximar-se dele. Por meio da oração, a pessoa coloca-se em comunicação mental com um ser superior ao qual se dirige. Assim, ela pode ser expressa como um louvor, como um pedido ou como um agradecimento.

– Como louvor?

– Sim. A prece como louvor é aquela em que reconhecemos e enaltecemos a Deus por tudo o que Ele criou. É aquela em que aceitamos com alegria tudo o que nos cerca e que, no tocante à participação do Criador em nossa vida, é sempre justo, equilibrado e perfeito. A prece de louvor é um ato de glorificação a Deus.

– Entendi.

– Mas há também a prece como pedido, quando estabelecemos contato com Deus para solicitar-lhe um favor, seja para nós mesmos ou para outrem. No seu caso, Maurício, a prece será de pedido, pois você estará fazendo uma petição em favor dos seus familiares. Será, portanto, uma prece intercessória. É importante dizer que a prece como pedido é a mais utilizada. Mas há muitas pessoas que, após terem conseguido o que solicitaram, esquecem-se de agradecer. E o terceiro tipo de oração é justamente a prece de agradecimento. Assim como não deixamos de agradecer um favor conseguido de algum amigo, também não devemos deixar de manifestar nossa gratidão pelo atendimento à nossa súplica.

– Procurarei colocar em prática essa orientação.

– Dizem os espíritos superiores que aquele que ora com fervor e confiança se torna mais forte contra as tentações do mal e Deus lhe envia bons espíritos para o assistirem. É um socorro que jamais lhe é recusado, quando solicitado com sinceridade.

– Lembro-me de ter ouvido muitas vezes a assertiva: "Pedi e recebereis, batei e abrir-se-vos-á".

– A afirmativa é do nosso Mestre, Jesus. Ele disse: "Se pedirdes alguma coisa ao meu Pai em meu nome, Ele vo-la dará". E depois acrescentou: "Pedi e recebereis – e será completa a vossa alegria". Mas não basta pedir, é preciso crer. Ao orar, creia que você já recebeu. Lembre-se de que o Mestre, após ter curado alguém, costumava dizer: "Tua fé te salvou". A fé é fundamental, Maurício. Se o nosso pedido for justo, se tivermos merecimento, a solução para os nossos problemas virá de Deus por meio das leis naturais e por intermédio de seus mensageiros, os espíritos, sejam encarnados ou desencarnados.

– Creio que o meu pedido seja justo, portanto, acredito que serei atendido.

– Muito bem. Agora, resta que você realmente faça as suas preces no recôndito da sua alma.

– Muito obrigado, Júlia. Você tem sido um anjo protetor para mim.

– É uma grande satisfação poder ajudá-lo, assim

como já me auxiliaram quando estive num leito desta casa. Agora, você precisa repousar. Se precisar de mim, é só me chamar. Fique com Deus.

A partir daquela noite, Maurício iniciou uma sequência ininterrupta de preces, intercedendo por seus familiares, a fim de que se espiritualizassem, pois ele já estava ciente da necessidade urgente de melhorar-se espiritualmente a cada dia, seguindo pela trilha do amor e do progresso.

23

Um encontro imprevisto

ADÉLIA CONTINUOU FIRME no seu projeto de cursar Filosofia. Conseguiu ser aprovada nos exames vestibulares e deu início à sua nova vida de estudante universitária. No começo, não foi fácil. Ela estava desacostumada ao estudo e tinha muita dificuldade para entender a terminologia acadêmica. A dificuldade foi tanta que, passados dois meses, ela chegou a pensar em desistir. "Acho que não nasci para estudar. Meu negócio é continuar na loja, onde me saio muito bem. Não sei por que fui pensar em cursar justamente Filosofia. Só para mostrar a Maurício que eu também posso ser filósofa? Ledo engano. Em primeiro lugar, eu não preciso provar nada a ele. Se alguma coisa há a provar é para mim mesma. Mas provar o que exatamente? Que eu sou inteligente? Que grande bobagem! Em segundo lugar, não entendo bulhufas do que os professores dizem em sala de aula, o que demonstra uma inteligência inferior. Parece que fracassei no meu plano de me tornar filósofa. É tudo tão complicado que a única saída que consigo encontrar é exatamente a porta da rua. E a da faculdade é bem grande para eu passar com a minha burrice e tudo."

O desânimo abateu-se sobre Adélia, que buscou ajuda em Matsumoto e Teresa. Ambos tinham nível superior, de modo que poderiam ajudá-la. Foi num sábado à tarde que parou o seu carro diante do prédio onde residia o casal. Depois dos cumprimentos, ela procurou desabafar tudo que lhe ia na alma.

– A partir de segunda-feira, creio que não irei mais à faculdade.

– Por quê?

– Bem, porque sou muito burra e não consigo acompanhar o que os professores dizem.

Nesse momento, ela desandou a chorar, pondo para fora toda a sua tristeza e decepção.

– Adélia – disse-lhe Teresa –, eu também já me senti como você.

– Verdade?

– Sim, talvez não lhe tenha contado, mas depois que cursei o ensino médio, fiquei por um tempo afastada dos estudos. Tive de ajudar meus pais na quitanda que eles possuíam. Meu pai ia com meu irmão mais novo comprar as mercadorias e meu irmão mais velho e eu ficávamos atendendo clientes. A minha mãe cuidava da casa. Assim, tínhamos um trabalho bem dividido e todos o fazíamos com bom gosto. Não me lembro de ter ouvido reclamação de nenhum deles. É claro que havia em mim uma pontinha de tristeza por não poder cursar a faculdade, mas eu pensava que chegaria o momento certo para dar vazão ao meu sonho de tornar-me professora. Pois esse dia chegou, depois de quatro anos de trabalho na quitanda. Meu irmão mais velho contratou dois ajudantes e fez questão de que eu me dedicasse aos estudos. Por um lado, fiquei muito feliz, afinal, poderia fazer o que sempre quisera. Mas, por outro, um sentimento de culpa tomou conta de mim, pois, se o meu irmão mais novo continuava os seus estudos, o mais velho estava a sacrificar-se por nós dois. Conversei com ele a respeito e a resposta que obtive foi mais ou menos assim: "Satiko, você é uma moça muito inteligente e tem um grande sonho na vida, portanto, tem de continuar os seus estudos. Quanto a mim, já não alimento mais fantasias sobre ser um homem estudado e estou muito feliz com o trabalho que realizo. Quando chegar o dia da sua formatura, eu estarei me formando com você". Havia tanta sinceridade em suas palavras e tanta fraternidade, que chorei bastante.

Nesse momento, Adélia viu lágrimas aflorar nos olhos de Teresa. Eram lágrimas de gratidão pelo amor fraterno que o irmão lhe dedicara.

– Que grandeza de alma do seu irmão, Teresa. E ele, continua com a quitanda?

– Ele já desencarnou, Adélia. E eu rezo todos os dias por ele. Recebi mensagens maravilhosas, nas quais ele me incentivava a continuar trabalhando pela minha reforma íntima. Meus pais também já desencarnaram. Quanto ao meu irmão mais novo, estudou engenharia e trabalha hoje no Rio Grande Sul, onde constituiu família.

– O gesto do seu irmão é uma grande lição para nós.

– Sem dúvida. Contudo, assim que entrei para a faculdade, senti que não daria conta do estudo. Eu estava cursando Pedagogia. A linguagem utilizada durante as aulas era difícil demais para mim. Eu não entendia quase nada. Chegou um momento em que resolvi desistir de tudo e voltar para a quitanda. Fui falar com Kiomasa. Esse era o seu nome. Disse-lhe o que estava ocorrendo e me coloquei à sua disposição para o retorno ao trabalho.

– E ele?

– Olhou bem nos meus olhos e disse: "Você desiste muito fácil, não? Como quer ser uma vencedora na vida se no primeiro obstáculo já desiste? Onde está a sua fibra, a sua força, a sua coragem para enfrentar as adversidades? Você quer ou não ser uma professora?". Fiquei envergonhada e lhe respondi que se tratava de um projeto de vida. "Então, por que já está batendo em retirada?". Expliquei-lhe o motivo e ele me disse que conversaria no mesmo dia com meu pai e que eu poderia começar a procurar um professor particular que me pusesse em dia com a terminologia usada no curso. Fiquei muito animada novamente e encontrei na própria universidade um jovem simpático e talentoso, que estudava Engenharia, mas cujo conhecimento ia além das ciências exatas. Na verdade, ele já estudara um pouco de Filosofia em seu curso de Engenharia e estava a par de toda a terminologia da qual eu nada entendia.

– Um engenheiro filósofo?

– Mais ou menos isso. E um amor de pessoa.

Nesse momento, Teresa riu, abraçou Matsumoto e disse a Adélia:

– Apresento-lhe meu monitor.

Adélia não acreditou no que acabara de ouvir. Matsumoto conhecia filosofia? Até ali, ela o vira apenas como engenheiro. Que maravilha! Talvez ele pudesse ajudá-la. Matsumoto também riu e disse prazerosamente:

– Assim como ajudei esta senhora, também simpática e prendada, posso, se você aceitar, acompanhar durante algum tempo os seus estudos até que você já não tenha mais necessidade de ajuda. Tenho certeza de que, em pouco tempo, você saberá mais que eu.

– Meu Deus! É claro que aceito. Mas, Teresa, eu não estarei tomando muito tempo do seu marido?

– Você é tão inteligente que não precisará de muito tempo. Logo estará por aí dando aulas a quem se interessar. Tenho certeza. Assim como aconteceu comigo, ocorrerá com você. Depois de uns dois meses de orientação, eu já pude caminhar sozinha, pois passei a entender tudo o que se desenrolava em sala de aula. Tornei-me professora e, como você já sabe, hoje leciono em cursos de Pedagogia, Psicologia e outros mais. Do mesmo modo poderá ocorrer com você, se essa for a sua vontade.

Adélia ficou muito contente com a ajuda oferecida e iniciou imediatamente as aulas de suporte. Em pouco tempo, começou a entender melhor aquilo que era explicado em sala de aula. Depois de dois meses e meio, ela se sentia completamente integrada ao meio universitário e, não precisando mais de ajuda, agradeceu a Matsumoto pelo auxílio inestimável e a Teresa por tê-la incentivado durante todo aquele período. Luísa também colaborou com orientações suplementares, que foram igualmente importantes.

O primeiro semestre terminou e Adélia foi aprovada em todas as disciplinas, passando para o semestre seguinte com muito ânimo e dedicação aos estudos, sem deixar de lado o trabalho. Dedicava-se tanto ao departamento inicial da loja quanto ao novo departamento de informática. Entretanto, logo no início do segundo semestre, ficou evidente que ela não poderia se dedicar mais à loja em período integral, devido aos muitos trabalhos e seminários que precisava preparar para a faculdade. Pensou, então, em contratar um profissional que pudesse gerenciar a loja. Foi numa reunião familiar que ela perguntou se alguém poderia indicar uma pessoa para ocupar o posto que havia criado. Ricardo, Pascoal e Luísa ficaram de pensar no caso, quando Renata, inesperadamente, prontificou-se a ocupá-lo.

– Não sei se tenho o perfil que você deseja para o ocupante do cargo, mas me prontifico a passar por uma entrevista, como acontece com qualquer candidato.

– Você acha que conseguirá dar conta do trabalho, Renata?

– Lembre-se de que sou formada em administração e que já trabalhei por três anos como supervisora.

– Eu sei disso. Não a estou subestimando, mas você terá de se dedicar muito a fim de que a loja continue com o sucesso que tem hoje.

– Pois eu já estou enjoada de ficar apenas em casa. O que gosto é de estar no meio de gente, enfrentando desafios e buscando atingir metas.

– Neste caso, mãe, eu já tenho uma pessoa para lhe indicar.

– E eu fico muito feliz com a indicação. Renata, podemos conversar amanhã, às nove horas?

Renata participou da entrevista e ficou claro que não haveria mistura entre família e trabalho. Ali, ela seria mais uma profissional com atribuições específicas e metas a cumprir. Admitida, iniciou os trabalhos com muito empenho e profissionalismo, o que deixou Adélia satisfeita e tranquila.

No tocante ao centro espírita, Adélia continuou fazendo o curso introdutório, tendo encerrado o primeiro ano, que era básico. A partir daí, o curso ramificava-se em dois. O aluno podia tanto fazer o Curso de Educação Mediúnica quanto o de Aprendizes do Evangelho. Cada um tinha a duração de três anos. A conselho de Lucinda, Adélia matriculou-se no Curso de Educação Mediúnica, onde prosseguiu seus estudos. Ao mesmo tempo, continuou recebendo passe uma vez por semana até sentir que estava equilibrada emocionalmente e que poderia espaçar a sua recepção. Desse modo, foi harmonizando a sua existência e voltando a sentir alegria pela vida. É claro que, de quando em quando, batia uma saudade muito grande de Maurício. Nesses momentos, ela buscava o refúgio na prece, que lhe devolvia a serenidade de espírito.

***

Encerrado o trabalho encomendado por Ricardo, Polidoro continuou frequentando o Centro Espírita Luz Divina para receber passe e ouvir as preleções, que eram um tranquilizante para ele. Depois, passadas algumas semanas, deixou de ir até lá com a mesma frequência. No entanto, após um dia de árduo trabalho de espionagem conjugal, que ele já estava julgando desonesto e indigno, abateu-se sobre ele o peso da angústia. Veio-lhe, então, imediatamente à memória as palestras que costumava ouvir no centro espírita. Por que não ir para casa, tomar um banho e seguir para lá? Com certeza, ao sair dali, estaria melhor. Foi o que fez. Quando entrou na sala de preleções, que antecedem o passe, notou um clima de paz e tranquilidade. Conseguiu respirar mais calmamente e começou a ouvir as palavras do preletor, que lia um trecho do livro que tinha nas mãos:

– "O ser humano fez inúmeras conquistas no transcorrer da história. Passou, através dos séculos, por modificações que melhor o aparelharam para as lides terrenas. Basta que abramos livros e revistas para nos maravilharmos com o desenvolvimento tecnológico alcançado pelo homem. O desenvolvimento moral, porém, parece não ter acompanhado a evolução tecnológica. Diríamos, em termos de comparação, que muitas pessoas vivem moralmente no mesmo nível em que, tecnologicamente, viviam os homens da caverna, na pré-história. Isso é lamentável."

O preletor colocou o livro sobre a mesa e teceu algumas considerações:

– O que acabo de ler é a mais pura verdade. Temos hoje, à nossa disposição, milhares de aparelhos eletrônicos que nos facilitam a vida, aparelhos que escapavam à imaginação fértil de nossos antepassados mais perspicazes. Se o uso da eletricidade foi um marco para eles, a eletrônica é, para nós, a linha divisória, que nos coloca num horizonte muito além do mundo em que viveram com seus problemas cotidianos. Dizem que estamos na era da comunicação. E quem quer que possua em casa ou no trabalho um pequeno computador sabe muito bem do que estou falando. Com o manuseio de poucas teclas, conectamo-nos com qualquer parte do mundo e podemos colher as mais diversificadas informações. Em todos os setores da vida contemporânea, a tecnologia transformou o panorama que o ser humano estava habituado a contemplar. E a rapidez com que novas invenções e descobertas ocorrem é tão vertiginosa que nossos aparelhos eletrônicos, em questão de meses, já estão superados por outros mais potentes e avançados. E essa evolução acontece em todos os departamentos da existência que se derrama à nossa frente, seja saúde, trabalho, transporte, segurança, educação ou lazer. Tudo evolui num ritmo veloz e alucinante.

Tudo, menos a nossa moralidade. Ouçam o que diz este capítulo, intitulado "Cultivo Moral": "Não é suficiente que nós, como indivíduos, desenvolvamos intelectualmente por meio de cursos, leituras e trabalho, deixando de lado a dimensão moral, a dimensão espiritual da nossa existência. É verdade que precisamos progredir intelectualmente, precisamos utilizar para o bem o instrumento maravilhoso do intelecto com que Deus nos brindou. Entretanto, o lado da espiritualidade precisa caminhar em conjunto, em harmonia com a nossa dimensão intelectual. Atingir um alto nível moral, elevando-se não apenas racionalmente, mas também espiritualmente, é escolher o bem em todas as situações. E não apenas o bem que nos favorece; mas o bem comum, ou seja, aquele que tanto se presta a nós quanto aos nossos semelhantes. É escolher, portanto, tudo que seja favorável tanto ao nosso desenvolvimento como ao desenvolvimento dos outros. E atingir um elevado nível moral é também agir em conformidade com a decisão tomada. A moralidade espírita, a moralidade cristã, leva-nos a escolher o bem e a praticá-lo em nosso favor, assim como em favor dos nossos irmãos".

Polidoro não pôde mais acompanhar as palavras do preletor, pois foi chamado para a sala do passe. A sala era pequena, e eram chamadas nove pessoas por vez. Num lado da sala, iluminada por uma lâmpada de cor azulada, ficavam os médiuns que davam a sustentação espiritual para a realização do evento. À frente dos assistidos, ficavam nove médiuns passistas, cada um aguardando uma das pessoas que haviam sido convidadas a entrar no recinto. A aplicação do passe demorava poucos minutos, mas que faziam uma diferença muito grande no íntimo do detetive particular. Toda vez que ele estava agitado, quando saía daquela sala despojada, sentia-se um novo homem, sereno e disposto a enfrentar os obstáculos que se lhe interpusessem. Nessa noite, porém, em vez de ficar com os olhos fechados como sempre fizera, ele os abriu quando o passista repousava sua mão a alguns centímetros da sua cabeça. Dessa forma, pôde ver uma luz tênue muito branca e brilhante que saía da mão do passista e se derramava sobre a sua cabeça, descendo por todo o seu corpo. Prestando um pouco mais de atenção, notou que a luz vinha do alto em direção à cabeça e à mão do passista. Indeciso sobre o que acontecia, fechou os olhos e baixou a cabeça, mas, para sua grande surpresa, continuou a ver a luz diáfana sendo espargida sobre todo o seu corpo, trazendo-lhe a paz e a serenidade de que tanto necessitava. Apesar da calma reinante em seu interior, ele ficou intrigado com o que lhe ocorrera e decidiu conversar com um orientador do centro espírita.

Enquanto se dirigia à secretaria para colher informações, viu Adélia na fila de espera para ingresso na sala do passe. Nesse momento, aflorou em seu íntimo um grande sentimento de culpa, de modo que sentiu vergonha pelos dias em que ficou de campana para colher dados sobre a sua conduta. Teve uma grande vontade de esperá-la na saída da sala para colocá-la a par do trabalho que realizara, pedindo-lhe perdão por tudo o que fizera. Entretanto, não poderia abordá-la, pois estaria pondo em situação difícil os familiares dela, que lhe haviam pago pelo serviço. Em tal situação, sentiu-se tão constrangido que baixou a cabeça ao passar diante da fila de espera, apertando o passo. Informado de que poderia ser atendido por um entrevistador, Polidoro dirigiu-se à sala que lhe fora indicada. Foi recebido pelo mesmo senhor que o atendera por duas vezes.

– Boa noite. Nós já nos conhecemos. Quando aqui estive, o senhor queria, além do passe, uma explicação sobre a morte, não é mesmo?

– Exatamente. Por favor, pode me chamar de você.

– Ótimo. O seu nome é Polidoro. Estou certo?

– Você tem boa memória. Desculpe-me, mas não me recordo do seu nome.

– Josimar. Você veio renovar o cartão do passe?

– Não, não é isso. Vim pedir-lhe uma explicação sobre um fato que me ocorreu hoje enquanto tomava o passe e que me intrigou.

– Estou escutando.

– Eu costumo fechar os olhos enquanto estou recebendo o passe. No entanto, hoje fiquei de olhos abertos. E aconteceu algo estranho. Notei uma luz que saía da mão direita do passista, colocada sobre a minha cabeça. Senti que essa luz descia da cabeça para todo o meu corpo. Desconcertado, resolvi fechar os olhos, mas, para minha surpresa, continuei a ver a luz. E mais: notei que, na verdade, ela começava pouco abaixo do teto, passando pela sua cabeça e seguindo para a mão do passista, que a derramava sobre mim.

– E como você reagiu emocionalmente a essa visão?

– Como lhe disse, fiquei intrigado, mas, falando francamente, baixou sobre mim uma paz e tranquilidade incomuns em minha vida. Até agora, falando sobre isso, sinto-me melhor do que quando aqui entrei.

– Isso é muito bom. Agora, diga-me uma coisa: você já teve outras visões antes?

Polidoro titubeou para responder. O que pensaria Josimar sobre tudo o que lhe ocorria desde a infância? Até aquele momento, ele ocultara de todos as constantes visões que tinha nas mais diversas circunstâncias. O que ele queria, na verdade, era colher informação sobre a visão dessa noite para, daí, estendê-la às outras que vinha tendo durante toda a sua vida. Não lhe passara pela cabeça falar sobre o segredo que guardara tão bem até aquela noite, mas a pergunta exigia uma resposta.

– Já tive, sim. Mas nunca falei sobre isso com ninguém. Depois que eu lhe contar sobre as visões que tenho tido desde a minha infância, talvez você me julgue um louco, mas é melhor isso do que ficar com esses fantasmas dentro de mim.

– Eu não estou aqui para julgá-lo, Polidoro, mas para ouvi-lo, esclarecê-lo e ajudá-lo no que me for possível. Pode se abrir comigo. Nada do que me disser será repassado a quem quer que seja, a menos que você o permita.

– Excelente. Então, por favor, escute-me. Ainda

criança, eu costumava ver dois amiguinhos que conversavam comigo, mas, além de mim, ninguém conseguia enxergá-los. Às vezes, eu passava longos momentos brincando com os meus carrinhos e ouvindo o que eles me diziam. Meus pais achavam que isso era fruto da imaginação infantil e não se preocupavam. Quando cresci, os meninos deixaram de vir ter comigo e acabei por me esquecer deles. Assim continuou até que, por volta dos meus vinte anos, passei a ter visões nem sempre agradáveis.

– Cite-me alguns exemplos.

– Tudo bem. Nessa época, minha avó materna adoeceu gravemente. Meus pais se revezavam com outros familiares no hospital, a fim de que sempre houvesse alguém da família com ela. Num certo dia, eu fui com a minha mãe. Quando cheguei diante da cama, além da minha avó, vi uma senhora de pé a seu lado. Do outro lado, havia também um senhor, que pousava uma das mãos na testa da minha avó. Comentei com a minha mãe, que ralhou comigo, pois pensou que eu estivesse brincando. Outra vez em que tive uma visão foi num cemitério. Estava acompanhando um enterro e vi, sentado sobre um túmulo, um homem com as roupas rasgadas e uma fisionomia horrorosa, que mais parecia filme de terror. Fiquei muito assustado. Só para citar mais um caso, vou lhe falar de uma visão que tive no ano passado. Eu sou detetive particular, como já lhe disse, e peguei um caso de infidelidade. Muito bem documentado, eu preparava o relatório a ser entregue ao cliente, quando soube que a sua esposa fora assassinada pelo amante. Como o cliente não sabia das minhas conclusões, preferi não lhe entregar o relatório, poupando-o de mais um dissabor. Dei o caso por encerrado, porém, numa noite, aquela senhora apareceu no meu quarto e me disse com uma voz muito rouca: "Não adiantou nada o seu desejo de fazer mal a mim. Mas, de qualquer modo, eu agradeço por você não ter enviado o relatório para o meu marido". Dito isto, ela desapareceu tão rapidamente como surgira segundos antes. Aquelas palavras ficaram tão bem gravadas em meu íntimo que, até hoje, ao recordá-las, sinto um calafrio no estômago. Eu teria outros casos a relatar-lhe, mas penso que o que lhe disse é o suficiente para a sua conclusão. Apenas lhe pergunto: será que sou louco e não me dei conta disso?

Josimar deu um leve sorriso, tocou o braço de Polidoro sobre a mesa e lhe disse com tranquilidade:

– Polidoro, você não é louco, é médium.

– O quê?

– Você é médium vidente e audiente.

– Desculpe-me, Josimar, mas você está brincando comigo.

– Não estou, Polidoro. O que lhe digo é a mais pura verdade.

– Como posso ser médium, se nem espírita eu sou?

– Para ser médium não há necessidade de ser espírita. A mediunidade sempre existiu no mundo, em todas as épocas históricas. Temos vários casos de mediunidade no Antigo Testamento. Os capítulos do livro do profeta

Ezequiel, por exemplo, estão repletos de visões. A recepção do decálogo, por parte de Moisés, foi um fenômeno mediúnico. E a visão da mão humana a escrever diante do candelabro, na parede do palácio de Baltazar, durante um festim, também. Neste último caso, houve uma aparição tangível, e o fenômeno foi chamado de *escrita direta*. Também no Novo Testamento há várias passagens em que ocorrem fenômenos mediúnicos. Por exemplo, a transfiguração de Jesus no monte Tabor. Ali, além da própria transfiguração, houve a visão de Moisés e Elias, por parte dos discípulos Pedro, Tiago e João.

– Desculpe-me, Josimar, você pode me explicar melhor o que é escrita direta e transfiguração?

– Escrita direta, também chamada pneumatografia, é a escrita produzida diretamente pelo espírito, sem nenhum intermediário. Difere da psicografia, que é a transmissão do pensamento do espírito pela mão do médium. Transfiguração é um fenômeno em que há modificações na aparência externa do médium. Consiste na modificação da fisionomia, da voz e até do corpo todo da pessoa. No caso da transfiguração de Jesus, o evangelista Marcos diz que o rosto do Mestre parecia inteiramente outro e as suas vestes tornaram-se brilhantes de luz e brancas como a neve. Mas o que estou querendo frisar é que as visões que você tem e as palavras que você houve dizem respeito ao que os espíritas chamam de mediunidade de vidência e mediunidade de audiência. Vou lhe explicar. *Mediunidade de vidência*, ou simplesmente vidência, é a faculdade mediúnica que possibilita ao médium que a possui ver os espíritos. Ela não se subordina à vontade do médium, de modo que os espíritos podem se tornar visíveis quando o desejarem e tiverem permissão para isso. Por exemplo, você entra na casa de um amigo e, sem que o tenha desejado, vê um espírito postado atrás dele. Já a mediunidade de audiência é aquela que possibilita ao médium que a possui ouvir a voz dos espíritos. Algumas vezes, pode ser uma voz interna que se faz ouvir no íntimo da pessoa. Outras, é uma voz externa, clara e distinta, como aquela de uma pessoa encarnada.

– Você quer dizer que não há nada de anormal comigo quando vejo espíritos e ouço suas vozes?

– Não, Polidoro. Trata-se, como lhe disse, de dois tipos de mediunidade.

– Mas os loucos também veem pessoas que não existem e ouvem vozes que são criações da sua própria mente, não é mesmo?

– Você tem razão. A pessoa acometida de esquizofrenia vê o que não existe e ouve o que ninguém disse. Esquizofrenia é o transtorno mental caracterizado pela fuga da realidade com delírios e alucinações, além de outras perturbações. Quando tem alucinações, o esquizofrênico ouve vozes e vê pessoas ou animais que, na verdade, não estão presentes.

– E isso não pode estar acontecendo comigo?

– Veja bem, a esquizofrenia é um transtorno mental evidenciado por uma desorganização ampla dos processos mentais. É um quadro complexo, que apresenta sinais e sintomas na área do pensamento, percepção e emoções, e causa graves prejuízos nas áreas do trabalho e nas relações interpessoais e familiares. Pelo que você já me relatou, a sua vida é normal, você trabalha e consegue bons resultados e sente-se realizado. Também o seu relacionamento com os clientes e outras pessoas é considerado normal. A única diferença significativa entre você e outras pessoas são as visões que costuma ter e a audição de suas vozes. Isso não significa a ocorrência da esquizofrenia. Você apenas demonstra possuir uma mediunidade ostensiva.

– Josimar, você acaba de me tirar um peso das costas. Sempre achei que havia alguma coisa errada comigo. E todas as vezes que procurei entrar nesse assunto com alguém, a pessoa desconversava ou ria de mim, dizendo que eu estava ficando louco. Agora, posso ficar mais tranquilo. No entanto, resta ainda uma preocupação: como me desfazer disso que me ocorre?

– Eu não diria "desfazer", mas "saber usar adequadamente".

– Como assim?

– Todos nós temos tarefas específicas a cumprir nesta encarnação, Polidoro. Se você tem mediunidade, saiba que não é um castigo, também não é um privilégio nem um estorvo. A mediunidade exige muita responsabilidade, pois o médium tanto pode entrar em contato com os planos superiores, recebendo inspirações elevadas, como entrar em contato com os planos inferiores, recebendo mensagens degradantes, que levam à desintegração moral própria e fomentam a desintegração moral alheia. O que você precisa é educar a sua mediunidade.

– Não entendi bem.

– Educar a mediunidade significa elaborar um treinamento mediúnico com o objetivo de, pela prática da caridade espiritual, quitar os débitos morais contraídos no passado. Você deve usar a sua mediunidade em favor dos seus semelhantes.

– E como posso fazer isso?

– A melhor maneira de realizá-lo é por meio da participação efetiva num Curso de Educação Mediúnica.

– Eu não sabia que existia tal tipo de curso.

– Existe e tem a duração de quatro anos. No primeiro ano, são-lhe apresentados temas introdutórios sobre o Espiritismo e, a partir do segundo ano, você estuda especificamente a mediunidade. Não se trata apenas de teoria, há também uma parte prática, por meio da qual os alunos entram em contato com o plano espiritual, aprimorando as suas qualidades mediúnicas. Num centro espírita, os estudantes da mediunidade têm a proteção dos amparadores espirituais, podendo desenvolver com segurança as atividades práticas que lhes são sugeridas. O centro espírita oferece o ambiente adequado para orientação e auxílio, pois recebe a proteção dos benfeitores espirituais, tanto para o desenvolvimento dos estudos quanto para a prática das atividades de socorro espiritual e esclarecimentos.

– Entendi.

– Polidoro, para o seu próprio bem-estar e aprimoramento espiritual, eu o aconselho a se matricular no curso. Ainda é tempo, pois na próxima semana estaremos na terceira aula. Você terá uma aula especial a fim de se colocar a par do que já foi ministrado nas aulas anteriores.

– Posso pensar um pouco mais?

– Claro. Quando você poderá me dar a resposta?

– Amanhã você estará aqui?

– Sim. Participarei de uma reunião, podendo atendê-lo antes. Você pode vir aqui às dezenove horas?

– Sim. Está combinado. Muito obrigado pela ajuda. Boa noite.

Polidoro saiu do centro espírita feliz por não ter sido considerado louco, mas em dúvida quanto a dar prosseguimento àquilo que o afetara negativamente durante toda a sua vida: a mediunidade. A noite foi curta para tirá-lo da incerteza. Continuou pensando durante o expediente de trabalho até chegar a uma conclusão: se o Espiritismo o ajudara tanto ao lhe mostrar que mediunidade não é loucura, também poderia auxiliá-lo a usar essa faculdade de modo saudável e benéfico, como faziam tantos médiuns nos mais diversos centros espíritas. "É isso aí", pensou, "vou dizer a Josimar que vou me matricular no curso que ele me ofereceu".

Encerradas suas atividades, Polidoro tomou um banho, respirou fundo e foi até o centro espírita. Josimar o recebeu de braços abertos e com um sorriso franco. Parecia já saber da decisão tomada pelo detetive. Conduzido a Lucinda, que coordenava a área de ensino, Polidoro fez a sua matrícula, já com uma ponta de curiosidade: o que iria, de fato, aprender nesse curso?

– Só mais uma coisa: você ainda não me disse quanto tenho de pagar.

– Nossos cursos são gratuitos. Quando você encerrar o Curso de Educação Mediúnica, se assim o desejar, poderá pagar com o seu trabalho voluntário em benefício dos seus semelhantes.

– Claro, claro.

– Você poderá chegar uma hora mais cedo na primeira aula?

– Poderei sim.

– Destacarei uma pessoa para colocá-lo a par do conteúdo que já foi ministrado. Está bem?

– Perfeito.

Polidoro agradeceu a Lucinda e deixou a sala, endereçando-se para a saída. Entretanto, quando entrava no corredor que levava à portaria, deu um esbarrão numa senhora, que deixou cair uma pasta no chão. Constrangido, abaixou-se rapidamente, pegou o material e quando pedia desculpas, olhando para o rosto da senhora, notou que era Adélia, cuja conduta ele tanto investigara para o conhecimento da família. Ficou ainda mais envergonhado e sem saber o que fazer. Engoliu em seco e a voz sumiu na garganta. Não conseguia se desculpar, ficando completamente aparvalhado diante da senhora, que sorriu e disse apenas:

– Tudo bem. Às vezes não olho por onde ando – e seguiu apressada pelo corredor.

Polidoro não disse nada. Seu rosto estava vermelho e suas mãos, trêmulas. "É ela: dona Adélia! Meu Deus, que vergonha. Não consigo olhar para o seu rosto sem sentir remorso pelas campanas que montei para averiguar a sua conduta moral. Felizmente, ela se mostrou uma mulher de moralidade ilibada. Mas é justamente por isso que me sinto mal quando a vejo. Ao postar-me diante dela, experimento toda a vergonha que o dr. Ricardo deveria sentir por colocar a própria mãe na mira de um detetive particular. Sei que esse é o meu trabalho: investigar a vida alheia. Mas, se antes eu o fazia com toda a naturalidade, hoje não me sinto mais à vontade para realizá-lo, particularmente quando se trata de infidelidade, que é o que mais me aparece no escritório. Eu tenho de dar um jeito nisso. Não posso mais ficar bisbilhotando a conduta sexual de pessoas que nunca vi em minha vida. Alguma coisa tem de ser feita. Não sei bem o quê, no entanto, terei de encontrar uma solução para este problema, pois o meu trabalho já não me satisfaz mais." Assim conjecturando, Polidoro deixou o local e voltou para o seu apartamento, ainda envergonhado e com uma ponta de remorso em relação ao encontro inesperado que tivera.

24

Novas tarefas

A VIDA DE MAURÍCIO na casa de repouso continuou tranquila, contudo, havia no seu coração o desejo de receber alta e ir morar em alguma casa da colônia Paz e Amor. No entanto, algumas dúvidas o assaltavam: Morar onde? Como conseguir uma casa? Que tipo de trabalho poderia realizar? Para as duas primeiras perguntas não tinha encontrado nenhuma resposta. Já para a última, só encontrava uma solução: oferecer os seus serviços como professor para adultos. "Sim", pensou, "é isso que vou fazer." Assim pensando, esboçou um programa de História da Filosofia, pois fosse qual fosse a disciplina que viesse a lecionar, a filosofia seria imprescindível para sedimentar o conteúdo a ser ministrado. Já se via em sala de aula, com um terno bem passado, uma gravata vistosa e sapatos bem engraxados. Certamente, ele faria carreira e seria reconhecido pelos méritos adquiridos em sala de aula e nas bibliotecas que pesquisaria para aumentar ainda mais o saber que já detinha. Essas eram as suas conjecturas quando, numa certa manhã, a porta do quarto abriu-se e surgiu a fisionomia risonha de Amanda.

– Visita!

– Que prazer! Estive mesmo pensando em você nestes últimos dias. Tudo bem, Amanda?

– Tudo. E você, como está?

– Assim, assim...

– Assim, assim como?

Maurício recompôs-se, forçou um sorriso e respondeu:

– Estou bem, pois já não tenho as dores que sentia quando aqui cheguei e penso que estou pronto para deixar esta casa. Mas, ao mesmo tempo, preocupado por não saber qual destino me espera. Isto me causa certa ansiedade. No entanto, procurando pôr de lado a passividade e tornando-me proativo, pensei em oferecer meus serviços à Secretaria de Educação de Paz e Amor, ou seja, quero ser professor. Penso possuir as credenciais para a execução dessa tarefa. O que você acha?

Amanda tornou-se mais séria e reflexiva. Olhou bem nos olhos de Maurício e respondeu primeiramente com uma pergunta:

– Você já sabe onde vai morar?

– Não. Essa também é uma dúvida que me assalta. Não sei igualmente como conseguir uma casa.

– Faça essas perguntas a Vítor, que está sendo o

responsável por você nesta instituição. Somente ele poderá dar-lhe as respostas satisfatórias.

Maurício ficou um tanto decepcionado, pois pensara que Amanda ficaria feliz por saber que ele desejava exercer o magistério em Paz e Amor. Pareceu-lhe que ela estava a lhe ocultar alguma coisa, e isso o deixou confuso. Amanda, por sua vez, mudou o rumo da conversa, falando sobre a trajetória dele no plano espiritual.

– O importante agora é que você teve uma recuperação muito boa. Quando aqui chegou, pelo que sei, estava em frangalhos e muito preso a seus familiares. Isso fez com que a recuperação fosse lenta, mas agora você já mostra sinais de cura. Foi a sua mãe e Vítor que o trouxeram para cá. Apesar de não poder estar sempre aqui, ela fez várias visitas a você, aplicando-lhe passes suavizadores e inspirando-lhe pensamentos de paz e bem-estar.

– Desculpe-me, Amanda, mas a minha mãe nunca veio até aqui.

– Você não pôde vê-la, entretanto, parte do seu restabelecimento deveu-se às intervenções que ela promoveu.

– Pois devo, então, pedir-lhe perdão, já que estava um tanto decepcionado com a sua ausência. Mas por que não posso vê-la?

– Ela pertence a um plano superior a este, e o seu teor vibratório é muito superior ao que você possui. Quando do seu desencarne, ela baixou esse teor, a fim de que você pudesse vê-la, visto que era uma ocasião especial, mas, posteriormente, foi melhor para você receber as bênçãos que ela lhe oferecia sem que se mostrasse visível. Futuramente, porém, haverá a possibilidade de ambos manterem muitas conversações que vão ajudá-lo no seu processo de reforma íntima.

– Essa é uma notícia que me deixa muito feliz, pois amo a minha mãe, embora quase nunca lhe tenha demonstrado o meu amor quando estávamos na Terra.

– Também isso você poderá fazer aqui.

Amanda conversou mais um pouco e, tendo preparado o espírito de Maurício para o diálogo com Vítor, despediu-se, alegando ter de ir para a escola. Passados alguns minutos, chegou o amigo de Maurício com o seu costumeiro sorriso.

– Tudo bem, Maurício?

– Mais ou menos. Estou um tanto preocupado com a conversa que você veio ter comigo.

– Não há motivos. Devo dizer-lhe que venho fazer uma bela proposta de serviço ao próximo.

– Pois é, eu já estava com um pedido a fazer-lhe nesse sentido, mas, pelo que ouvi de Amanda, parece que já foi negado.

– No futuro, você terá oportunidade de lecionar, se isso for mesmo o melhor para o seu desenvolvimento. Quanto ao dia de hoje, você ainda não está preparado para essa tarefa.

– O meu conhecimento é insuficiente?

– Não se trata de conhecimento, mas de nível evolutivo e de mérito.

– Você pode me explicar melhor?

– Quando de sua última encarnação, você não costumava dizer a seus alunos que a natureza não dá saltos?

– Sim, quando eles queriam passar de um nível de conhecimento para outro, ignorando o conhecimento intermediário que fazia a ponte entre um e outro desses níveis.

– Exatamente. Quanto ao desenvolvimento espiritual, acontece o mesmo. Temos de estagiar em níveis inferiores antes que possamos usufruir de níveis mais elevados.

– Quer dizer que, no nível em que me encontro, me é vedado cumprir com as tarefas de um professor?

– Por enquanto. Como lhe disse, as coisas poderão ser diferentes no futuro, se o magistério for o melhor para você.

– Então, se não me é permitido lecionar, o que posso fazer em Paz e Amor?

– Por ora, em Paz e Amor não há trabalho para você, Maurício.

Isso foi demais para o ex-professor. Ele se sentiu recusado pela colônia de que tanto havia gostado e com a qual havia simpatizado desde o primeiro momento.

– Amanda me disse que minha mãe mora numa colônia de nível superior. Quem sabe, então, ela pode intervir em meu favor, quebrando essa negativa ridícula que pesa sobre a minha cabeça.

– A sua mãe já sabe da sua situação, Maurício. E também concorda com o fato de que há necessidade de você subir, degrau por degrau, a escalada do autoaperfeiçoamento. Neste momento, ela está orando por você, esteja certo disso.

Enquanto Vítor falava, a mãe de Maurício orava em seu favor e aplicava-lhe um passe reconfortante. Entretanto, dado o desnível evolutivo entre ambos, ele não conseguia vê-la na sua tarefa de fortalecê-lo e auxiliá-lo desinteressadamente. Com o passar do tempo, Maurício foi se tornando mais calmo e, por fim, ficou num silêncio introspectivo até Vítor dizer-lhe paciente e amavelmente:

– Você terá de ficar mais duas semanas nesta casa. Aproveite esse tempo com reflexões serenas e elevadas. Acredite na sabedoria e no amor divinos. O trabalho escolhido para você é o que mais pode contribuir para a sua melhoria interior nesse estágio da sua vida. Medite particularmente sobre a humildade, a resignação e o amor fraterno, pois no trabalho que você vai desenvolver haverá muita necessidade dessas virtudes capitais.

Maurício ficou a pensar. "Que trabalho seria esse? E onde seria realizado, visto que Paz e Amor lhe fora vetada?" Não teve coragem de perguntar. Temia sofrer nova decepção e, mais ainda, ter um novo colapso emocional. Estava envergonhado quanto às palavras duras que usara contra Vítor e todos quantos lhe tolhiam a possibilidade de concretizar o seu plano. O silêncio, entretanto, ficou muito pesado e ele não teve saída a não ser perguntar com a voz sumida na garganta:

– Qual o trabalho que você me oferece?

– Você não precisa aceitar, se não quiser. A espiritualidade superior, de quem sou um simples mensageiro, respeita o seu livre-arbítrio. Devo, porém, lembrá-lo de que você será o único responsável pelo que lhe acontecer, caso resolva deixar Paz e Amor e buscar o seu próprio caminho. Mas, ainda que isso aconteça, sempre que você pedir socorro, receberá a nossa ajuda. Pois bem, o trabalho que estou lhe propondo é num posto de socorro próximo à Terra.

– E o que terei de fazer ali, se não sou médico nem enfermeiro?

– Você será um dos auxiliares de Arcanjo, supervisor da instituição. Haverá muito trabalho, não tenha dúvida, mas ser-lhe-ão dadas anteriormente todas as explicações necessárias. Você passará por um treinamento prático, antes que dê início às suas primeiras atividades no plano espiritual. Rafael e Selena, sua esposa, que dirigem o estabelecimento, são espíritos amigos, que têm muitos bons exemplos a lhe oferecer para o exercício sagrado da reforma íntima. Qual o seu parecer sobre esta oportunidade?

De fato, Maurício teve nova decepção, mas agora já não podia se dar ao luxo de ter outro destemperamento emotivo, de modo que, um tanto a contragosto, respondeu, de cabeça baixa:

– Está bem. Se não há outra oferta, fico com essa.

– Creia-me, você fez a escolha certa e o tempo confirmará o que estou lhe dizendo agora. Aproveite muito bem os momentos que lhe restam nesta casa, aplicando a sua maior parte em boas leituras e preces de sustentação para o esforço que você está despendendo em direção à nova empreitada, que logo começará a realizar.

– Vítor, só mais uma pergunta: onde vou morar?

– Você vai morar num alojamento próprio para os trabalhadores do posto de socorro.

Sem mais nada a dizer, Vítor despediu-se, fazendo antes uma prece em favor de Maurício:

– Senhor, meu Deus e meu Pai, rogo-Vos em favor do irmão Maurício a sabedoria para entender a oportunidade sagrada que lhe acabais de conferir para o seu aprimoramento espiritual em direção a Vós; o amor necessário para que abrace as novas tarefas com dedicação e nobreza de alma, delas tirando o máximo em seu próprio proveito e em favor dos seus assistidos; e paz, a fim de que seu coração permaneça sempre em harmonia com as vibrações elevadas, que lhe confiram a tranquilidade para agir com competência e comprometimento no trabalho que lhe atribuístes com sabedoria e amor. Assim seja.

Após a decepção e a revolta, sobreveio a Maurício o temor pelo futuro que lhe estava reservado. Qual seria exatamente esse trabalho? Qual o perfil necessário para o seu ocupante? Quem seria cada um dos seus assistidos? Quais seriam os seus colegas? E onde exatamente ficava esse posto de socorro? Não havia resposta para nenhuma das interrogações. Ele apenas sabia que seus chefes, Rafael e Selena, segundo Vítor, eram espíritos com muita bondade no coração. Isto já lhe dava alguma tranquilidade, mas o restante permanecia no vazio. Para não sucumbir diante da ansiedade em relação ao que viria pela frente, Maurício seguiu à risca a orientação de Vítor, buscando refúgio na prece e na leitura. Outra ajuda ele encontrou nas palavras de Marlene e Júlia, que foram pródigas em encorajá-lo, ressaltando sempre que não se tratava de uma fria imposição, mas de uma santa oportunidade que lhe era ofertada para o seu próprio bem.

O tempo arrastou-se diante da expectativa ansiosa de Maurício até o dia em que Marlene o avisou de que recebera alta e deixaria a casa de repouso na manhã seguinte. Ele se despediu afetuosamente dos amigos que ali fizera, particularmente de Alencar, que se tornara seu melhor amigo na instituição.

– Então, valeu a pena o nosso "pacto de vida", não é mesmo, Maurício?

– Devo muito a você por ter conseguido melhorar um pouco.

– Você deve a seus próprios esforços. Eu apenas lhe disse o que não fazer, pois não sou um bom exemplo para ninguém.

– Não exagere, Alencar. Todos nós temos nossos defeitos, mas você conseguiu dar a volta por cima e logo, logo, estará fora desta casa de repouso para um trabalho digno em alguma colônia. Quanto a mim, vou para um posto de socorro, sem saber quais serão as minhas atividades. Mas foi a única coisa que me ofereceram. Tive de aceitar, confiando no meu grande amigo Vítor. No entanto, assim que puder, quero entrar em contato com você para continuarmos nossas agradáveis conversas.

– Deus queira, pois gosto muito de você. Seja feliz em seu próximo trabalho, Maurício, e não se esqueça do seu amigo.

Maurício despediu-se de Alencar e aguardou o raiar do novo dia. Muito cedo, chegou Vítor, acompanhado de um jovem simpático, que cumprimentou Maurício com um largo sorriso:

– Muito prazer, Maurício. Meu nome é Arcanjo. Trabalharemos juntos em Auxílio Divino.

Maurício olhou com uma grande interrogação para Vítor, que lhe explicou:

– Esse é o nome do posto de socorro em que você estagiará.

Tudo pronto, Maurício teve oportunidade de despedir-se de Marlene e Júlia, deixando escapar lágrimas de afeto e gratidão.

– Muito obrigado por tudo o que fizeram por meu restabelecimento. Vocês foram os meus espíritos protetores. Só lhes devo gratidão.

Terminadas as despedidas, quando já estava na portaria da casa de repouso, chegou Amanda, abraçando-o afetuosamente e lhe desejando o melhor para o seu bem-estar.

– Infelizmente, não poderei trabalhar na escola, junto de você, mas farei o possível para me desincumbir da melhor maneira no local que aguarda os meus préstimos.

– Algum dia poderemos lecionar na mesma escola, não é verdade? Se esse for o seu caminho, assim acontecerá. Caso contrário, você encontrará o trabalho que mais se ajuste às tarefas que terá de desempenhar. Creia na sabedoria e na bondade divinas.

– Assim farei. Obrigado pelo que você me fez de modo tão desinteressado. Muito obrigado.

Em seguida, a pequena comitiva tomou seu destino, o posto de socorro Auxílio Divino. Tais eram a ansiedade e a expectativa, que só depois de algum tempo Maurício se deu conta de que Vítor e Arcanjo volitavam sobre Paz e Amor levando-o pelos braços. Passado algum tempo, ele notou que se iniciava uma descida por entre nuvens acinzentadas. Parecia-lhe que se precipitavam para um abismo, o qual a cada minuto ficava mais escurecido. Passavam agora em meio a esparsas nuvens, semelhantes àquelas que se formam antes das chuvas de verão. Por entre elas, via-se, embaixo, uma paisagem desoladora de restinga crestada por algum fogo consumidor. Pedras pontiagudas se sucediam na vastidão de uma areia desértica de cor escura. As árvores eram raras e quase sempre com folhas amareladas, quando não completamente despidas de folhagem. O medo e a intranquilidade começaram a tomar conta do seu coração. Casebres esparsos surgiam diante da sua vista e vultos escuros apareciam andando por vielas cobertas de areia ou barro, dependendo do terreno, ora desértico, ora revestido por mangues desoladores. Maurício nunca vira semelhante paisagem. Mas ainda não terminara. Sentiu que se precipitava para um despenhadeiro mais escuro e recoberto por uma neblina acinzentada, que impedia a visão clara do que havia por baixo. O ar era muito pesado, dificultando a respiração. O silêncio era fantasmagórico. Por fim, numa inclinação mais suave, a neblina se tornou menos espessa e Maurício pôde ver alguns casebres e espíritos se movimentando entre eles, nas circunstâncias mais abjetas. Vítor e Arcanjo fizeram-no descer até o solo diante de um espírito que aparentava seus quarenta e poucos anos. Vestia-se com roupas rasgadas e sujas. Sua aparência era assustadora. Tinha o rosto encovado, a barba por fazer e os braços finos erguidos para o alto com as mãos crispadas. Gritava nervosamente palavras que, à distância em que se encontravam, não davam para entender. Vítor esclareceu:

– Maurício, preste atenção neste senhor. Analise a condição em que ele se encontra. Note a dificuldade que há para a prestação de ajuda diante de um quadro tão devastador. É com espíritos desse nível que você vai trabalhar a partir de agora. Daí a importância de estar em equilíbrio, de cultivar sentimentos nobres e pensamentos elevados. Você não pode entrar em sintonia com os transtornos dos seus assistidos. Tem de estar vibrando muito acima para poder estender-lhes as mãos.

– Vítor, eu aceitei a realização desta tarefa, entretanto, nada sei a respeito de como ajudar semelhantes criaturas.

– Você é muito inteligente e logo vai aprender. A parte intelectual é a mais fácil. O que você precisa, e foi por isso que lhe sugeri este trabalho, é abrir o seu coração. A sua mente já está se abrindo. Falta escancarar as portas dos sentimentos de aceitação, dedicação, humildade e amor. Somente assim você conseguirá pôr em prática a caridade, expressão concreta do serviço aos semelhantes.

Assim dizendo, Vítor pousou a sua mão direita no ombro de Maurício e concluiu:

– Esteja certo de uma coisa: se você não tivesse condições de cumprir condignamente esta tarefa, ela não lhe teria sido sugerida. Lembre-se das palavras do Mestre: "Vinde a mim porque o meu jugo é suave e o meu fardo, leve". O que lhe parece hoje pesado demais para os seus ombros, vai se tornar fácil de suportar amanhã. É preciso, contudo, colocar-se inteiramente a serviço dos seus irmãos. E isso eu sei que você fará.

Em seguida, apontando para aquele senhor, que gesticulava ininterruptamente, orientou Vítor:

– Pode acercar-se dele. Ele não consegue nos ver. Note o estado em que fica o espírito que se deixa levar pelo falso amor e pelo ciúme insano que devasta as entranhas dos que se permitem influenciar pelos espíritos das trevas.

Maurício aproximou-se do senhor ensandecido e pôde ouvir claramente as suas palavras, ditas agora de modo pausado e com muito sentimento:

– Suely, trouxe-lhe um presente. Gastei o que não tinha para sustentar a sua vaidade, mas aqui está. Lembra-se do anel que você viu brilhando na joalheria? É ele, Suely. Quero colocá-lo em seu dedo de princesa para que reflita o amor apaixonado que sinto por você. Não ouça o que diz esse destruidor de lares, que apenas quer provar para si mesmo que consegue todas as mulheres em quem pousa os olhos lascivos, que um dia irei furar com todos os requintes de perversidade. Venha, Suely, venha. E você, brutamontes desqualificado, saia de perto de minha mulher. Irei matá-lo com todo prazer. Que Deus o cubra de chagas malcheirosas e doloridas. Você vai sofrer por toda a eternidade, desgraçado, e eu estarei sempre por perto, rindo das suas angústias e tribulações... Suely, você me deixou. Preferiu os lençóis maculados de uma casa amaldiçoada ao lar sagrado em que cultivei os mais elevados sentimentos de amor e paixão. Você me matou, Suely. Você me matou de dor e desconsolo.

Maurício estava estarrecido diante daquele quadro que lhe inspirava um misto de temor e compaixão. Na Terra, sempre fechado entre as quatro paredes de uma sala de aula ou preparando material didático, nunca havia presenciado um quadro como esse. Não sabendo o que fazer, perguntou a Vítor, que lhe respondeu:

– Faça apenas vibrações de harmonia, equilíbrio e perdão para esse espírito sofredor.

– Não podemos tirá-lo daqui e levá-lo para algum lugar de refazimento?

– Temos de respeitar o livre-arbítrio de todos os filhos de Deus. Ele escolheu essa atitude de ódio e vingança e vai continuar assim até que busque auxílio espiritual. No momento, ele está encapsulado em suas ideias destrutivas, aprisionando-se num monoideísmo que somente faz aumentar o seu sofrimento interior. Trata-se, na verdade, de uma pessoa honesta que viveu há cinquenta anos a sua última encarnação na Terra. Dedicava todo o seu amor à esposa. Entretanto, ela se deixou levar pelo falso sentimento de seu patrão, um jovem conquistador, cuja única satisfação era contar aos amigos o poder da sua sedução. Depois que se deixou levar pelas investidas do jovem, foi demitida sumariamente e o marido foi notificado da infidelidade daquela a quem muito amava. Isso o transtornou a ponto de fazê-lo perder o juízo e abandonar o lar. Um ano depois, desencarnou em estado lamentável.

– E o que aconteceu com a sua esposa? – perguntou Maurício interessado.

– Ela caiu em si e, vendo o tamanho do mal que causara ao esposo dedicado, não teve coragem para recompor a sua vida. A vergonha e o remorso foram tão grandes que, ensandecida, pôs fim à sua breve existência, tomando veneno. Também veio para estas tristes paragens, mas, depois de anos de sofrimento moral, arrependeu-se verdadeiramente, pedindo ajuda ao plano espiritual superior. Hoje ela se encontra numa casa de repouso.

– Temos um caso como esse em Auxílio Divino, Maurício. Você vai conhecer o ator desse drama insano.

Vítor aplicou um passe reconfortante no senhor angustiado, que, lentamente, baixou as mãos crispadas e sentou-se à beira da viela, caindo em um sono reconfortante.

– Não é perigoso deixá-lo aí sozinho?

– Olhe bem à esquerda e verá um espírito abnegado velando por ele.

Maurício prestou atenção e viu um ancião de aspecto agradável que pousava a mão sobre a cabeça do senhor adormecido, ao mesmo tempo em que agradecia a intervenção de Vítor.

– É seu pai – esclareceu Vítor. – Ele tem esperança de que muito proximamente esse quadro seja revertido e ele possa levar o filho a um posto de socorro. Agora, prossigamos.

A comitiva seguiu em silêncio, passando por muitas localidades, todas envolvidas numa atmosfera pesada e cada vez mais escura. A neblina agora era mais espessa, à semelhança da fuligem dos antigos fogões a lenha. Depois de volitarem por um bom tempo, Maurício notou por entre as brumas um grande prédio plantado por trás de altos muros. As janelas estavam fechadas e apenas o portão de entrada se encontrava semiaberto. Surgiu de dentro um vulto que deu as boas-vindas à comitiva. Já no chão, Vítor abraçou quem o recebia.

– Este é Maurício, o novo obreiro de Auxílio Divino. Deixo-o com você, Rafael, com a recomendação de que lhe sejam ensinados pacientemente todos os afazeres que terá de cumprir nesta casa.

– Estamos preparados para recebê-lo com toda fraternidade. E agradecemos a sua generosidade por trazer mais um trabalhador para esta casa. Quanto a você, Maurício, seja bem-vindo. Temos aqui muito trabalho e mais que isso, muitas oportunidades de refazimento moral de cada um dos obreiros. Que esta casa possa ser o instrumento de sua reforma íntima.

Em seguida, Rafael abraçou efusivamente Maurício e fez com que os três fossem para dentro do prédio. Depois de conversar um pouco, Vítor alegou a necessidade de retorno imediato e, chamando Maurício à parte, disse-lhe comovido:

– Esperei bastante por este momento. Agora, tenho a certeza de que você está mais restabelecido e pode dar sequência à sua vida, cumprindo as suas obrigações e crescendo com elas. O trabalho que você vai realizar é tão nobre quanto qualquer outro, e é aquilo que de melhor você pode fazer nesta etapa da sua existência. Cumpra todas as tarefas com dedicação e amor. Não olhe para trás. Siga em frente, caminhando sempre para o alto. E não se esqueça: sempre que precisar, peça o meu auxílio, estarei aqui para lhe dar as mãos e ajudá-lo na conquista desta nova etapa. Fique com Deus, Maurício.

O momento foi comovente. Lágrimas afloraram nos olhos de Maurício ao abraçar muito forte o seu avô, que agora se tornara o seu amigo particular. Passando carinhosamente a mão sobre a cabeça de Maurício, antes de desaparecer nas brumas externas, ele ainda disse, com muita convicção:

– Você vence também esta etapa de sua vida. Afinal, você é um vencedor.

Arcanjo puxou levemente o ombro de Maurício e ambos entraram no prédio, a fim de que o novo obreiro pudesse conhecê-lo. Antes, porém, Rafael reuniu os dois em volta de uma mesa e deu as suas orientações:

– Maurício, quem aqui trabalha tem a grande oportunidade de atender ao imperativo divino de amar ao próximo como a si mesmo. Mas, para que isso possa acontecer, é preciso, em primeiro lugar, que você ame a si mesmo. Às vezes nos fixamos tanto em nossas imperfeições que deixamos de entrever a luz divina que resplandece em nosso interior. Não se esqueça nunca de que a nossa natureza é divina, pois fomos feitos à imagem e semelhança de Deus. Disse o Mestre: "Sede perfeitos, como o vosso Pai celestial é perfeito". Ame fraternalmente aqueles que aqui se encontram para serem assistidos e servidos. Ame-os incondicionalmente. E, acima de tudo, revista-se da humildade, essa virtude preciosa que nos coloca em nosso devido patamar. É isto que eu lhe peço para se esforçar por cumprir. E sempre que precisar de um ombro amigo, aqui estou eu; Selena, minha esposa, que você ainda vai conhecer; Arcanjo, que será seu supervisor, e os demais auxiliares deste posto de socorro. Agora retomarei minhas atividades e Arcanjo vai mostrar-lhe as nossas dependências e o seu alojamento. Alguma dúvida?

– Por enquanto, não, Rafael. Quero apenas agradecer por sua boa vontade em me receber neste local. Farei o possível para desempenhar-me a contento nas atividades que executarei e que ainda não conheço.

– Muito bem – disse Rafael, sorrindo –, então, mãos à obra.

Arcanjo pediu que Vítor o acompanhasse e iniciou as suas instruções:

– Primeiramente, você vai conhecer a nossa casa e os nossos hóspedes. Em seguida, direi quais serão as suas novas atividades. Está bem?

– Claro. Estou mesmo ansioso para saber o que farei aqui.

25

Polidoro

NO DIA APRAZADO, Polidoro foi ao centro espírita para a sua primeira aula. Procurou Lucinda, que o encaminhou para uma saleta onde uma senhora o aguardava para colocá-lo a par do conteúdo já ministrado no curso. Polidoro pediu licença e entrou, cumprimentando-a. Ela juntava uns papéis e, ao vê-lo, recebeu-o com um grande sorriso:

– Boa noite, Polidoro. Não é esse o seu nome? É um prazer tê-lo em nossa casa para fazer o curso de que eu também sou aluna.

O detetive ficou muito vermelho e gaguejou para responder. Era ela, Adélia, cuja vida ele tanto investigara e em quem dera um esbarrão alguns dias atrás. Lembrando-se da sua fisionomia, ela perguntou:

– Não foi o senhor que esbarrou em meu braço, fazendo cair minha pasta?

– Fui eu, sim.

– Então já nos conhecemos. Por favor, sente-se. Mas vamos deixar de muitas cerimônias, pois, afinal, somos colegas de turma, não é mesmo?

– É verdade. Pode me chamar de você.

– Ótimo. O mesmo vale em relação a mim. Polidoro, vou colocá-lo brevemente a par de tudo o que já foi ministrado até agora. Qualquer dúvida, pode perguntar-me. Você vai sentar-se a meu lado, a fim de que eu possa, durante a aula, ajudá-lo a entender o que porventura ficar nebuloso. Mas eu não sou a *sabe-tudo*. Também tenho as minhas dúvidas e, se isso acontecer, e você tiver entendido bem, poderá igualmente me explicar. Se nenhum dos dois souber, pediremos esclarecimento a Doroteia, nossa expositora.

Assim dizendo, e completamente desenvolta, Adélia colocou Polidoro a par das aulas já ministradas e ambos se dirigiram, em seguida, para a sala de aula. O contato com o curso fez com que Polidoro repensasse ainda mais sobre suas atividades como detetive particular. Seu desejo era partir para outra profissão, mas, já na meia-idade, não sabia o que poderia ainda fazer. A interrogação continuou enquanto ele recebia as aulas e estudava com grande afinco. Aos poucos, foi também fazendo amizade com Adélia e granjeando a sua simpatia. No entanto, o arrependimento pelo trabalho que fizera para devassar a intimidade da sua nova amiga aumentava à medida que se intensificava o relacionamento entre os dois. Adélia, por sua vez, considerava Polidoro um senhor muito educado, simpático e, acima de tudo, um grande amigo. Tanto assim que resolveu colocá-lo no grupo que se reunia todos os fins de semana. Para tanto, foi conversar com Matsumoto.

– Tenho um colega de classe muito interessado na doutrina e creio que poderia frequentar as nossas casas nas reuniões de domingo. Mas gostaria, antes, que todos os participantes dessem o seu parecer.

– Poderemos conversar sobre isso no próximo domingo. O que você acha?

– Ótimo.

Na reunião seguinte, o assunto principal era a Lei do Progresso. Solange fora incumbida de discorrer sobre esse tema importante do Espiritismo.

– Para recordar – começou Solange –, lembremos que a Lei Natural que governa o Universo é a Lei de Deus, eterna, imutável e perfeita. Essa lei divide-se em duas partes: leis físicas e leis morais, que estão acima das leis elaboradas pelo Homem, passageiras, mutáveis e imperfeitas. Segundo os espíritos, o sábio dedica-se às leis da matéria, já o homem de bem estuda e pratica as da alma. As leis morais englobam a lei de adoração, do trabalho, da reprodução, da conservação, da destruição, da sociedade, do progresso, da igualdade, da liberdade e de justiça, amor e caridade. Estamos abordando hoje a lei do progresso. Um dos princípios fundamentais da doutrina espírita é o progresso ou evolução. Como nos orientam os espíritos, a evolução é o progresso contínuo e ordenado dos seres e dos mundos, tanto no aspecto físico quanto no intelectual e no moral. A lei divina do progresso garante que todos os seres evoluam, do primitivo, bruto e ignorante para a plenitude da sabedoria e do amor.

– Solange – interrompeu Teresa –, tenho aqui uma citação de Léon Denis que nos esclarece nesse ponto. Posso ler?

– Claro! Aliás, quero a colaboração dos demais. Estou apenas coordenando a nossa reunião. Todos podem e devem participar.

– Muito bem, este trecho diz o seguinte: "A lei do progresso não se aplica somente ao homem; é universal. Há, em todos os reinos da natureza, uma evolução que foi reconhecida pelos pensadores de todos os tempos. Desde a célula verde, desde o embrião errante, boiando à flor das águas, a cadeia das espécies tem se desenrolado através de séries variadas até nós. Cada elo dessa cadeia representa uma forma superior, um organismo mais rico, mais bem adaptado às necessidades, às manifestações crescentes da vida; mas, na escala da evolução, o pensamento, a consciência e a liberdade só aparecem passados muitos graus. Na planta, a inteligência dormita; no animal, sonha; só no homem acorda, conhece-se, possui-se e torna-se consciente; a partir daí, o progresso de alguma sorte, fatal nas formas inferiores da natureza, só se pode realizar pelos acordos da vontade humana com as leis eternas".

Solange interrompeu a leitura e olhou para os amigos, como a pedir que dissessem alguma coisa. Foi Matsumoto quem considerou:

– Esse excerto é bastante conhecido e mostra, como

em muitas outras passagens, a sabedoria de Léon Denis e o seu profundo conhecimento doutrinário. Falando a respeito de nós, seres humanos, podemos dizer com segurança que ninguém está fora da lei do progresso. Todos nós tendemos para a perfeição.

– Isto me faz lembrar das aulas de psicologia – disse Adélia, animada. – Lá na faculdade aprendi que também grandes psicólogos corroboram a lei do progresso, embora nunca tenham sido espíritas. Vou citar dois dos quais me lembro: Carl Rogers e Karen Horney. Rogers, criador da psicoterapia centrada na pessoa, diz que todo ser humano possui uma tendência à autorrealização. Afirma ele mais ou menos o seguinte: todo indivíduo humano é animado de uma tendência inerente a aprimorar todas as suas potencialidades e a desenvolvê-las de modo a favorecer-lhe a conservação e o enriquecimento. Ou seja, todos nós temos a tendência para crescer, para desenvolver-se, enfim, para progredir. Karen Horney, por sua vez, compara o ser humano a uma semente de carvalho. Diz ela que o ser humano possui uma tendência inata para a autorrealização. Se os obstáculos forem removidos, o indivíduo vai se desenvolver e se transformar num adulto maduro, plenamente realizado, assim como da bolota vai se desenvolver um carvalho. Notem que esses dois psicólogos não estão falando a respeito do Espiritismo, mas de uma tendência natural do ser humano, independentemente de qualquer credo ou vertente religiosa. No entanto, corroboram o que diz o Espiritismo sobre a lei do progresso.

– Muito bem, filósofa! – disse Roberto, rindo.

– A bem da verdade, devo dizer que se não fosse Matsumoto me dar as aulas particulares, eu nada saberia sobre isso.

– Ela é muito modesta – contestou amigavelmente Matsumoto.

Teresa, que também se preparara para a mesa-redonda, pediu a palavra:

– Eu tenho aqui um trecho de André Luiz que gostaria de ler. Creio que complementa o que foi dito até agora.

– Por favor, leia – disse Solange com grande interesse.

– Diz André Luiz: "Somos criação do Autor Divino e devemos aperfeiçoar-nos integralmente. O Eterno Pai estabeleceu, como lei universal, que seja a perfeição obra de cooperativismo entre Ele e nós, os seus filhos". E acrescenta, mais adiante: "Desde a ameba, na tépida água do mar, até o homem, vimos lutando, aprendendo e selecionando invariavelmente. Para adquirir movimento e músculos, faculdades e raciocínios, experimentamos a vida e por ela fomos experimentados, milhares de anos". O que vocês acham? Não é a expressão clara da lei do progresso?

– Sem dúvida. – Respondeu Lucinda, acrescentando: O Espiritismo é uma doutrina evolucionista. E, como tal, instrui-nos que, pela lei do progresso, todos os seres evolucionam necessariamente, partindo do inferior para chegar ao superior. O progresso é uma condição da natureza humana. Kardec nos ensina que o progresso consiste, acima de tudo, no aprimoramento moral, na purificação do espírito, na extinção dos maus germens que em nós residem. Este é o verdadeiro progresso, o único que nos pode garantir a felicidade por constituir-se no oposto do mal.

– Acrescente-se – considerou Roberto – que o progresso é consequência do aprimoramento individual em vidas sucessivas, em que acumulamos as novas conquistas que vamos realizando.

– Ótima lembrança – disse Solange. – Lembro-os também de que Deus, em sua sabedoria e amor supremos, criou a nós todos iguais, simples e ignorantes, concedendo-nos, ao mesmo tempo, o livre-arbítrio. As diferenças que existem entre nós, seres humanos, são decorrentes do bom ou mau uso que fazemos desse livre-arbítrio. Aqueles que persistem incansavelmente na sua transformação moral, alcançam mais cedo o propósito a que estão destinados por decreto divino.

As contribuições ao tema do dia continuaram por mais alguns minutos até os participantes notarem que o tempo já havia escoado. A partir desse momento, ia ter início a conversa livre, quando Adélia pediu a palavra:

– Gente, tenho um assunto que depende da decisão de todos nós.

– Estamos atentos – disse Matsumoto.

– Trata-se da inclusão de mais uma pessoa em nossas reuniões dominicais. Além de Lucinda, alguém conhece Polidoro?

– O nome não me é estranho, mas não me lembro de quem seja – respondeu Matsumoto.

– Nem eu – disseram Teresa e Roberto.

– É um senhor que frequenta há algum tempo o centro espírita e é também aluno do curso introdutório, fazendo parte da minha classe. Ele é um dos alunos mais dedicados, embora, de início, quase nada soubesse sobre o Espiritismo, assim como eu. Além disso, é muito educado, aberto e simpático. Tenho certeza de que seria uma pessoa a mais para refletir sobre os temas a que nos propusemos e também para as nossas conversas corriqueiras de todos os domingos. Enfim, creio que ganharíamos muito com a sua presença entre nós. Entretanto, acatarei o veredicto de cada um de vocês, seja qual for.

– Adélia – considerou Roberto –, se você o conhece tão bem e está sugerindo a sua presença entre nós, não tenho nada a opor, pois confio no seu julgamento.

– Também penso assim – disse Teresa aos demais. – Realmente não conheço esse senhor, mas confio plenamente no bom senso de Adélia. Se ela o está apresentando, não tenho nada a opor.

– Adélia, eu penso como Teresa e Roberto. Eu voto a favor – ponderou Solange.

Lucinda deu um sorriso e falou com desenvoltura:

– Eu sou suspeita, pois fui eu quem recebeu Polidoro, por indicação de Josimar. Pude conversar algum tempo com ele e notei tratar-se de uma pessoa de bom coração e muito interessada em receber os ensinamentos sobre o Espiritismo. Só posso concordar com Adélia. Aceito esse novo membro em nosso grupo de domingo.

– Mesmo que eu fosse contra, seria voto vencido – disse Matsumoto, sorrindo. Mas não sou contra, não. Depois de tudo o que disseram sobre esse senhor, só posso ser favorável ao seu ingresso em nossa equipe. Será mais uma cabeça para refletir conosco sobre o Espiritismo e mais um coração para sentir as emoções de uma amizade verdadeira.

– Que bonito! – aparteou Lucinda. – Só poderia ter vindo do nosso chefinho.

– Eu não sou chefe coisa nenhuma – respondeu Matsumoto em tom de cordialidade. – Nem em casa eu mando. Olhe a minha chefa aí – continuou, apontando para Teresa, que riu alegremente. – Mas eu sei que isso é provocação. Bem, já que comecei a falar de novo, acho que cabe a mim dar a resposta final. Adélia, Polidoro já é integrante da nossa equipe. Domingo próximo esperamos conhecê-lo pessoalmente.

A conversa começou a mudar de tema quando Teresa interrompeu, dizendo pressurosa:

– Gente, lembrei-me de algo que não foi dito sobre a lei do progresso e é muito importante.

– Então diga, por favor – falou Lucinda, querendo estar a par do conteúdo esquecido durante a mesa-redonda.

– Lembrei-me de que o ser humano, pela força mesma dessa lei, não pode nunca regredir. A regressão é uma ilusão. Quando se falou aos espíritos que a perversidade do homem é muito grande, parecendo que ele recua em vez de avançar, a resposta foi taxativa: Engano vosso. Observai bem o conjunto e vereis que o ser humano avança, já que compreende melhor o que é o mal e a cada dia corrige abusos. É preciso que o mal chegue a extremos para fazer compreender a necessidade do bem e das reformas.

– Bem lembrado, Teresa. – Falou Roberto continuando: Na passagem de *O Livro dos Espíritos* que trata deste tema, Kardec considera que, sendo o progresso uma condição da natureza humana, ninguém tem o poder de se opor a ele. Trata-se de uma força viva que as más leis podem retardar, mas não sufocar.

– É verdade – conclui Lucinda. – E, como afirma Kardec, às vezes é preciso o mal chegar a extremos para fazer compreender a necessidade do bem e das reformas. Assim, aquilo que parecia regresso, era, na verdade, mais uma etapa para o avanço moral do ser humano.

Roberto lembrou ainda outro ponto importante: nem sempre o progresso tecnológico e científico é acompanhado pelo progresso moral.

– Entre os povos civilizados – comentou ele, acompanhando Kardec –, o progresso intelectual recebeu todos os incentivos possíveis e atingiu um grau desconhecido até os nossos dias. Falta algo, porém, ao progresso moral para que esteja no mesmo nível. Entretanto, comparando os costumes sociais de hoje com os de alguns séculos atrás, ninguém pode negar que houve progresso moral. Por que duvidar – perguntou mais uma vez com Kardec – que entre o século 21 e o século 24 não ocorrerá tanto avanço como houve no progresso intelectual entre o século 14 e o século 21? Duvidar dessa possibilidade é pretender que a humanidade tenha atingido o máximo de sua perfeição. Isso, entretanto, seria um absurdo. Não se pode, por outro lado, pensar que a humanidade seja incapaz de se aperfeiçoar, pois tal consideração é desmentida pela experiência. Logo, ainda que estejamos moralmente aquém das conquistas intelectuais, isso é apenas uma etapa do processo contínuo de aperfeiçoamento ético do ser humano. Não sou eu que estou dizendo isto, mas os espíritos e Kardec. Tudo isto está lá em *O Livro dos Espíritos*.

Mais algumas considerações foram feitas e, em seguida, a conversa mudou para temas do cotidiano, em que cada um dava atenção às preferências e às necessidades dos demais. Foi mais um domingo de muita alegria e de grande amizade.

Na semana seguinte, ao se encontrar com Polidoro, Adélia o comunicou sobre a reunião do fim de semana:

– Polidoro, você está convidado a reunir-se com Matsumoto, Teresa, Roberto, Solange, Lucinda e eu, no próximo domingo.

– Aniversário de alguém?

– Não, não. Nós costumamos nos reunir todos os domingos para um bate-papo amigo. É claro que aproveitamos para estudar um pouco o Espiritismo. Mas a maior parte é mesmo para termos companhias agradáveis.

– Mas de todos que você citou, conheço pessoalmente apenas você e Lucinda. Dos outros só ouvi os nomes.

– Pois será uma ótima oportunidade de conhecê-los também. A menos que você já tenha compromisso aos domingos.

– Não. Eu passo os domingos sozinho, pois, solteiro, não tenho muito para onde ir. Meu irmão reside em Curitiba, de modo que só nos encontramos uma ou duas vezes por ano. Na verdade, o que faço geralmente é ir a algum shopping e almoçar por lá.

– Então, não há por que recusar, não é mesmo?

– Para mim é uma honra poder estar com pessoas tão instruídas e simpáticas.

– Talvez mais simpáticas do que instruídas – disse Adélia, sorrindo.

– O que me preocupa é que, em retribuição, deveria convidar todo esse pessoal para almoçar em meu apartamento. Mas ele é tão pequeno, que não sei se cabe todo mundo.

– Polidoro, o seu apartamento pode ser pequeno, mas, com certeza, o seu coração é muito grande. Mas se for inviável fazer reuniões lá, fazemos novamente em minha casa. Portanto, isso não é desculpa, meu amigo.

Polidoro enrubesceu e, sem saber o que dizer, procurou ajeitar a gravata, enquanto Adélia, desenvolta, ria dos modos atrapalhados do detetive. Ela explicou como eram as reuniões e o intimou a comparecer à sua casa no domingo seguinte, pois ali seria a sede do encontro. Polidoro prometeu comparecer.

A semana transcorreu sem novidades: o detetive

fez as suas costumeiras investigações e Adélia, além de administrar a loja, em conjunto com Renata, frequentou as aulas da faculdade, onde apresentou um seminário sobre o pensamento de Leibniz, tendo obtido a nota máxima.

Polidoro estava um tanto apreensivo quanto à reunião de que participaria no domingo. Embora fosse uma pessoa agradável e simpática, tinha certo sentimento de inferioridade por não ter concluído o curso de Direito. E, mais que isso, na casa de Adélia estariam diretores do centro espírita, inclusive o seu presidente. O que ele diria? Teria condições de acompanhar o nível da conversação? Saberia mostrar-se à altura para não envergonhar Adélia, que era agora a sua grande amiga? Não bastassem essas interrogações, ainda havia outro obstáculo, que não lhe saía da memória. Algum dia, Adélia viria a saber que ele investigara sua vida particular. E, nesse dia, iria terminar essa amizade tão sincera que havia entre ambos e ele teria de se retirar desse grupo tão seleto que o convidara para tomar parte em seus colóquios. Foi com essas conjecturas angustiantes que ele passou a semana quase sem se dar conta da rapidez do tempo. O domingo chegou depressa e ele, vestido com um traje esportivo e muito bem combinado, já apertara a campainha, quando Adélia, sempre sorridente, assomou à porta e o convidou para entrar.

– Finalmente, você vai conhecer os meus amigos e a minha casa. Entre, Polidoro.

Oferecendo à amiga um buquê de rosas amarelas, ele entrou na casa, sendo recebido calorosamente por Matsumoto:

– Então, você é o famoso Polidoro? Adélia falou muito bem da sua pessoa, de modo que nós o recebemos de braços e coração abertos.

Feitas as apresentações, Polidoro sentou-se na cadeira que lhe ofereceram, e Teresa anunciou o início da mesa-redonda. O tema escolhido foi o "Evangelho no Lar".

– Este é um tema por demais conhecido de todos nós, espíritas – começou Teresa –, porém, nunca é demais insistir na sua importância. Por conseguinte, estarei expondo o conteúdo como se fosse pela primeira vez. Primeiramente, respondamos: o que é "Evangelho no Lar"? Lucinda, você pode nos ajudar?

– Chamamos "Evangelho no Lar" a reunião semanal realizada entre pessoas da mesma família para o cultivo da oração e o estudo do Evangelho. Embora eu tenha dito "reunião semanal", ela pode ser feita mais de uma vez por semana.

– É verdade – disse Teresa. – Matsumoto e eu a fazemos duas vezes. Os benefícios são tão grandes que, após alguns anos, passamos a realizá-la duas vezes na mesma semana.

– Polidoro – perguntou Lucinda –, já lhe falaram em sala de aula sobre o "Evangelho no Lar"?

– Sim, mas, para ser sincero, ainda não comecei a fazer. Não vou arranjar nenhuma desculpa. O que acontece é que ainda não me habituei a orar. Talvez esta reunião seja um incentivo para eu fazer dessa prática um hábito sadio.

– Muito bem. Entretanto, não estamos cobrando nada. Apenas perguntei porque esse é um tema do seu curso. Bem, se já sabemos o que é o "Evangelho no Lar", qual é o seu objetivo? Quem pode dizer?

Roberto respondeu:

– São vários os objetivos. Um deles, sem dúvida, é estudar o Evangelho à luz da doutrina espírita, a qual possibilita compreendê-lo na sua pureza e verdade, facilitando, assim, pautar nossa vida segundo a vontade de Jesus.

– Ótimo – disse Teresa. – Apenas mais dois objetivos. Quem pode dizer o segundo?

Solange manifestou-se:

– Outro objetivo é criar em todos os lares o hábito salutar de reuniões evangélicas para que despertem e acentuem o sentimento de fraternidade que deve existir em cada um de nós.

– Muito bem. E o terceiro? Polidoro, quer falar?

– Ainda estou meio tenso. No momento, vou deixar para outro.

Matsumoto, notando o embaraço do novo amigo, saiu em seu auxílio:

– Fique tranquilo, Polidoro. Quando eu comecei a fazer as minhas argumentações doutrinárias, tremia tanto e gaguejava, que tinha de parar a frase no meio. Hoje, no entanto, isso é coisa do passado. Logo, logo, você estará falando aqui tão normalmente como qualquer um de nós.

Teresa brincou:

– Não enrole, Matsumoto. Qual é o terceiro objetivo?

– Creio que uma finalidade importante do "Evangelho no Lar" é facilitar no ambiente familiar e também fora dele o amparo necessário para enfrentar as dificuldades materiais e espirituais, mantendo operantes os princípios da oração e da vigilância.

– Eu quero dizer mais um – aparteou Adélia. – Higienizar o lar com nossos pensamentos e sentimentos elevados, permitindo, assim, mais fácil influência dos espíritos do bem.

– Já vi que estou no meio de mestres e doutores – disse Teresa, sorrindo. – Vamos agora aos benefícios dessa prática tão salutar. Direi um, depois deixo a palavra livre. Sem dúvida, um grande benefício é permitir ampla compreensão dos ensinamentos de Jesus e sua prática nos ambientes em que vivemos.

– Concordo – disse Roberto. – Outro benefício está no fato de as pessoas habituadas à oração, ao estudo e à vivência cristã tornarem-se mais sensíveis e passíveis às inspirações dos espíritos mentores.

– Outro benefício, ainda, é que a presença de espíritos iluminados no lar afasta aqueles de índole inferior, que desejam a desunião e a discórdia. O ambiente torna-se um posto avançado de Luz, onde almas dedicadas ao bem estarão sempre presentes, sejam encarnadas ou desencarnadas.

– Um outro – continuou Polidoro, falando bem devagar para não atropelar as palavras – não seria a paz, a harmonia e a fraternidade no lar, que, com o tempo se estendem a todo tipo de relacionamento interpessoal?

– Agora já temos outro doutor na equipe – falou Teresa, dando os parabéns a Polidoro.

– Dessa mina ainda vai sair muito ouro – concluiu Adélia, buscando incentivar a participação do amigo.

– Vamos, então, recordar as etapas básicas de um "Evangelho no Lar". Em primeiro lugar, temos de escolher um dia da semana, sempre no mesmo horário, preferencialmente no período noturno, para que todos os membros da família interessados possam estar presentes. Lembremos que podem participar da prática todos os integrantes da família, inclusive as crianças. Devemos também orientar todos os participantes sobre a importância de observar-se com rigor a sua constância e pontualidade para facilitar a assistência espiritual. Momentos antes do início, deve-se deixar a casa em silêncio, desligando-se televisores, rádios, aparelhos de som e similares. Bem como celulares e telefone. Qualquer cômodo da casa pode ser utilizado para a prática do Evangelho no Lar, dando-se preferência àquele que permitir maior silêncio e recolhimento. Deve-se também criar um ambiente amistoso e de respeito, pois serão vividos momentos de elevação espiritual com Jesus e com a espiritualidade superior. Algo também importante é que não se deve permitir, em hipótese alguma, que a reunião se transforme em trabalho mediúnico. A mediunidade e a assistência espiritual devem ser exercidas em casa espírita idônea. A duração da prática do "Evangelho no Lar" deve variar entre vinte e trinta minutos. Não é necessário mais que isso. Até aqui tudo bem, Polidoro?

– Sem dúvida.

– Então, vamos aos procedimentos propriamente ditos: em primeiro lugar, faz-se a leitura introdutória de uma mensagem, que poderá ou não ser comentada. Sua finalidade é promover o equilíbrio emocional dos participantes, procurando harmonizá-los com os ideais nobres da vida, a fim de facilitar um melhor aproveitamento das lições recebidas. A seguir, tem início a reunião com uma prece simples e espontânea, que deve ser proferida por um dos participantes, em tom de voz não alto demais, porém audível a todos os presentes. Imediatamente após, quem estiver conduzindo os trabalhos deve pedir a um dos participantes que abra ao acaso o Novo Testamento, ou *O Evangelho Segundo o Espiritismo*, ou, ainda, o próprio livro de mensagens evangélicas e faça a leitura de um trecho do capítulo. Em seguida, cada um dos participantes comenta o que entendeu do texto lido e como se pode aplicá-lo no cotidiano. É importante, porém, que não se faça desses comentários um veículo de polêmicas.

– Não se deve – aparteou Matsumoto – fazer comparações entre o conteúdo da leitura e o comportamento das outras pessoas. O tema de cada reunião deve ser tomado para cada um de nós próprios, que devemos nos esforçar para pormos em prática as orientações do trecho de leitura selecionado.

– Muito bem lembrado, Matsumoto – disse Teresa. E continuou com a sua explanação: – Após os comentários, chega o momento das vibrações. Vibrar espiritualmente é emitir pela força da vontade ondas vibratórias para determinado fim, não é mesmo? Concorda, Polidoro?

– Pelo que aprendi no nosso curso é isso mesmo. Resumindo, vibração é a projeção de pensamentos e sentimentos em benefício de terceiros.

– Ótimo. Assim, vibrar é emitir pensamentos de amor, saúde, equilíbrio, sustentação e outros de caráter positivo em benefício de uma ou mais pessoas, animais ou em prol da própria natureza. A importância da vibração está no impulso mental dado com vontade firme e sincera de querer ajudar, dedicando-se amorosamente aos semelhantes. Está também no poder da fé sólida e confiante na ajuda do Plano Espiritual Superior. Neste sentido, é importante que vibremos saúde, alegria, sabedoria, amor, harmonia e paz pelos nossos familiares, amigos, doentes, idosos, crianças, encarcerados e desafetos. Podemos também vibrar pelos animais doentes, perdidos, abandonados, maltratados, assim como pela natureza devastada. No entanto, e isto é muito importante, não devemos mentalizar a doença, a dor, o sofrimento, os maus-tratos, mas aquilo que desejamos, ou seja, a saúde, o bem-estar, a alegria, a sabedoria, o carinho, o amor e assim por diante.

– Em nosso curso – considerou Adélia – isso foi bem explicado.

– Pois bem – continuou Teresa –, terminadas as vibrações, que podem ser feitas por uma única pessoa ou em rodízio, chega-se ao encerramento da prática. Nesse momento, alguém escolhido ou quem estiver dirigindo os trabalhos agradece pela assistência espiritual recebida durante a reunião e faz a prece final, que pode ser qualquer oração, desde que feita com sentimento.

– Apenas um complemento – disse Solange. – Não se deve preparar um altar, colocar toalha branca sobre a mesa, acender velas ou queimar incenso, pois não se trata de um ritual, mas de uma prática religiosa alheia a todas as manifestações ritualísticas.

Em seguida, conversou-se sobre muitos assuntos até o momento da refeição. A reunião prolongou-se até as dezessete horas, quando os participantes foram deixando a casa de Adélia. Polidoro saiu dali maravilhado. Gostou imensamente de todos.

A semana passou rápido para Adélia, que estava em época de provas na faculdade. A loja também tomou parte do seu tempo, pois estavam sendo ampliadas as vendas, de modo incomum. Ao mesmo tempo, recebeu uma notícia que a deixou muito feliz: Renata estava grávida.

26

Iniciando o trabalho

Quando Vítor deixou o posto de socorro Auxílio Divino, Arcanjo lhe mostrou as dependências da casa e fez explicações sucintas sobre o trabalho que seria realizado por ele dali por diante. Assim que ficaram a sós, Arcanjo deu início a suas instruções, falando primeiro sobre ele:

– Maurício, estou muito feliz por tê-lo conosco. Esteja certo de que o nosso trabalho é muito dignificante. Mas antes gostaria de falar um pouco sobre mim mesmo, a fim de que possamos nos conhecer melhor. Estou trabalhando aqui há vários anos e, dentro em breve, deixarei este posto para prestar meus serviços noutro local. Cheguei por determinação dos dirigentes do hospital em que me encontrava em recuperação. Meu desejo era trabalhar como "médico das almas", afinal, fora psicólogo em minha última encarnação e queria continuar fazendo um trabalho semelhante ao que realizara na Terra. Fiquei, porém, muito decepcionado quando me negaram esse tipo de tarefa e me mandaram para este posto. Naquele momento, apesar do equilíbrio moral que já conseguira, sofri uma grande decepção. Hoje consigo ver que o meu orgulho estava em alta. Vir para cá era como ser rebaixado, afinal, eu fora um profissional de nível superior na Terra e o trabalho que viria a realizar equivaleria no planeta aos serviços de quem nem sequer terminara o ensino fundamental. Tentei argumentar com meus superiores, mas prevaleceu o bom senso de quem determinara quais seriam as minhas atividades. Entretanto, os braços abertos de Rafael e Selena foram o início da minha transformação. Meu desapontamento converteu-se logo em bom ânimo e entusiasmo para realizar as tarefas que me couberam de início. Cheguei aqui, assim como você: sem saber o que iria realizar. Mas sei, agora, que ao deixar este posto levarei muitas lembranças dignificantes. Os tesouros que recolhi nesta jazida permanecerão comigo. E isto me deixa feliz.

– Fico envergonhado, Arcanjo, pois chego aqui na mesma situação em que você deu entrada. Também fiquei decepcionado quando me mandaram para cá. O que eu queria, na verdade, era...

– Ser professor – concluiu Arcanjo, rindo.

– Como você sabe? Ah! Havia me esquecido, vocês leem os pensamentos.

– Não é só isso, Maurício. Tive acesso à sua ficha. A fim de podermos colaborar da melhor maneira com você, é importante termos um conhecimento de sua vida pregressa.

– Assim, a minha vergonha aumenta. Você quer dizer que Rafael e Selena, de quem ainda tenho muito por conhecer, já sabem tudo a meu respeito?

– Tudo o que seja importante para ajudá-lo a evoluir na senda do progresso.

– Está bem. Já que sou um livro aberto, é melhor tomar cuidado com meus sentimentos e pensamentos, não é mesmo?

– Não é assim. Seja sincero na expressão do que você pensa e sente. Lembre-se de que ninguém está aqui para julgá-lo, mas para ajudá-lo a crescer moral e espiritualmente.

– Desculpe-me, Arcanjo. A minha reação não foi das melhores. Creio que seja por essa razão e por outras que não me admitiram no setor do ensino. Ensinar o quê, se ainda tenho muito a aprender? Procurarei, daqui para a frente, ouvir mais do que falar, aprender mais do que emitir opiniões. Começo a entender por que estou aqui.

– Ótimo, Maurício. Mas, como eu dizia, levarei muitas saudades daqui e creio que o mesmo acontecerá com você. Tenha em mim mais um amigo do que um supervisor. Afinal, estamos no mesmo barco e um precisa dar as mãos ao outro. Vamos, agora, conhecer o posto?

Ambos saíram da casa e caminharam por um corredor aberto até um edifício de quatro andares. Ali entrando, Arcanjo começou a lhe mostrar as dependências e a apresentar os trabalhadores.

– Aqui é a recepção e esta é Hortência, que recebe

a todos com um sorriso angelical. Mas não é só isso, ela também nos fornece tudo de que possamos necessitar nas atividades que executamos, como, por exemplo, remédios que tenhamos de administrar aos assistidos.

Hortência sorriu e apresentou-se, falando um pouco sobre o seu trabalho. Em seguida, Arcanjo levou Maurício para um corredor no térreo onde havia várias portas, umas abertas, outras fechadas.

– Quando chegam os socorridos, é feita a triagem nesta sala, e, em seguida, eles são transferidos para o local onde deverão permanecer. Pode ser aqui mesmo no térreo ou nos andares superiores. Aqui no térreo e no primeiro andar, ficam os casos mais graves. Os demais, de acordo com a gravidade de cada caso, seguem para os andares superiores. Selena é quem faz a triagem. Ela foi uma experiente médica de pronto-socorro na Terra.

Feitas as apresentações e Maurício conhecendo um pouco mais do trabalho da médica, seguiram para o primeiro andar.

– Aqui ficam os casos mais graves. Você começará a conhecer os seus ocupantes amanhã. Quem cuida deste setor é Letícia, que tem uma experiência muito grande nesta área. Agora ela está fazendo as visitas. Amanhã você poderá conhecê-la. A cada andar que subimos, os casos vão se tornando menos graves.

– Quais são as suas funções aqui, Arcanjo?

– Faço a supervisão geral de todos os andares.

– E eu, o que vou fazer? Onde vou trabalhar? – perguntou Maurício com ansiedade.

Arcanjo pousou as mãos sobre os ombros de Maurício com um sorriso amigo:

– Você vai trabalhar no térreo e no primeiro andar, fazendo o mesmo trabalho que eu fiz quando cheguei: auxiliar um obreiro experiente. Eu sei que você está se perguntando: "Mas o que exatamente eu vou fazer?". Pois bem, amanhã cedo apresentar-lhe-ei Letícia, que lhe dirá e mostrará cada detalhe do que você executará neste posto e fora dele.

– Fora dele?

– Maurício – disse Arcanjo com um largo sorriso –, você nunca deixará de ser filósofo. O filósofo está sempre a perguntar, não é mesmo? Dizem que filosofia é questionamento.

– Questionamento radical – completou Maurício também rindo.

– Rigoroso e abrangente – acrescentou o supervisor.

– Arcanjo, não me diga que você também é filósofo!

– Não, Maurício. Mas gosto também de estudar essa disciplina tão importante, que tanto nos ajuda a tecer argumentos sólidos e racionais nas mais diversas circunstâncias. Entretanto, quem pergunta quer resposta, certo? Pois bem, quando eu falei que você executará igualmente trabalhos fora deste recinto, quis dizer que acompanhará as caravanas de socorro. Estamos numa localidade próxima à crosta terrestre. Daqui partem para as regiões umbralinas caravanas socorristas, que seguem em auxílio dos espíritos que ali se encontram em grande sofrimento e que, despindo-se do egoísmo e da arrogância, rogam a misericórdia divina. Esses espíritos são trazidos para cá e começam a fazer parte dos nossos assistidos.

– Entendi. E eu acompanharei essas caravanas para ter uma visão completa dos trabalhos aqui realizados?

– Mais que isso: para aprender com o sofrimento alheio e para usar esse aprendizado em seu benefício e em benefício dos semelhantes.

Estavam encerradas as primeiras orientações. Arcanjo conduziu Maurício até o alojamento e o deixou sozinho. Ainda nesse dia, ele conheceu Selena, que o recebeu como uma mãe acolhe seus filhos. Foi para ele um momento emocionante, pois se lembrou da sua genitora, que nunca mais pudera enxergar. Lendo os seus pensamentos, Selena lhe disse com muito carinho:

– Maurício, sua mãe está atenta a todos os seus passos. Se ela não se faz visível, como você gostaria, isso não significa que o tenha esquecido. Cada um de nós, na espiritualidade, tem os seus afazeres, as suas responsabilidades e habita o plano que merece. Ela está num plano superior e não pode deixá-lo apenas para satisfazer os caprichos do seu filho. No entanto, ela foi taxativa ao dizer-me para cuidar de você como se fosse o meu filho. E eu procurarei seguir a orientação que me deu, com fidelidade e desvelo.

Nesse momento, Maurício deixou de ser o adulto, o professor, o filósofo, e sentiu-se como um menino, que ficou muito tempo sem ver a mãe e agora se encontra com ela, recebendo todo carinho e amor. Lágrimas verteram dos seus olhos, e Selena o abraçou com o manto que trazia sobre os ombros, acalentando-o compassivamente.

Ao cair da tarde, passeou com Arcanjo pelos arredores do prédio e, à noite, voltou para o alojamento, sentindo um torpor por todo o corpo, que o levou a um sono profundo e reparador.

Na manhã do dia seguinte, ele foi acordado por Arcanjo, que lhe passou algumas orientações e pediu que se dirigisse ao térreo a fim de conhecer Letícia. Apreensivo, foi até o local indicado e uma jovem o recebeu afavelmente, perguntando:

– Então, você é Maurício? Seja bem-vindo. Estávamos precisando de alguém como você para nos auxiliar nas atividades do Posto 1. O trabalho é árduo, mas compensador. Arcanjo me pediu para mostrar tudo a você e explicar detalhadamente o que fazer. Está preparado?

Maurício teve vontade de dizer "não", pedindo mais tempo para recompor-se e aparelhar-se emocionalmente. Mas, quando se deu conta, já havia respondido:

– Sim, estou.

– Nada melhor do que aprender vendo e fazendo. Assim, mãos à obra.

Letícia explicou-lhe primeiro que Posto 1 eram chamados o térreo e primeiro andar, onde se encontravam os enfermos que inspiravam maiores cuidados.

– Posto 3 é o quarto andar, onde estagiam aqueles que já se preparam para deixar esta casa, e Posto 2 é o nível intermediário, que fica no segundo e terceiro andares.

Entraram no primeiro quarto e Maurício, assustado, viu um corpo totalmente envolto num tecido branco, tendo apenas o rosto descoberto. Entretanto, esse rosto era disforme e não apresentava nenhuma emoção, o que o fez se lembrar de uma escultura feita por um aprendiz sem muita habilidade. Parecia dormir, porém, diante dos passos dos que entravam, abriu desmesuradamente os olhos, retorceu a boca de modo exagerado e lançou um grito de pavor, que fez Maurício estremecer. Em seguida, ficou grunhindo frases ininteligíveis. Só então ele notou que Letícia levava na mão um objeto arredondado com uma espécie de haste, que levou aos lábios daquele ser monstruoso. Observou que a pessoa sugava lentamente o líquido que lhe era ministrado e, à medida que o tempo passava, deixava de emitir sons guturais para acalmar-se, até voltar ao estado letárgico que apresentava ao entrarem no quarto.

– Ele ainda não fala. O seu linguajar é incompreensível, mas, passado maior tempo, terá oportunidade de se fazer entender e receberá novo tipo de atendimento, sendo transferido do Posto 1 para o Posto 2. Observe cada caso com o qual se deparar sem medo e sem asco. Em nosso trabalho, o carinho, a dedicação e o amor são fundamentais. As suas tarefas iniciais em Auxílio Divino serão apenas de observar e portar os remédios que eu lhe solicitar. Mas, apesar de simples, é um trabalho que só pode gerar bons frutos se for feito com a fraternidade que exige dos auxiliares. Pode pedir-me as explicações que se fizerem necessárias, mas pergunte apenas o que for indispensável para o seu entendimento e para o seu aperfeiçoamento íntimo. Deixe de lado qualquer indagação feita somente por curiosidade vulgar.

Maurício sentiu-se gelado. Nunca pensara em realizar um trabalho desses. Não se sentia à vontade para executá-lo nem sequer se achava habilidoso para isso. Como poderia dar carinho a um ser que lhe inspirava medo? Como se dedicar a ele? E, pior ainda, de que modo amá-lo como um irmão? Se esses eram requisitos básicos, como lhe dissera Letícia, certamente não se achava dentro do perfil de um auxiliar do posto de socorro.

– Maurício – disse-lhe Letícia, com um sorriso que o deixou mais à vontade –, não se preocupe se você está ou não dentro do perfil exigido para um trabalhador da nossa casa. Apenas tenha, inicialmente, a tranquilidade suficiente para poder observar atentamente cada assistido. Por mais aversão que seus aspectos possam sugerir, eles não passam de almas que necessitam do nosso apoio para poderem dar alguns passos além e saírem dessa situação lamentável em que se encontram. Estamos aqui fazendo o papel de tábuas de salvação. Se conseguirmos cumprir com esse requisito, nossas tarefas terão sido executadas condignamente.

– Desculpe-me, Letícia, mas diante deste espírito, senti-me muito mal e, francamente, tive vontade de pedir para deixar este posto e voltar para a casa de repouso, de onde vim.

Letíca sorriu novamente e, olhando Maurício nos olhos, confessou:

– Tive a mesma reação quando fui introduzida no Posto 1. O meu desejo era sumir o mais rápido possível. Fui conversar com Rafael, pedindo-lhe, em prantos, que me tirasse daqui, pois não conseguiria realizar o trabalho que me haviam passado. Com a tranquilidade e a bondade que lhe são características, ele me acariciou os cabelos e respondeu mais ou menos o seguinte: "Letícia, minha filha, na Terra você foi supervisora numa indústria química, não é verdade? E quando deixou de ser apenas química para supervisionar uma área restrita da empresa, qual foi a sua reação?". Respondi-lhe que fiquei apavorada, pois nunca supervisionara o trabalho de ninguém. Mas, com o passar do tempo, as orientações e o treinamento recebidos, fui perdendo o medo e me dando bem com o novo trabalho, até o ponto de me sentir completamente à vontade e agradecida pela promoção que recebera. "O mesmo acontecerá aqui", respondeu-me. Hoje, realmente, sinto que fui promovida ao poder me dedicar a este serviço santificado, e o faço com muito amor, pois os assistidos, por mais que pareçam estranhos a mim, são, na verdade, irmãos pedindo socorro, que eu não posso negar sem negar a mim mesma. Não se desculpe. Apenas dê tempo ao tempo. A sua reação vai mudar e chegará o dia em que agradecerá aos que o enviaram até aqui. Creia no que lhe estou dizendo.

Maurício ficou sem jeito e sem vontade de reclamar mais. Continuou acompanhando Letícia na visita aos assistidos e, embora ainda se assustasse com o aspecto de alguns deles e com os trejeitos que manifestavam nos olhos e na boca, fez um esforço muito grande para não se afastar. Se ainda não podia amá-los, ao menos poderia suportar a sua presença. Com Letícia visitou todos os quartos e ajudou a ministrar o lenitivo àqueles seres que jamais imaginara existir na espiritualidade. À noite, no alojamento, conheceu outros trabalhadores e notou que todos estavam alegres e se sentiam bem com as atividades que ali realizavam. Quanto a ele, ainda se sentia frustrado por não poder exercer o magistério, como era seu desejo.

Na manhã seguinte, quando se encontrou com Letícia, ficou sabendo que acompanharia outro servidor: Romualdo. Tratava-se de um senhor com cerca de sessenta anos. Maurício simpatizou com ele, pois era alguém que irradiava alegria e procurava fazer de tudo para agradar-lhe.

– Maurício, sei que você não gostou do trabalho que acompanhou ontem. Ainda vai gostar, tenho certeza, mas, de qualquer modo, o de hoje é diferente. Ele requer duas coisas fundamentais: além do amor, a paciência para escutar.

– Pelo visto, todas as tarefas aqui desenvolvidas exigem amor, não é mesmo, Romualdo?

– Não é somente em relação às tarefas aqui realizadas. Em todo lugar e em quaisquer circunstâncias, o amor é essencial. Pense numa sala de aula. Dá para ser um bom professor sem amar a profissão?

– De jeito nenhum. O magistério não é um negócio.

– E ainda que o fosse, também exigiria amor para ser bem executado.

– Você tem razão.

– E dá para lecionar bem sem exercer o amor fraterno pelos alunos?

Maurício levou uma pontada no peito. Não esperava por esse tipo de conversa. Margarida já lhe abrira os olhos em relação a esse fato, mas ele se esquecera. O tempo todo em que cogitara lecionar na espiritualidade, pensara no planejamento das aulas e no desempenho técnico que deveria ter diante da classe de alunos, mas se esquecera por completo deles. Lembrou-se da frase que dissera certa vez, num ímpeto de raiva: "Lecionar é bom, o que estraga são os alunos". Adélia rira tanto que ele ficara envergonhado. Agora, parecia-lhe que, se não pensava mais desse modo, pelo menos tinha ignorado os alunos, como se o mais importante fosse o desempenho dele diante de todos.

– Romualdo, quero confessar-lhe que, na minha última encarnação, nunca pensei nesses termos. Preocupei-me muito comigo mesmo e me esqueci dos alunos. Cheguei mesmo a vê-los como um empecilho ao meu magistério.

– Eu sei disso, Maurício. Mas e agora? Se você tivesse sido escolhido para lecionar numa colônia, sentiria os alunos como irmãos?

O diálogo ficara desconfortável para Maurício. Mas tinha de enfrentá-lo, pois percebera que Romualdo apenas estava querendo ajudá-lo. Foi assim que, cabisbaixo, respondeu com sinceridade:

– Não, Romualdo. Eu não os estaria sentindo como irmãos. Para mim, os alunos estão abaixo do professor. Aliás, sempre gostei de um pedestal. Não para enxergá-los melhor, mas para deixar claro o desnível entre nós.

– Não estou dizendo isto para você se envergonhar. Quase todos que aqui servem, quando chegaram, detestaram o trabalho. Entretanto, depois que realmente tomaram contato com ele, não queriam mais ir embora. A maioria pensou em atividades completamente diferentes e se frustrou ao dar entrada neste posto de socorro. No entanto, quando esses trabalhadores tiveram a oportunidade de refletir sobre o desempenho que teriam no trabalho pelo qual ansiavam, chegaram à conclusão de que, antes de executá-lo, teriam mesmo de passar por esta escola de vida. E quando deixaram este posto, eram pessoas bem diferentes de quando entraram, podendo exercer a contento quaisquer outras atividades. Não se vai para a universidade sem ter passado pelo colégio, não é verdade? Eu também estou cursando o ensino médio para, amanhã, talvez, fazer o meu curso superior.

Essa era a conversa de que Maurício estava necessitando. Foi exatamente nesse ponto que ele se deu conta de que, realmente, não poderia ter sido escolhido para lecionar. O que estava mesmo precisando era aprender. Com lágrimas nos olhos e um gesto de humildade verdadeira, agradeceu a Romualdo e se dispôs a segui-lo para os quartos do Posto 2. Ele teria a oportunidade de entrar em contato com os assistidos que já haviam deixado aquele estado quase letárgico dos ocupantes do Posto 1, onde somente se ouviam os grunhidos ou, de quando em quando, os gritos lancinantes de dor e desespero.

– Os que aqui estagiam – disse Romualdo – ainda estão presos a toda problemática vivenciada em sua última encarnação. Muitas vezes, nem nos veem e noutras querem apenas exteriorizar as dores que armazenam no peito. Foi por essa razão que lhe disse serem necessários o amor fraterno e o desejo sincero de escutar para poder oferecer o lenitivo de que necessitam. Não os veja como doentes apenas, mas como irmãos enfermos. E os trate exatamente como seus irmãos. Trate-os como gostaria de ser tratado se estivesse na situação deles.

Quando a primeira porta foi aberta, Maurício viu no leito uma velhinha de rosto macerado, cabelos muito brancos e olhos pretos, quase ocultos em meio às rugas que tomavam conta da sua face. Logo que notou a presença dos servidores, fixou o olhar em Maurício e, entre lágrimas, começou a dizer em voz alta:

– Wilson, meu filho. O que você veio fazer aqui? Já não chega tudo de ruim que me causou? Não está satisfeito em despojar-me de tudo o que eu possuía? Não lhe bastou deixar-me assim prostrada, doente e quase sem vida? Quer prejudicar-me ainda mais? A sua ânsia de destruição é maior do que eu pensava? O que você veio fazer aqui, Wilson? Por que esse ódio insano contra a sua mãe? Por acaso não cumpri com todos os meus deveres de mãe extremada? Diga alguma coisa. Não fique aí rindo da maldição que caiu sobre mim. Fale alguma coisa, filho, fale!

Maurício ficou sem ação. Dizer o quê? Não sabia de que se tratava. Desconhecia por completo aquela senhora que o interpelava. Olhou para Romualdo, esperando uma orientação.

– Continue em silêncio, Maurício. Deixe que ela se expresse e preste muita atenção em suas palavras. Ela o confunde com o filho que esbanjou a sua fortuna quando se tornou viúva, deixando-a morrer à míngua, num manicômio, onde nunca foi visitá-la. Falarei mais sobre ela, mas agora é melhor escutá-la.

A senhora ergueu-se um pouco, ajeitando-se na cama e prosseguiu:

– Eu não esperava a sua visita. Não mesmo. Afinal, quando estava no asilo de loucos, nunca pude ver o seu rosto. Lá, eu sofri muito. Quantas e quantas vezes eu olhava para o portão de entrada esperando ver o seu carro chegar, limpo e lustroso, como você costumava deixá-lo. Ficava, às vezes, da manhã até à noite aguardando ouvir os seus passos e as suas palavras, envoltas num largo sorriso: "Oi, mãe! Tudo bem?". Mas nunca os meus ouvidos tiveram a felicidade de escutar a sua voz no meio do alarido daquelas pessoas ensandecidas. Aos poucos, a esperança de revê-lo foi ficando para trás e eu me vi perdida sem nenhum caminho para seguir. De início, eu rezava muito. Pedia a Deus para trazê-lo até mim, libertando-me daquele ambiente sufocante e devastador. Mas, se a esperança é a última que morre, um dia ela morreu também. E eu perdi a ilusão de tê-lo ainda, uma vez que fosse, em meus braços enfraquecidos pela inanição. Você não sabe o que é perder a esperança, Wilson. É pior que morrer. Eu queria desaparecer, perdendo todas as emoções, sentimentos e a própria noção de mim mesma. Fui condenada a sofrer por toda a eternidade a ingratidão e o descaso de um filho sem coração. E assim fiquei até ser lançada num vale escuro e frio, onde outras almas corroídas pela dor lançavam seus uivos insanos pela imensidão dos céus de um negrume aterrador. Ali vagueei como cega, apalpando as rochas e os cardos que ladeavam as vielas de pedras pontiagudas. Os vultos que em mim esbarravam pareciam não me ver, presos que estavam nos laços corrosivos da sua dor pungente. Ouvia os brados agudos de esposas lançadas na miséria por maridos inescrupulosos, que haviam subtraído os seus haveres para repartirem com outras os frutos da sua rapinagem. Escutava os clamores de maridos, cujas esposas, traindo a sua confiança, haviam se lançado em aventuras irresponsáveis, deixando para trás um rastro de dor, decepção e inconformismo. Foi assim que vivi por muitos anos, não consigo saber quantos. De tanto vaguear sem rumo, caí um dia abatida pelo sofrimento atroz e, pela primeira vez, não blasfemei contra Deus, mas clamei por sua misericórdia, pois já não sabia mais o que fazer. Lembro-me de que chorei muito e pedi perdão por não ter desejado antes a sua compaixão suprema, perpetuando-me em insultos contra o seu amor por mim. Confesso, filho, que não sei de onde me veio esse desejo de perdão e auxílio inconcebíveis no meu coração desgostoso e desesperançado. Mas, quando assim agi, pela primeira vez em tanto tempo, consegui repousar e adormeci com o rosto voltado para a areia fria daquele deserto glacial. Parece ter levado muito tempo para que eu pudesse acordar, ainda em estado sonolento. Mas me dei conta de que já não estava nas brumas escuras da solidão. Corações caridosos velavam por mim. Não conseguia falar nem tinha noção exata do que acontecia, mas o simples fato de ter saído daquele lugar de horrores já era, para mim, um lenitivo inesperado. Hoje, aqui estou, curtindo o amargor que você me deixou na boca. Portanto, Wilson, não sei o que veio fazer aqui. Mas se tem um mínimo de respeito por mim, desapareça para sempre da minha vida. Não quero vê-lo nunca mais, serpente assassina. E nunca o perdoarei por ter inutilizado a minha vida. Saia daqui, víbora infame! Saia daqui! Saia...

A senhora espumava um líquido escuro da boca, seus olhos pareciam sair das órbitas, seus braços gesticulavam e suas mãos queriam atingir o rosto de Maurício que, lívido, olhava atemorizado para Romualdo.

– Tranquilize-se, Maurício. A nossa irmã precisa de muito cuidado e compreensão. Dirija-lhe vibrações de paz, tranquilidade e amor, enquanto lhe aplico um passe reconfortante.

Romualdo, com ajuda de Maurício, fez com que a senhora, agora desfalecida, deitasse confortavelmente e aplicou-lhe o passe.

– Este é um exemplo típico dos assistidos do Posto 2 – disse Romualdo. – Todos estão ainda muito vinculados aos problemas terrenos que não conseguiram solucionar a contento. Mércia, este é o seu nome, não sabe que deixou o invólucro terreno e chora pela fortuna que seu filho lhe surrupiou, deixando-a na miséria e no abandono completos. Após conseguir o seu intento, ele abandonou também a esposa e os dois filhos. A esposa sofreu muito, mas, depois de algum tempo, conseguiu emprego e ajeitou a sua vida. Hoje, está aposentada, novamente casada, e seus filhos, já moços e também casados, dão-lhe o afeto que ela merece pelo sacrifício que fez em favor deles. Já Wilson, sofre no lar o desamor da sua companheira, que se dedica apenas a esbanjar o dinheiro que ganhou fácil. Os dois filhos que tiveram já estão casados, morando um nos Estados Unidos e outro na França. A velhice de Wilson, que já se faz presente, é calcada no isolamento e na doença. O que hoje ocorre é fruto do livre-arbítrio mal utilizado por Wilson. Tudo não passa da execução da lei de ação e reação, que se sintetiza na afirmativa do Divino Mestre: "A cada um segundo as suas obras". Esta lei fundamenta-se na justiça cósmica de igualdade absoluta para todos. Ninguém se exime dos seus efeitos. Não há privilégios nem favoritismos. Quando a nossa ação é boa, adquirimos o mérito do bem, e quando é má, colhemos os frutos amargos, cujas sementes tenhamos plantado anteriormente pela nossa má conduta. Não se trata, portanto, de castigo, mas apenas do cumprimento da lei. Lembre-se sempre de que todo dano que causarmos a nós mesmos ou a outrem nos trará consequências inevitáveis no trajeto de nossas existências. Por outro lado, qualquer benefício que porventura viermos a fazer, também ocasionará méritos e benefícios correspondentes em nossa vida, mesmo que os beneficiados respondam com a frieza da ingratidão.

Maurício teve muito em que pensar nessa noite. Outros assistidos da casa também lhe ofereceram material para meditação e autoanálise. No terceiro dia, foi apresentado a Heliodoro, responsável pelas atividades do Posto 3, situado no quarto andar do prédio. Explicou-lhe o trabalhador que ali estagiavam aqueles que já se preparavam para deixar o posto de socorro, dado que haviam atenuado grande parte dos males que traziam de sua última encarnação. Dali, seguiriam para um hospital, como a casa de repouso em que ficara Maurício por algum tempo. Depois da explicação, feita com paciência e bom humor, Maurício foi conduzido aos assistidos. Num dos quartos, após as apresentações costumeiras, pôde escutar as palavras de Madalena, uma jovem na casa dos vinte anos:

– O senhor vai trabalhar aqui?

– Sim, mas pode chamar-me apenas pelo meu nome.

– Não deve ser fácil ficar ouvindo os lamentos dos que aqui se encontram, não é mesmo?

– Estou começando agora, Madalena, mas o que tenho escutado tem me servido para benéficas meditações.

– Digo isto porque cada um de nós, assistidos, traz, com certeza, muitas mágoas no coração ou muito remorso na alma. No meu caso, alimento ainda amargor, tristeza, raiva e decepção, que me corroem por dentro. Sinto também muita dor no peito, onde recebi a bala mortal.

– Você foi assassinada?

– Fui. Mas não merecia. Não agi no sentido de receber esse gesto infame e covarde por parte do meu ex-namorado. Eu sempre fui fiel, fiel até demais, pois ele vivia atrás de outras garotas da cidade e eu nunca olhei para outro rapaz. Eu vivia no interior de São Paulo. Era estudante e trabalhava num escritório de contabilidade. Cursava o segundo ano de Letras. Meu sonho era ser professora de português. Entretanto, meu namorado não concordava. Seu pai era proprietário de uma grande loja da cidade, de modo que o seu futuro também já havia sido planejado. Ele era gerente, mas, com o tempo, herdaria a loja. E, por esse motivo, dizia que daria conta da parte financeira do nosso lar. É claro que houve muitas discussões entre nós. A separação foi inevitável. Mas, no seu machismo, ele a considerou uma afronta à sua pessoa, dizendo que mulher nenhuma tinha o direito de rejeitá-lo, justamente ele, um dos partidos mais cobiçados da cidade. Continuei cursando a faculdade, mas sempre temendo a represália que ele jurara fazer, assim que eu arrumasse outro namorado. Esperei que ele começasse a namorar sério, o que ocorreu seis meses depois. Mesmo assim, só comecei a namorar depois de um ano do nosso rompimento. O rapaz era um colega de faculdade. Fazíamos planos a respeito da nossa vida futura, eu como professora universitária, ele como advogado. Passados três meses do nosso namoro, achei que já estava livre das ameaças que recebera. Mas o meu antigo namorado apenas esperava o momento certo para pôr em ação o que maquinara sordidamente em sua alma. Foi assim que, numa noite em que saíamos da faculdade, eu e meu namorado, ele surgiu diante de nós, de arma em punho. Não havia ninguém próximo a nós, no estacionamento da própria faculdade, que ficava um pouco afastado dos prédios. Valendo-se disso, ele apenas disse: "Eu avisei você, rameira desgraçada. Por que arrumou outro homem? Não consegue viver sem um macho a tiracolo? E você, bobalhão? Pensa que é muito homem? Pois você vai ver agora. Se ela não pode ser minha, também não será de ninguém". E, sem mais palavras, atirou três vezes em mim e duas no meu namorado. Em seguida, para simular assalto, pegou a minha bolsa e a carteira do meu namorado e esgueirou-se por uma brecha que havia no muro, saindo rapidamente em direção ao seu carro, estacionado em rua próxima. Ninguém ficou sabendo quem fora o assassino. Para a polícia, foi simplesmente um assalto, dadas as características do crime e o álibi forjado inteligentemente pelo assassino. Apesar do delito cometido, ele continuou solto e até se casou, vivendo em meio à fartura durante toda a sua existência. É verdade que na velhice, já viúvo, o remorso tomou conta do seu coração e ele não teve paz até seus últimos dias. O abatimento da consciência pelo erro cometido foi tão grande que ele perdeu o juízo, sendo internado pelos filhos em uma casa de repouso especializada no tratamento de doentes mentais.

– Esse foi o fruto que ele colheu pela ação funesta que praticou, não é mesmo?

– Pode ser, mas não foi o suficiente. Afinal, ele acabou com duas vidas que estavam ainda florindo. Quantos sonhos ele ceifou com seu gesto traiçoeiro. Ele merece o fogo do inferno, o fogo do inferno... Por toda a eternidade!

É isso que eu sinto e é isso que eu quero, Maurício. Heliodoro fala-me sempre da necessidade do perdão para o meu reequilíbrio. Mas não é fácil perdoar quem acabou com a nossa vida e os nossos sonhos. Penso muito em Narciso, meu namorado, com quem iria constituir família, se não fosse a vingança que se consumou sobre nós.

– Quando você e ele estiverem bem, o encontro será possível – interveio Heliodoro. – E para que vocês estejam bem, o perdão é imprescindível. Assim, o tempo exato para que vocês possam se reencontrar está na razão direta do tempo necessário para o perdão. Continue fazendo as leituras que lhe indiquei e medite seriamente sobre elas.

– Obrigado, Heliodoro. Continuarei a me esforçar para expulsar esse sofrimento do meu íntimo e transformá-lo em perdão e amor. Apesar de todas as dúvidas que me assaltam constantemente, tenho esperança de que, um dia, conseguirei o que me parece impossível agora.

Maurício visitou outros pacientes naquele dia e notou que havia, de fato, em relação ao estado dos internados, uma hierarquia, que ia desde os casos mais graves do Posto 1 até os de menor intensidade, no Posto 3. Ainda com grande ansiedade, pois só havia acompanhado os trabalhadores, sabia que dali para a frente teria de colocar mãos à obra, atuando como eles. A expectativa era grande e o medo de fracassar não era menor. Pediu a ajuda a Arcanjo, que em tom de amizade sincera, respondeu-lhe:

– Você se saiu muito bem, nesta primeira semana em

Auxílio Divino. Posso dizer que superou as expectativas, pois soube escutar e, quando se expressou, mesmo sem o conhecimento e a experiência dos servidores, conseguiu incentivar os assistidos a rever as suas posições diante da vida. Entretanto, o seu trabalho inicial não será com aqueles que já se expressam com certa facilidade, mas com os que ainda têm de desabrochar neste canteiro de sofrimentos. Você atuará inicialmente junto aos assistidos do Posto 1.

Maurício prometeu a si mesmo fazer o que lhe era proposto. Os próximos dias seriam fundamentais para o excelente desempenho de suas novas tarefas. O desafio fora lançado, cabia-lhe agora ultrapassar os obstáculos e sair-se vencedor.

27

Um emprego inesperado

A GRAVIDEZ DE RENATA foi comemorada com muita alegria por toda a família. Os três primeiros meses correram normalmente, porém, em meio ao quarto mês, um problema deixou todos preocupados: surgiu um sangramento incomum, que poderia levar a maus presságios. A rápida intervenção médica fez estancar a perda de sangue, mas Renata teve de ficar em repouso, a fim de evitar qualquer complicação maior. Entretanto, um sério problema surgiu: quem poderia assumir o lugar de sua nora? Devido à faculdade, Adélia não poderia substituir Renata, mesmo que fosse por alguns meses. Ricardo sugeriu acionar imediatamente uma agência de empregos. No entanto, Adélia lembrou-se de Polidoro, que estava insatisfeito com o seu trabalho de detetive e resolveu antes conversar com ele. Se ele tivesse condições de aceitar o emprego temporário, ela ficaria mais segura, visto confiar na integridade moral do amigo. Convidou-o para ir até a loja e conversar melhor sobre a sua formação e a sua experiência profissional. Sabendo da intenção de Adélia, Polidoro sentiu-se temeroso, pois, se aceitasse o emprego, ainda que temporário, infalivelmente iria se encontrar com Ricardo e, então, poderia ser desmascarado, perdendo o emprego e a amizade que tanto prezava. Pensou muito antes de ir à loja, vendo-se entre duas alternativas: alegar muito trabalho como detetive e não aceitar a oferta ou aceitar, mas contar tudo o que ocorrera alguns meses atrás, quando investigou a vida de Adélia. Nesse caso, além de estar agindo de modo antiético com seu cliente, também poderia perder o emprego e ter a amizade rompida. A situação não era fácil, mas, diante da necessidade de optar rapidamente, foi ao encontro em casa de Adélia com a decisão tomada.

– Você sabe, Adélia, estou mesmo insatisfeito com o meu trabalho e seria um prazer ajudá-la na gerência da loja por alguns meses, pois já fui, tempos atrás, gerente de uma loja de eletrodomésticos, entretanto, estou com muitos casos em andamento e não poderia abandonar meus clientes. É com dor no coração que sou obrigado a recusar.

Adélia, mesmo contrafeita, aceitou a decisão de Polidoro e convidou-o a tomar um chá em sua casa, alegando que, ao conversarem, poderiam ter alguma boa ideia. O detetive aceitou e, enquanto Adélia esquentava a água, ligou para um cliente, a fim de resolver um assunto sobre a investigação que vinha fazendo. Estava entretido com a conversa, quando a campainha tocou.

– É meu filho – disse Adélia. – Pedi que viesse até aqui para conhecê-lo.

Polidoro empalideceu. Pensou em sair, alegando qualquer problema, mas, de qualquer modo, depararia com Ricardo. O que fazer?

– Que bom você ter vindo, filho. Como está Renata?

Sem saída, Polidoro segurou firme na poltrona em que estava sentado e resolveu pôr fim àquela situação constrangedora, mesmo sob a pena de perder a amizade de Adélia ou, até mesmo, ser escorraçado daquela casa.

– Quero que você conheça o meu amigo que, infelizmente, não pode aceitar a oferta do emprego temporário.

Ricardo entrou na casa e dirigiu-se ao centro da sala. Ao deparar com Polidoro, também empalideceu, deixando escapar a palavra que o traiu:

– Polidoro!

– Vocês se conhecem? – perguntou Adélia.

– Bem... Eu... Nós...

Se Ricardo gaguejou, Polidoro engoliu em seco e não disse palavra. Adélia, estranhando aquela situação constrangedora para o filho e o amigo, perguntou desconfiada:

– Ricardo, o que está acontecendo aqui?

– Conhecemo-nos em alguma reunião. A senhora sabe que participo de muitas.

– Esqueceu-se de que sou sua mãe? Eu sei muito bem quando você está mentindo. Diga-me a verdade.

– Mãe, eu não sei...

– Não sabe o quê? Há algo estranho aqui e eu exijo uma explicação.

– Mãe, não sei o que dizer.

Ricardo, sempre senhor de si, estremeceu diante da mãe e ficou completamente apalermado. Caiu em si, como nunca antes, sentindo-se um monstro por ter tido a ideia de colocá-la sob investigação. Envergonhado, acovardado, e sem encontrar palavras para contar a verdade, pediu que Polidoro contasse tudo. Instado a abrir-se diante de Adélia, o detetive achou melhor pôr para fora tudo que lhe ia na alma. Quanto às consequências, deixaria nas mãos de Deus.

– Direi tudo, dr. Ricardo. Era o que eu mais queria fazer. Se até hoje me calei, foi pelo comportamento ético que sempre tive diante dos meus clientes. Eu ia mesmo procurá-lo para conversarmos a respeito. Só não sabia ainda como fazê-lo, de modo que me sinto aliviado por poder abrir-me diante de sua mãe.

– Diga logo, Polidoro. Estou aflita por não saber ainda de que se trata.

– Adélia, os seus filhos e familiares têm um carinho especial por você.

– Você os conhece também?

– Não tive esse prazer. Só conheço pessoalmente o dr. Ricardo. Mas, pela solicitação que me fez, pude aferir o quanto você é amada por todos eles.

– Então, qual é o problema?

– Quando você ficou viúva, eles quiseram que fosse morar com algum deles, para que pudessem cuidar melhor da sua pessoa. No entanto, você achou melhor ficar em sua própria casa. Aqui se sentiria mais à vontade e não daria trabalho a ninguém. Entretanto, os meses foram passando e seus familiares temeram por sua segurança. Talvez você não saiba, mas há marginais especializados em se aproximar de viúvas com a única finalidade de tirar-lhes tudo o que possuem e depois partirem para outra. Daí a importância de proteger quem está passando pela difícil situação da viuvez. Foi com essa intenção, de elevada estima por você, que...

– Não me diga que...

– Sim, Adélia, foi com essa intenção honesta de protegê-la que o dr. Ricardo me procurou e solicitou os meus serviços.

– E qual foi exatamente esse serviço? Diga você, Ricardo, que ficou mudo de uma hora para outra.

– Polidoro foi muito feliz e sincero no que disse, mãe. Eu, a Luísa, Renata e Pascoal ficamos realmente muito preocupados com a sua segurança, com a sua vida. E achamos que seria fundamental que alguém verificasse se nenhum estranho estava procurando a sua amizade para subtrair-lhe depois tudo que a senhora possui.

– Se você quer ser mesmo sincero, filho, diga que vocês estavam querendo saber se eu tinha pretensões de casar-me novamente. É ou não é verdade?

– Bem... Tem razão, mas o que estava por trás disso era a sua segurança. Não queríamos vê-la como vítima de alguém inescrupuloso, que se aproximasse da senhora apenas com o intuito de dilapidar o seu patrimônio.

– Era isso mesmo ou tudo não passava de ciúmes de filhos imaturos e mimados?

– Para ser sincero, houve ciúme, sim. Mãe, nós gostamos muito da senhora, assim como gostávamos muito do nosso pai, e não queríamos vê-la com outra pessoa.

– Quer dizer que não importava a vocês se eu estava ou não sofrendo a solidão, o que era importante era que eu não fosse motivo de ciúmes?

– A senhora está sendo dura conosco.

– E vocês? Também não estiveram? Ou estão, não sei bem?

Ricardo não tinha nem coragem de fixar os olhos na mãe. A sua arrogância habitual havia caído por terra. Queria estar em qualquer lugar da face da Terra, menos ali, a expor a sua fraqueza, ainda mais diante de Polidoro, que sempre tratara com frieza, distância e superioridade. Mas Adélia ainda não pusera totalmente para fora o que lhe ia na alma.

– Nunca pensei que vocês fossem capazes disso. Não lhes passou pela cabeça que estavam colocando sob suspeita a conduta moral de sua mãe? Que amor filial é esse, Ricardo? Gostaria que Luísa também estivesse aqui para expor o que realmente se passava na mente e no coração de cada um de vocês, inclusive de Renata e Pascoal. Pois bem, diga-me, então, a que conclusão chegou Polidoro. Aliás, gostaria que você mesmo me dissesse, detetive.

A palavra "detetive" soou como uma lança enterrada no coração de Polidoro, que também se sentia um traidor, embora na época não a conhecesse.

– A conclusão, Adélia, foi que você era uma pessoa de reputação impoluta e conduta ilibada, digna de todo respeito por parte de seus filhos, familiares e qualquer outra pessoa que tivesse relacionamento interpessoal com você.

– Quer dizer que se eu estivesse namorando algum senhor de respeito, mesmo assim a minha reputação estaria manchada?

– Da minha parte, a resposta é um sonoro "não".

– E da sua, Ricardo?

– Bem, mãe, nós achávamos, eu e Luísa, que era ainda muito cedo para qualquer tipo de relacionamento amoroso da sua parte. Não conseguíamos mesmo vê-la com outra pessoa, como já lhe disse. Mas ficamos tranquilos com a resposta de Polidoro, que foi como ele acabou de dizer. Hoje, entretanto, não pensamos mais em investigação. Aliás, agora que a senhora é amiga do detetive, não teria mais sentido que ele a investigasse. Desculpe-nos, mãe, não fizemos por mal.

Adélia, vendo o estado humilhante em que se encontrava o seu filho, sentiu compaixão em seu coração, apesar de ofendida com tudo o que ocorrera. Não poderia continuar com aquela cena degradante. Era preciso pôr um fim àquela situação.

– Está bem, Ricardo, eu os perdoo. Afinal, falamos tanto em perdão no Espiritismo, por que não perdoá-los agora? Quero apenas deixar registrado diante de Polidoro que aquilo que vocês fizeram foi uma ofensa nascida mais da imaturidade emocional, do ciúme, do que do amor filial. Mas, ponhamos um ponto final a esta cena constrangedora. Levante essa cabeça e venha dar um abraço em sua mãe.

Ricardo, com os olhos avermelhados, abraçou-a, pedindo sinceramente perdão pelo mal que lhe causara.

– Tenho certeza, mãe, de que este sentimento será o mesmo de Luísa quando conversar com ela, assim que sair daqui. E também de Pascoal e Renata que, aliás, nunca compactuaram muito com o nosso plano.

Polidoro, totalmente embaraçado, disse com voz sumida:

– Adélia, quero também me desculpar, pois fui o instrumento de tudo o que ocorreu.

– Só lhe faço uma pergunta: quando você conquistou a minha amizade, ainda estava a serviço dos meus filhos?

– Não, Adélia, o trabalho já havia terminado. O nosso encontro foi casual, se posso dizer assim, pois, como aprendi no Espiritismo, "nada acontece por acaso". Fiquei encabulado quando você foi indicada para ministrar-me as primeiras orientações sobre a doutrina. E quando ganhei a sua amizade, o constrangimento foi ainda maior. Estava ensaiando como e quando contar-lhe a verdade. A minha amizade é sincera, sem nenhuma segunda intenção. Respeito-a pela pessoa digna e íntegra que é. Devo dizer, a bem da verdade, que é difícil encontrar pessoas de moral tão elevada como essas que conheci entre os seus amigos. Mas, acima de todas, os meus respeitos e a minha admiração são por você.

– Assim sou eu que fico encabulada, Polidoro. Mas devo dizer que a recíproca é verdadeira. Fique tranquilo. O que você fez foi antes de me conhecer. Acredito na sua honradez e dignidade. Não tenho nada a desculpá-lo.

Mais algumas palavras e a vibração do ambiente mudou. Adélia voltou a sorrir, Polidoro tranquilizou-se e Ricardo foi se recompondo e participando da conversa, que tomou um rumo diferente. O chá foi servido e o assunto pelo qual o detetive fora convidado voltou à ordem do dia.

– Agora entendo por que você não queria aceitar a minha oferta. Mas não será também porque você não pode deixar os seus afazeres de detetive pelo tempo requerido?

– Permita-me, Adélia, que, antes de responder, faça um breve retrospecto da minha vida.

– Esteja à vontade.

– No início do meu curso de Direito, eu trabalhava como vendedor numa loja de eletrodomésticos. Quando o gerente se aposentou, o proprietário convidou-me para assumir a gerência. Trabalhei nesse cargo durante um ano, quando o dono veio a falecer. O seu filho, um promotor de justiça, resolveu fechar a loja, encerrando as suas atividades. Assim, vi-me desempregado de uma hora para outra. Sem saber o que fazer, li num jornal um anúncio sobre um curso de detetive particular e, criando mil fantasias em torno dessa profissão, resolvi fazê-lo. Tranquei a matrícula na faculdade, pensando retornar no semestre seguinte. O dinheiro para pagamento das mensalidades viria da minha nova profissão. Pois bem, terminado o curso de detetive, gastei todo o dinheiro da indenização para alugar e mobiliar uma sala, que seria o meu escritório. Como o começo foi muito difícil, durante muito tempo não me sobrou dinheiro para o pagamento da faculdade. Com o passar do tempo, aconteceu o contrário: surgiu muito trabalho e fiquei sem tempo para estudar. O resultado foi a desistência do curso de Direito e a dedicação plena às investigações. Fiz todo tipo de trabalho, mas o que mais fiz foi investigar a vida de maridos ou esposas, a fim de averiguar se estavam ou não envolvidos em adultério. Hoje, não consigo mais fazer este tipo de trabalho. Isto significa que, se o dr. Ricardo me solicitasse hoje o serviço que realizei envolvendo você, terminantemente, não aceitaria, ainda que não tivesse tido a honra de granjear a sua amizade. É verdade que ainda vivo do trabalho de investigação, mas não o realizo mais com o ânimo de outrora. Assim que puder, deixarei as atividades de detetive para executar outro tipo de trabalho.

– É claro que hoje tudo é informatizado e você teria de conhecer os programas utilizados em minha loja, mas a gerência não lhe seria estranha, dado que você já a exerceu, não é mesmo?

– Sim. E esse tipo de trabalho eu faria com todo entusiasmo e determinação.

Ricardo, que estivera apenas ouvindo, ao saber da intenção de Adélia, interveio:

– Mãe, você está convidando Polidoro para administrar a sua loja?

– Sim, ele cabe muito bem no perfil do profissional que eu necessito.

– Mas ele gerenciou uma loja muitos anos atrás e você sabe muito bem que as coisas mudaram. Ele é muito hábil para fazer investigações, mas não necessariamente para gerenciar o seu negócio. Tenho um profissional excelente que pode fazer esse serviço e gostaria que conversasse com ele.

– Você não se convenceu das qualidades de Polidoro?

– Sinceramente, não.

– Em que, exatamente, ele não se encaixa, levando-se em conta o perfil que lhe passei?

– É inexperiente e não vai se adaptar ao trabalho.

– Isso não é ciúme também, Ricardo?

– Ciúme do Polidoro?

– Talvez o dr. Ricardo tenha razão. Seria mesmo difícil a adaptação. Assim...

– Por favor, Polidoro, sente-se – disse Adélia com cortesia, mas também com firmeza. – Desconsidere o que Ricardo falou. Ele está magoado consigo mesmo, mas, em vez de enfrentar a sua vergonha, usa de um mecanismo de defesa, projetando em você a raiva que deveria dirigir a si mesmo.

– Mãe...

– Ricardo, você já recebeu o meu perdão. Não há mais o que remoer em seu interior e, muito menos, o que projetar em Polidoro, que foi um profissional honesto e cumpridor do trato que fez com você. Reconsidere as suas palavras e veja que o recomeço para Polidoro é mais importante do que o ciúme que ainda lhe corrói a alma.

– Bem, quero dizer que não sinto ciúme do Polidoro. Por que sentiria ciúme, mãe? Quanto a ele ter feito um trabalho honesto, concordo perfeitamente. Ele se mostrou um profissional ético e um homem de palavra. Já no que diz respeito a gerenciar a sua loja, a conversa é outra.

– Pois eu acredito que ele consegue fazer muito bem o trabalho. Não se esqueça de que ele terá a ajuda da vendedora mais experiente da loja, que aprendeu muito com Renata. E terá igualmente o meu apoio. Estarei lá durante o primeiro mês, durante todo um período, para fornecer todas as orientações necessárias.

– A responsabilidade é sua.

– Apenas uma pergunta: Quando você começou a trabalhar como advogado, sabia muita coisa?

– Teoricamente, sim.

– Refiro-me à prática.

– Não, eu tive de aprender praticando no escritório do dr. Simões Alcântara, a quem eu devo quase tudo que sei hoje.

– A mesma oportunidade que você teve ontem está a negar hoje a quem tem a mesma sede de realizações que você demonstrava ao iniciar sua carreira. E mais: Polidoro, daqui a poucos anos, estará se aposentando e eu gostaria que ele deixasse as suas atividades tendo orgulho do trabalho realizado, e não vergonha.

– A senhora me venceu, mãe. O cargo será ocupado por Polidoro, se ele aceitar.

Ricardo ainda se desculpou das palavras ásperas com que demonstrara sua desconfiança em relação à competência de Polidoro.

– E ainda uma coisa, Ricardo: eu e Polidoro somos

amigos e colegas de curso no centro espírita e gostaria que ele pudesse também ser amigo dos meus familiares, portanto, nada de "dr. Ricardo", como ele tem dito com muito respeito. Que seja apenas "Ricardo", com a mesma cortesia com que ele se dirige a você. Não é melhor assim?

– Mais uma vez, concordo. Chega de "doutor", apenas me chame de Ricardo.

– Obrigado pela gentileza. Assim o farei.

– Muito bem, parece que estamos nos entendendo, mas o principal ainda não ouvi: a sua resposta, Polidoro – disse rindo Adélia.

– Depois do que disse, devo acrescentar que, em aceitando, tudo farei para exercer condignamente as minhas funções. Dedicar-me-ei com todo empenho ao exercício das minhas atividades, de modo que vocês não se arrependam da escolha feita. Adélia, Ricardo, eu aceito e me sinto orgulhoso de poder contar com a consideração de vocês. Apenas peço que, no primeiro mês, eu tenha tempo para concluir três investigações que já se encontram na fase final.

– Se esse é o problema – disse Adélia, feliz pela resposta de Polidoro –, pode contar com o tempo que lhe for necessário.

O clima novamente tornou-se ameno, entretanto, uma dúvida persistia na cabeça de Ricardo, que perguntou:

– Mãe, o trabalho não é temporário?

– Sim. Até Renata poder reassumi-lo.

– Então, por que você falou na aposentadoria de Polidoro, como se ele fosse se aposentar como gerente da loja?

– A interpretação é sua, mas esta é uma grande ideia.

– E quando Renata voltar ao trabalho?

– Até lá, pensaremos numa boa solução. No momento, o mais importante é comemorarmos o ingresso de Polidoro em nossa loja.

– Agradeço, mais uma vez, a confiança em mim depositada. Contem comigo!

Terminada a reunião, e tendo Ricardo e Polidoro se retirado, Adélia ligou para Renata contando a novidade e dizendo que já sabia da investigação que fora feita sobre a sua conduta. Foi como tirar-lhe um peso da consciência. Ela se desculpou e procurou enfatizar a dedicação de Ricardo e Luísa. Feitas as explicações, Adélia ligou para Luísa que, diante da revelação, ficou muito constrangida e envergonhada. Pediu mil perdões à mãe, que lhe disse já não estar mais pensando no caso, tendo ligado apenas para a filha ficar mais à vontade. Pascoal, ao tomar conhecimento das notícias, sentiu-se aliviado por não ter terminado mal toda aquela "palhaçada", como ele dizia. Entretanto, sabendo que Polidoro iria trabalhar na loja, predispôs-se a ensinar-lhe tudo o que fosse necessário sobre os sistemas informatizados que tinham sido instalados, pois ele acompanhara, passo a passo, as orientações do consultor em informática, responsável pelo projeto. Depois de quatro ou cinco meses, as vendedoras falavam, em voz baixa, que era muito melhor trabalhar com Polidoro do que com Renata, embora ela fosse também uma boa gerente. Para ele, o emprego caíra do céu, pois já não aguentava mais fazer as demoradas e invasivas investigações que antes lhe eram tão agradáveis. "Não voltarei mais às investigações", considerava o detetive, pensativo, "mas o que farei quando Renata voltar? Bem, apesar da idade, creio que, com a ajuda de Ricardo e Pascoal, conseguirei alguma coisa. E também não é hora de pensar nisso. Tenho de viver o presente, o eterno presente. Não foi isso que aprendi no Curso de Educação Mediúnica? Então, o que preciso é me esforçar cada vez mais para me sair bem como gerente de loja. Este é o meu emprego hoje e me sinto feliz pela oportunidade de poder exercê-lo novamente."

Adélia logo soube da competência de Polidoro por sua própria observação e pelas expressões que as vendedoras deixavam escapar de vez em quando. Por outro lado, incentivava-o a prosseguir com o mesmo ânimo e dedicação e, percebendo que já não era necessária por muito tempo na loja, deixou-o à vontade para dar a sua fisionomia às diferentes atividades que ali eram executadas. Mais tranquila com relação ao trabalho, pôde estudar muito os conteúdos que vinha aprendendo na faculdade e já se mostrava uma das melhores alunas da turma. Parecia seguir os passos de Maurício, com uma diferença fundamental: ela se preocupava com os alunos, checando os seus conhecimentos e ajudando-os a dominar o assunto, e tinha um excelente relacionamento interpessoal com eles, o que não acontecia com o seu marido. Um dia, encontrando-a, o diretor lhe disse que já estava sabendo do seu sucesso.

– Continue assim, dona Adélia. Dedique-se ao

máximo ao estudo da Filosofia. A senhora já pensou que poderá dar aulas aqui na faculdade, como o seu marido fazia?

Essa ponderação do diretor foi um incentivo a mais para que Adélia se dedicasse inteiramente ao estudo, sem deixar de acompanhar, já mais a distância, o trabalho de Polidoro, que também recebeu os seus elogios pela maneira profissional, ética e humanista pela qual vinha administrando a loja. Ele se sentia altamente motivado, pois ali conseguia mostrar melhor o seu lado humano, ajudando quantos podia, fossem seus funcionários ou clientes, para os quais criara os melhores planos a fim de que pudessem adquirir os eletrodomésticos ou computadores que desejavam. Isso fez as vendas subir e as metas ser ultrapassadas, demonstrando a alta competência gerencial de Polidoro.

O tempo passou e Renata teve uma filha, que nasceu saudável e recebeu o nome de Maria Luísa, em homenagem à cunhada, de quem Renata era grande amiga. Tendo passado seis meses do nascimento, chegou o momento de voltar ao trabalho. Polidoro sabia disso e estava preocupado, pois se dera tão bem com o trabalho que não queria mais voltar a se dedicar às investigações particulares. Resolveu, portanto, ter uma conversa com Adélia. Talvez ela pudesse conseguir o mesmo cargo para ele em outra loja, pois tinha uma grande rede de amizades. Pensou bem em como falar a respeito do delicado assunto e marcou uma data para definir-se a esse respeito. Adélia, pressentindo qual seria o teor da conversação, marcou a reunião em sua casa. Na manhã do dia aprazado, lá se foi Polidoro muito bem-vestido, como era de hábito, e com um leve perfume masculino, que não deixava de usar e que se constituía em sua marca pessoal. Ao entrar na casa, assustou-se, pois viu na sala nada menos que Ricardo, Renata a carregar o bebê, Pascoal e Luísa. Cumprimentou a todos e sentou-se na poltrona que lhe foi indicada por Adélia. Não sabia bem o que esperar, entretanto, deveria ser algo extremamente sério e solene, pois ali estava toda a família reunida. Aguardou que Adélia desse por iniciada a reunião.

– Polidoro, agora você já conhece cada membro da minha família. Na verdade, a única proprietária da loja sou eu. No entanto, fiz questão de que aqui estivessem, a fim de tornarem mais solene a minha decisão, que foi tomada após consulta a cada um deles em particular. É de seu conhecimento, desde a sua contratação, que Renata é, de direito e de fato, a gestora da loja. Você foi contratado para substituí-la até que ela pudesse retomar as suas funções, não é verdade?

– Sem dúvida. Aliás, quero aproveitar a oportunidade para agradecer a cada um pelo apoio que me foi dado durante todo o tempo em que permaneci no cargo de gerente da loja. Não sei se mereço tanta atenção e gentileza. Quero agradecer particularmente a você, Adélia, que me convidou para exercer o cargo, que me devolveu a motivação para o trabalho. Muito obrigado a todos. Fiz o que pude para dar continuidade ao excelente trabalho de dona Renata e agora entrego o meu posto, com tristeza, é verdade, mas com a certeza de que dei o melhor de mim para administrar condignamente a empresa que me deu nova vida.

– Polidoro, aqui somos todos amigos, portanto, nada de senhor, dona e muito menos doutor. Pode tratar a cada um por "você". Sabemos da sua educação e do seu respeito para com todos.

– Obrigado.

– Nestes últimos dias, conversei muito com todos aqui, pois fiquei muito entristecida por chegar o dia de você deixar a empresa. Se, por um lado, fiquei feliz com a volta de Renata, a quem amo como a uma filha, por outro, senti uma dor no coração. Não posso ficar com dois gerentes em uma única loja e o posto é de Renata, como todos nós sabemos.

– Perdoe-me, Adélia, mas eu solicitei esta reunião com você apenas para pedir sua ajuda no sentido de indicar-me para trabalhar como gerente em alguma outra loja. Pensei que talvez você ou Renata, Pascoal, enfim, qualquer pessoa aqui presente pudesse lembrar-se de algum amigo que me desse a mão para o cumprimento dos meus últimos anos antes da aposentadoria.

A voz baixa e pausada de Polidoro denotava a tristeza em seu peito por ter de deixar a loja, de modo que um silêncio respeitoso se fez, antes que Adélia, sorridente, pedisse a palavra:

– Polidoro, as suas palavras demonstram claramente

o amor que você tem pela nossa pequena empresa. E você não sabe como me sinto feliz ao me certificar, mais uma vez, de que escolhi a pessoa certa para trabalhar comigo. Entretanto, este não é um momento de tristeza, mas de grande alegria, pois tenho uma oferta a lhe fazer e que não é só minha, mas de todos aqui reunidos. Decidi abrir uma filial. Escolhi e já aluguei um amplo salão numa rua a cinco quadras daquela que já posso chamar de matriz. Ela conterá uma parte dedicada aos eletrodomésticos e outra à informática, à semelhança da matriz, porém com um espaço muito maior, inclusive com sala para reuniões e treinamento. E, é claro, a oferta que lhe faço, acompanhada pelo desejo de todos aqui presentes, é de gerenciar essa nova loja.

Polidoro não esperava pelo que acabara de ouvir. A surpresa ia além de todas as suas expectativas. E com os olhos avermelhados pela emoção, ele respondeu:

– Muito obrigado, Adélia. Muito obrigado, Renata, Luísa, Ricardo e Pascoal. Muito obrigado. É claro que a minha resposta é um solene SIM!

Após os aplausos de toda a família, Adélia, com bom humor, interveio:

– Não precisa agradecer tanto. Você foi escolhido pela honradez e competência. E vai ter muito trabalho pela frente. Agora, vamos ao almoço de confraternização que reservei para nós no restaurante preferido de Ricardo.

– Esta é uma surpresa para nós. Mas, sem dúvida, é uma boa surpresa. Vamos lá – disse Ricardo, dando um tapinha nas costas de Polidoro.

A reunião foi encerrada e teve início uma nova etapa de vida para o ex-detetive que, meses atrás, não esperava por uma oportunidade tão alvissareira. Era preciso arregaçar as mangas e aproveitar a nova maré.

28

Mãos à obra

AINDA DURANTE UMA SEMANA, Letícia prestou serviços ao Posto 1, dando as últimas orientações a Maurício. No domingo seguinte, após uma reunião de confraternização e despedida, Heliodoro deixou o posto de socorro para assumir as suas novas funções numa colônia espiritual, onde seus trabalhos se faziam necessários. A partir daí, coube a Maurício assumir as atividades de Letícia, que passou para o Posto 2. O trabalho em todo o posto era dividido em três turnos, havendo um obreiro para cada um deles. Maurício já fora apresentado a cada um, cabendo-lhe agora conhecer melhor os dois obreiros que também trabalhavam no Posto 1: Anália e Romeu. Arcanjo providenciou uma reunião entre eles em que outras particularidades do atendimento aos assistidos foram passadas para Maurício, além de cada um deles ter-se prontificado a ajudá-lo sempre que necessário.

– Aqui formamos uma verdadeira equipe, Maurício

– disse-lhe Anália. – E, como tal, sempre estamos a nos ajudar mutuamente. Portanto, não tenha receio de pedir ajuda a cada um de nós quando precisar. Estamos felizes por tê-lo conosco. Com certeza, vamos aprender muito com você.

Maurício ficou surpreso com a receptividade dos colegas e, mais ainda, quando Anália disse que aprenderiam muito com ele. Aprender o quê, se ele pouco sabia do trabalho a ser desenvolvido?

– Sei o que você está pensando – falou Romeu, sorridente. – Cada um de nós traz uma experiência de séculos e até de milênios atrás, não é mesmo? Quantas encarnações já tivemos na romagem da vida! Com você ocorre a mesma coisa. E essa experiência acumulada pode nos ajudar a dirigir melhor a nossa conduta rumo a planos mais elevados. Foi a isto que Anália se referiu.

Maurício entendeu o significado das palavras da nova colega e também se colocou à disposição. Em seguida, adiantaram-lhe que cada um tinha o seu turno, em que atuava como o responsável por aquele horário, mas, no turno seguinte, atuava como auxiliar de um dos colegas, perfazendo, assim, dezesseis horas de trabalho. As oito horas restantes eram para o descanso, as leituras, as reflexões. Vários outros assuntos foram tratados e, no fim, fizeram uma prece pelo bom desempenho de Maurício que, emocionado, agradeceu e esperou pelo dia seguinte. A ansiedade era grande, as dúvidas giravam em torno dos pensamentos e a insegurança rondava as suas emoções.

Mas as horas passaram e chegou o momento de iniciar o seu turno. Quando chegou ao Posto 1, Arcanjo o esperava para dar-lhe o apoio emocional necessário ao início de suas atividades. O simples fato de estar ali com o supervisor a incentivá-lo deu-lhe novo ânimo. Para completar, recebeu um grande abraço de Romeu, que seria o seu auxiliar naquele turno. Assim, teve início o seu novo trabalho. Não foi fácil. Ele ainda tinha dúvidas quanto a remédios a ser administrados aos assistidos e titubeava quando era solicitado a fazer vibrações ou aplicar um passe. Mas procurou fazer tudo com boa vontade e dedicação. Sentir como irmãs aquelas figuras disformes ainda era demais para ele. Entretanto, conseguia cuidar delas com atenção e dedicava-se exclusivamente àquilo que estava fazendo. Era, sem dúvida, um bom começo, principalmente para quem ali chegara sem os sentimentos necessários para um trabalho daquela natureza. Romeu ofereceu toda a ajuda necessária e foi um muro de arrimo para a insegurança inicial de Maurício. Cumpridas as suas oito horas como trabalhador principal, foi auxiliar Anália, o que o deixou mais tranquilo, pois apenas estaria fazendo um papel secundário e, além disso, teria a oportunidade de aprender mais com a grande experiência da colega. À noite, no alojamento, respirou aliviado, afinal, conseguira dar conta do recado no primeiro dia. E, se assim fizera na sua estreia, com certeza o faria ainda melhor nas semanas subsequentes. Ficou até orgulhoso de si mesmo por ter conseguido fazer bem o trabalho e ter recebido os parabéns de todos, inclusive de Arcanjo, Rafael e Selena. Esse incentivo foi fundamental para que ele se propusesse a trabalhar cada vez mais com afinco e dedicação. Gostaria de poder compartilhar essa alegria com outras pessoas, mas estava só naquele momento, em seu período de descanso. Assim, não foi possível evitar que o pensamento recaísse sobre Adélia e todos os familiares. "O que pensaria Adélia disto tudo?", conjecturou. "Se ela soubesse que aqui me encontro, certamente me apoiaria, como sempre fez. E me chamaria de *sentimental*, pois acabei virando um chorão. Entretanto, será que uma pessoa, quando começa a fazer um trabalho tão diferente como este e – contra todas as expectativas – se sai bem em seu primeiro dia... Será que essa pessoa não quer compartilhar a sua alegria com aqueles a quem ama? E será que lágrimas não lhe brotam dos olhos sedentos da presença dos familiares?" A imagem de Adélia apareceu-lhe nítida na memória. O que estaria fazendo? Uma nuvem de tristeza baixou em seu coração, pois achava que não houvera dado a cada um de seus familiares a atenção que mereciam. Nesse instante, Arcanjo entrou, cumprimentando-o e pedindo-lhe que deixasse os pensamentos fluir.

– Não guarde a tristeza e o desgosto no coração, Maurício. Deixe que passem, que fluam. Quando encarnado, você fez o que lhe era possível. Não tenha vergonha de chorar, mas não faça da tristeza um desespero desolador.

Maurício assustou-se com a presença repentina de Arcanjo, mas logo entendeu que ele pressentira o que se passava e fora prestar-lhe socorro.

– Ainda não adquiri o equilíbrio necessário para resolver os meus próprios problemas, não é mesmo?

– Todos nós, em dados momentos, precisamos da ajuda de um amigo. Aceitá-la faz parte da grande virtude da humildade, que temos de cultivar com todo cuidado e atenção. Se você está precisando chorar, deixe que as lágrimas fluam e a saudade se transforme num hino de amor àqueles que você tanto ama.

Maurício já estava chorando, de modo que Arcanjo esperou até que o rio caudaloso se transformasse num lago sereno. Aplicou-lhe um passe tranquilizante e, vendo-o dormir, deixou o alojamento com uma prece nos lábios em favor daquele que já considerava um amigo.

Os dias passavam com grande rapidez para Maurício, que agora começava a gostar realmente do que fazia. Fazia o seu trabalho com dedicação e competência, sacrificando, às vezes, o seu período de descanso para prestar ajuda a um colega que dela estivesse necessitando. O posto de socorro era sentido como o seu novo lar, e não como um local de trabalho forçado, como o entendera, logo que ali chegara. Fizera grande amizade com Arcanjo, Anália e Romeu e tinha excelente relacionamento com os demais trabalhadores da casa. O contato menor era com Rafael e Selena, embora os visse quase todos os dias. Selena era-lhe mais próxima, pois fazia as vezes de sua mãe, sempre perguntando sobre o seu trabalho e a sua vida em geral e, mesmo, prestando-lhe orientações, quando necessárias. No entanto, Maurício via a esposa de Rafael como um ser bastante acima do seu nível, de modo que o relacionamento com ela não era tão próximo quanto o que desfrutava com os trabalhadores. Não havia em seu coração nenhum sentimento que maculasse a amizade sincera e pura que reinava entre todos os moradores de Auxílio Divino. Assim, a vida transcorria com serenidade, harmonia e, sem dúvida, muito trabalho. Entretanto, o coração de Maurício bateu de modo um pouco diferente, quando, numa noite, Arcanjo chamou-o para uma conversa.

– Estou gostando muito do seu trabalho, Maurício. A sua dedicação tem sido exemplar, assim como o seu desejo de sempre conhecer mais a respeito das atividades que vem desenvolvendo com elevado desempenho. Por esse motivo, Rafael e Selena houveram por bem convidá-lo a seguir a próxima caravana de socorro que sairá daqui para as regiões umbralinas.

– Quanto tempo terei de preparação? Pouco sei a respeito dessa atividade.

Arcanjo riu e respondeu, enquanto segurava o ombro de Maurício:

– A caravana parte na madrugada.

– Nesta madrugada?

– Sim, daqui a algumas horas. Mas não se preocupe. Você apenas terá de observar e perguntar a respeito do que não estiver claro para o seu entendimento. O método é o mesmo usado quando chega um novo trabalhador. Conversaremos mais teoricamente sobre o tipo de trabalho desenvolvido pelas caravanas de socorro e, a partir de amanhã, você terá a vivência prática. De início, apenas observando e se instruindo para depois pôr mãos à obra.

– E como ficarão os meus turnos de trabalho?

– Anália trabalhará até a nossa volta.

Arcanjo explicou-lhe como seria feito o resgate das almas sofredoras, cujos gritos de socorro tinham chegado aos emissários de Jesus. Diante desse novo trabalho, ele ficou ansioso, à espera dos acontecimentos. Para serenar-se, fez uma prece e adormeceu. Enquanto recuperava as energias por meio de um sono reparador, foi acordado por Arcanjo, que anunciou a partida para a próxima meia hora. Quando se dirigiu ao pátio, avistou Rafael e Selena, que conversavam com várias pessoas que ele não conhecia. Tratava-se de espíritos de outras colônias que sempre surgiam nessa ocasião para fortalecer o grupo. Atrás estavam vários obreiros do posto. Arcanjo chamou-o para compor o grupo e, logo depois, teve início a viagem. Como Maurício ainda não fosse perito em volitar, esteve sempre amparado por colegas do posto de socorro. Logo que deixou Auxílio Divino, a caravana embrenhou-se por uma região inóspita, recoberta de uma neblina acinzentada, que ia se densificando à medida que o grupo descia, como se avançasse para alguma região situada talvez muito abaixo do nível de onde havia saído. O terreno embaixo era, de início, arenoso, porém, de uma areia escura. As árvores eram raras e quase não tinham folhas. Não havia estradas, mas algumas trilhas bastante estreitas, que não levavam a lugar nenhum. Com o passar do tempo, o solo foi ficando mais escuro e as árvores já não tinham folhas, à semelhança do que ocorre no inverno europeu. A bruma também era mais densa e tenebrosa. Quando se deu conta, Maurício notou que estava escuro como se fosse noite. Vultos eram vistos lá embaixo e imprecações eram ouvidas a todo instante. Aquelas figuras quase imperceptíveis vociferavam, soltando grunhidos mais aterradores do que os assistidos do Posto 1.

– Não se assuste – disse-lhe Arcanjo. – Faça uma prece e mantenha-se equilibrado para o trabalho que teremos de realizar em breve. Vibre também harmonia, equilíbrio, paz e amor fraterno para esses irmãos atormentados por suas próprias imperfeições. Chegado o momento propício, quando os seus corações estiverem abertos para o socorro, eles igualmente serão recolhidos por nós, a fim de darem prosseguimento à sua jornada evolutiva.

Maurício ouviu atentamente as palavras de Arcanjo. Passadas mais algumas horas, finalmente a caravana estacionou. Rafael disse algumas palavras de ânimo e iniciou uma prece coletiva:

– Irmãos socorristas, elevemos o nosso pensamento e os nossos sentimentos ao Pai, e, humildemente, peçamos a sua orientação, a fim de que possamos realizar um trabalho de resgate que traga os frutos que esperamos para a melhoria espiritual de cada alma que seguir conosco para Auxílio Divino. Meu Deus, que as vossas bênçãos se derramem sobre nós e sobre aqueles que, em breve, iremos socorrer. Senhor Jesus, amparai-nos com vosso amor divino, a fim de que façamos de modo competente o que temos de realizar. Maria Santíssima, velai por nós, humildes seguidores de vossa legião salvadora. Inspirai-nos as ações corretas para que possamos contribuir com nosso humilde gesto para a redenção de ovelhas desgarradas, que hoje começam a voltar ao redil. Iluminai-nos com a vossa sabedoria e o vosso amor. Que assim seja.

Terminada a prece, a caravana prosseguiu em silêncio por mais alguns minutos, descendo numa espécie de vila, em que casebres lúgubres constituíam-se em peças sinistras de uma paisagem desoladora. Uma mulher de seus cinquenta anos suplicava o auxílio da mãe de Jesus e o perdão de Deus. Clamava em meio às trevas que cobriam o lugarejo.

Vendo a caravana chegar, tendo à frente Selena, com uma aura brilhante a seu redor, a mulher imediatamente lançou-se a seus pés, gritando por socorro e pedindo perdão pelo seu ato criminoso. As lágrimas de arrependimento brotavam abundantes de seus olhos e as palavras eram atropeladas pelo choro convulsivo.

Selena agachou-se, segurou as mãos da senhora suplicante e, levantando-a, disse-lhe com voz suave e comovida:

– Minha jovem, sou uma humilde emissária do bem e estou aqui a fim de resgatá-la. O seu arrependimento e as suas súplicas foram ouvidas por Deus, que ajuda a todas as suas ovelhas e as quer de volta ao seu rebanho. Permaneça conosco e lhe prestaremos todo o auxílio necessário à sua redenção.

Trabalhadores de Auxílio Divino, amparando a mulher, levaram-na ao carro, que parecia um camburão de grandes proporções. À volta desse carro, postavam-se jovens de altura descomunal, fazendo a proteção necessária aos trabalhos de resgate. Uma coisa, entretanto, deixou Maurício curioso, e ele resolveu pedir explicação a Arcanjo:

– Não entendi por que Selena chamou essa mulher de jovem, se ela aparenta cerca de cinquenta anos.

– Você disse bem, ela *aparenta*, mas, na verdade, ao desencarnar, não passava dos vinte e cinco. Ela se vê ainda com essa idade.

– Incrível! Como pôde ficar tão alquebrada e envelhecida, com a face encovada e os cabelos quase totalmente brancos?

– As causas dessa transformação foram o sofrimento, o arrependimento, o remorso, o desespero e a prostração em que ficou durante muitos anos. Ela se arrepende amargamente de ter sufocado os seus dois filhinhos, enquanto dormiam, para causar sofrimento e sentimento de culpa em seu marido, que a abandonara para unir-se a outra jovem que, mais tarde, também o rejeitou por outro moço que conhecera na infância. Agora, por meio do nosso atendimento, ela poderá, paulatinamente, ir recobrando-se emocionalmente. O arrependimento será a mola propulsora para a sua transformação. Em sua próxima encarnação, ela terá de resgatar o mal que cometeu. O que ela vier a sofrer em sua encarnação futura, entretanto, não será uma forma de castigo, pois Deus não castiga ninguém. Trata-se de um resgate, que consiste na ação de libertar-se de uma falha levada a efeito num passado próximo ou remoto, reparando tal erro por meio de provas, expiações ou realizações que venham a favorecer os semelhantes. Por meio do resgate, temos a oportunidade de reparar nossas atitudes menos dignas, ou seja, corrigi-las. A este respeito, Maurício, Allan Kardec diz algo mais ou menos assim: A reparação constitui-se na prática do bem para aquela pessoa a quem tenhamos feito o mal. Pode realizar-se, também, fazendo o que se deixou de fazer, desse modo, cumprindo o que se deixou de cumprir, por exemplo, levando a efeito os deveres que foram negligenciados ou mesmo desprezados no pretérito. Nestes casos, pratica-se o bem em reparação ao mal que se fez. É assim que uma pessoa se torna humilde, quando foi orgulhosa no passado; caridosa, quando foi egoísta; trabalhadora, quando foi preguiçosa. O resgate, na verdade, consiste em pagar uma dívida que ficou em aberto. Em nosso caso, Helena, esse é o nome da jovem, está envelhecida e alquebrada como consequência do seu desespero diante do mal praticado. A desesperança teve início no desconsolo, que se converteu em arrependimento sincero, merecedor da ajuda efetivada pelo plano espiritual.

A caravana prosseguiu por ruelas escuras até chegar diante da porta de um casebre, em que se ouviam os gemidos lancinantes de um ancião.

– O que acontece com este senhor? – perguntou Maurício, comovido.

– Ele foi juiz de direito em sua última encarnação.

Corrompeu-se com o dinheiro farto recebido de pessoas inescrupulosas. Seus julgamentos favoreciam aqueles que mais pudessem pagar em peso de ouro. As suas decisões condenaram inocentes e livraram corruptos enriquecidos ilicitamente. Quando aqui chegou, foi obsedado por antigos injustiçados, que ainda o atormentam. Julgado por eles, foi condenado a permanecer infindavelmente atado à parede.

– Mas não vejo algemas nem correntes. Por que ele fica assim?

– A sua mente criou para si o castigo que acha merecer. Vamos ouvi-lo.

– Quem está aí? É mais um injustiçado por mim? Perdão! Perdão! Veja o estado em que me encontro. Já fui julgado e condenado. Nada mais posso fazer, a não ser rogar-lhe o perdão pelas minhas injustiças.

– Não, Borges. Viemos resgatá-lo – disse Rafael, estendendo-lhe os braços.

– Obrigado por ouvirem as minhas súplicas. Deus me atendeu. Obrigado, meu Deus. O último de seus filhos foi ouvido. Obrigado! Obrigado! Santos de Deus, obrigado! Não mereço o perdão, mas fui ouvido. Obrigado! Obrigado!

Enquanto era recolhido, continuava a dizer ininterruptamente, num estado de inconsciência: "Obrigado! Obrigado! Obrigado!".

Maurício estava atônito e emocionado diante de tudo o que via. Quando na Terra, em sua última encarnação, jamais teve alguma informação sobre a vida após a suposta morte.

Agora, na erraticidade, estava aprendendo que a morte não existe e que a vida no plano espiritual continua exatamente do ponto em que parou no plano terreno. Em um dos diálogos que travara com Selena, ela lhe informara que o limite máximo de desenvolvimento de cada espírito é a sua completa depuração, quando o perispírito[1] se torna totalmente diáfano. Mas, mesmo assim, há trabalho a realizar, pois o espírito pode vir em missões para ajudar os outros a progredir. Com as explicações judiciosas de Selena e as experiências ímpares pelas quais vinha passando, Maurício ia amadurecendo e tornando-se um obreiro consciente de suas atribuições nesse momento de sua vida.

– Está sonhando? – perguntou Arcanjo, sorridente.

– Desculpe-me. Estava mesmo a devanear, submerso em pensamentos que me acorreram após presenciar os resgates que estamos realizando.

– Mais que devanear – corrigiu Arcanjo –, você refletia seriamente sobre a vida após a morte do corpo físico, não é mesmo? Todos, quando aqui chegamos, aprendemos muito a respeito da justiça e da misericórdia divinas. Mas temos ainda resgates a fazer. Sigamos Rafael e Selena.

A caravana chegava agora diante de um profundo precipício. A escuridão era quase total. Descendo pelo despenhadeiro, Rafael parou diante de uma gruta estreita, de

[1] Perispírito: invólucro semimaterial que serve de intermediário entre a alma e o corpo físico, constituindo-se no elo entre ambos e na condição necessária para as relações entre a dimensão espiritual e a dimensão física (Nota do Autor Espiritual).

onde saía um ruído gutural e lúgubre. Entraram nessa gruta estreita Rafael, Selena e um espírito elevado, que viera de esferas superiores para ajudar os trabalhadores de Auxílio Divino. O restante da comitiva postou-se diante da entrada, em silêncio, fazendo cada qual uma prece em favor daquele espírito, que começava a ser socorrido pela caravana.

– Nosso irmão suplica pela compaixão divina – disse Arcanjo.

– Você entende o que ele diz? – perguntou Maurício.

– Ele pede perdão a Deus pelos erros cometidos e brada pelo seu socorro. Trata-se de alguém que foi muito rico e poderoso no passado distante. Inúmeras pessoas dependiam da sua vontade e dos seus caprichos. Não titubeou em massacrar adversários e manter na pobreza aqueles a quem comandava com pulso de ferro. Acumulou fortuna à custa de desventuras e sofrimentos alheios. Morreu assassinado por um dos seus funcionários, cuja esposa foi por ele seduzida sem nenhuma consideração por quem era um dos mais competentes e íntegros colaboradores de uma de suas empresas.

Os trabalhos de socorro continuaram por mais algumas horas, quando a caravana retomou o caminho para o Posto de Socorro Auxílio Divino. Para Maurício, foi uma lição inesquecível, que muito o ajudou a pensar mais seriamente na conduta que deveria manter em sua futura encarnação. Ao ver aqueles seres andrajosos que eram recolhidos com amor e dedicação pelos trabalhadores de Auxílio Divino, no seu íntimo repetia com muita compaixão:

"São meus irmãos. Cuidarei deles com a fraternidade que merecem, pois somos todos filhos de Deus".

Após as despedidas dos espíritos de outras colônias, o dia terminou com uma prece comum, tendo os trabalhadores se dirigido depois para o alojamento, cujo silêncio demonstrava as reflexões salutares que lhes iam no íntimo.

29

Fim de curso

O TEMPO PASSOU muito rapidamente. Quando se deu conta, Adélia já estava entregando os convites da sua formatura. Se o começo fora difícil, o encerramento do curso foi uma coroa de louros colocada sobre a sua cabeça. "Valeu o esforço", pensava satisfeita com os excelentes resultados que obteve. Escolhida como oradora da turma, preparou com esmero o discurso, no qual fazia um agradecimento especial a Maurício, que considerava o seu inspirador, e a Matsumoto, que a impedira de ter desistido já no início do caminho. Terminado o rascunho, mostrou-o aos amigos e fez questão de levá-lo ao diretor da faculdade, que sempre a incentivara.

– O seu discurso está excelente – disse-lhe o professor Assunção. – Você venceu esta etapa, agora vem a segunda: o mestrado.

– Estou muito animada, professor.

– E vai estar muito mais, pois, neste momento eu a estou convidando para lecionar "Introdução à Filosofia" e "História da Filosofia Antiga" aos alunos do primeiro semestre. O que você me diz?

– É verdade? Eu esperava poder lecionar somente após o mestrado.

– Você será admitida como "professora especialista", mas terá de terminar o mestrado, a fim de poder consolidar-se como professora desta instituição.

– É claro que terminarei. Muito obrigada, professor! Muito obrigada. Você não vai se arrepender por sua escolha.

– Devo dizer-lhe, Adélia, mais uma coisa: não foi por amizade que a convidei a lecionar em nossa faculdade. Foi pela competência que você demonstrou nestes quatro anos de estudo. Posso dizer, com toda sinceridade, que você honrou a memória do professor Maurício Benevides. Ele deve estar muito feliz, onde se encontra.

***

Maurício, que tivera um dia de muito trabalho no Posto 2, onde trabalhava agora, dirigia-se calmamente para o alojamento quando foi abordado por Arcanjo:

– Maurício, Selena quer conversar com você. Ela está na administração.

– Já estou indo. Obrigado.

Diante dela, Maurício sentou-se e esperou que ela iniciasse a conversação.

– Tenho uma surpresa para você, Maurício.

– Surpresa?

– Sabe quem veio visitá-lo?

– Vítor?

– Você já está lendo pensamentos, não é mesmo?

– Fico muito feliz.

– Mas você não leu por completo o que se passava na minha mente.

– Hã?

– Sua mãe também está aqui.

Ao dizer essas palavras, a porta abriu-se e um perfume suave foi sentido por Maurício que, pego de surpresa, começou a chorar de joelhos.

– Meu filho, levante-se. Venha dar um abraço em sua mãe.

O encontro foi comovente. Vítor também entrou na sala e abraçou efusivamente o seu amigo e antigo neto. Era muita felicidade para o coração de Maurício, já habituado a viver no isolamento do posto de socorro.

– Você sabe por que estamos aqui, filho?

– Não, mãezinha. Não sei.

– Você teve permissão para ir até a crosta terrestre.

– Encontrar-me com Adélia?

– Com todos da nossa casa. Será, entretanto, uma visita breve, que durará apenas três dias. Aproveite bastante esse tempo, mas não se deixe levar por emoções desenfreadas. O equilíbrio é fundamental para que os frutos benéficos desse encontro possam estar presentes. A sua dedicação e o amor que tem demonstrado pelos nossos irmãos que aqui se encontram, num curto estágio, foram os responsáveis por esta permissão. Vítor vai acompanhá-lo durante o período em que estiver na crosta.

A visita inesperada da mãe e do amigo levou para Maurício uma alegria muito grande. Marcado o dia da viagem à crosta e encerrada a visita, ele foi para o alojamento, cheio de bons pensamentos. A partir daí, sempre que estava de folga, pensava em como estariam Adélia, seus filhos e seus familiares; contava nos dedos o tempo que restava para a visita.

***

Adélia, pensando na formatura que já se aproximava, estava em dúvida sobre quem convidar para padrinho: Matsumoto, Polidoro ou Ricardo? A resposta chegou pela boca do próprio filho, numa visita que lhe fez juntamente com Renata e a pequena Maria Luísa, muito paparicada pela avó.

– Mãe, por que você não convida Polidoro para ser o seu padrinho de formatura?

– Por que Polidoro e não você ou Matsumoto?

– Eu, mais que padrinho, já sou seu filho e me sinto muito honrado. Respeito a sua amizade por Matsumoto e o que ele fez por você, mas Polidoro levantou a loja com seu dinamismo, sua competência e, mais ainda, com sua dedicação ímpar ao trabalho. Confesso que não gostava muito dele, entretanto, a sua conduta nestes anos fez com que passasse a admirá-lo. Renata é peça fundamental da loja, mas Polidoro elevou a loja a uma rede de lojas, pois a terceira filial já está chegando, não é mesmo?

– Sim, é verdade.

– Então, mãe, penso que convidá-lo para padrinho será uma justa homenagem.

– E tem mais, dona Adélia – completou Renata –, ele não tem familiares próximos, vive isolado em seu apartamento. Creio que seja uma forma de agradecer-lhe por sua dedicação incomum às nossas lojas e, particularmente, à senhora.

– Fico feliz pelo desprendimento de vocês e pelo justo julgamento a respeito de Polidoro. Aceito a sugestão.

No dia seguinte, Adélia convocou Polidoro para uma reunião. Como os preparativos para a inauguração de mais uma filial já estavam avançados, o agora gerente-geral pensou que o tema da reunião fosse esse. Entretanto, teve uma surpresa.

– Polidoro, chamei-o para fazer-lhe um convite.

– Um convite?

– Sim, ficarei muito honrada se você aceitar ser o meu padrinho de formatura.

– Eu não acredito. Você tem certeza de que me quer para padrinho? Não seria melhor convidar Ricardo?

– Se ele fosse o convidado, eu também me sentiria honrada. Mas você é uma pessoa especial, Polidoro, pois permitiu que eu pudesse me afastar um pouco da loja para dedicar-me aos estudos e ainda colaborou como ninguém para mudar a minha vida. Cabe a você estar a meu lado na formatura. Se aceitar, é claro...

– Adélia, eu não esperava por essa honra. De qualquer modo, estaria feliz por vê-la receber o seu diploma e por ouvir o seu belo discurso.

– Como você sabe que é belo, se não tomou conhecimento do seu conteúdo?

– Desculpe-me, mas tudo o que você faz é bem-feito.

– Chega de conversa fiada, Polidoro. Você aceita?

– Claro! Será um dos melhores momentos da minha vida.

Ele não quis alugar o traje específico para o baile de formatura. Fez questão de comprá-lo. Fez o mesmo com o traje para a noite de formatura. Entretanto, um grande problema apontou em sua direção: ele não sabia dançar.

– Tomaremos algumas aulas especiais – disse Adélia, para tranquilizá-lo. E assim foi feito.

***

Maurício também se preparava para a primeira visita que faria a Adélia. Contudo, muitas dúvidas bailavam em sua mente. Arcanjo fazia as vezes de seu confidente, procurando restabelecer-lhe a tranquilidade.

– Maurício, sei que tudo está bem entre os seus familiares. Mas é claro que muita coisa mudou. Eles não poderiam ser os mesmos de anos atrás, não é mesmo?

– Você tem razão. O meu medo é que tenham se esquecido de mim. Será que me tornei apenas uma fotografia empoeirada?

– Isso não aconteceu. Você ainda é muito lembrado por eles.

– Guardo gratas recordações em meu coração e não suportaria o descaso e o esquecimento.

– Já lhe disse que isso não ocorreu, mas tenho o dever de informá-lo que você está sendo excessivamente egocêntrico, possessivo e detentor de um apego que só poderá lhe fazer mal.

– Egocêntrico, possessivo e apegado?

– Não o estou julgando, pois não cabe a mim fazê-lo. Apenas quis sacudi-lo para que você tomasse consciência de que estava querendo dominá-los, embora não esteja mais entre eles. Será que eles estão desejando fazer o mesmo com você?

– Eu não havia pensado nisso. Mas não é natural que eu me preocupe com eles?

– É natural que você se preocupe com eles, mas é uma atitude egoísta querer manipulá-los, como se tivessem de depender sempre de você. Sinta amor por eles. Ore e vibre por eles. Ajude-os, sempre que puder, mas deixe-os livres para seguirem os seus próprios caminhos.

– Como é difícil agir assim, Arcanjo. E eu que pensei que havia mudado muito. Grande ilusão. Continuo o mesmo. Com os mesmos defeitos.

– Nem tanto ao mar nem tanto à terra. Você mudou,

é verdade. Mas, como todos nós aqui, ainda tem um longo caminho pela frente. Talvez você pense que comigo as coisas aconteceram de outro modo. No entanto, devo informá-lo de que tive as mesmas reações que você, se não piores. Quando da minha primeira visita à esposa e filhos, passei por uns dias tenebrosos, pois não sabia o que iria encontrar. Queria que estivessem do mesmo modo como os havia deixado um dia. Passei maus bocados. Só não foi pior porque Rafael me chamou para algumas conversas, em que procurou me esclarecer do mesmo modo como faço hoje com você. Cheguei a pensar que visitar minha família seria mais um castigo que um prêmio.

– E o que aconteceu quando você finalmente foi encontrá-los?

– Tive grandes alegrias e uma decepção ainda maior.

– Não me assuste.

– Longe de mim. O seu caso é bem diferente, como você verá. Fique tranquilo.

– Obrigado. Mas o que aconteceu com você?

– Pude ver minha filhinha crescida. Estava tão bonita em sua adolescência. Tornara-se uma mocinha sorridente e cativante. E mais que isso: inteligente e estudiosa. A minha alegria foi transbordante. Quando me aproximei de Paula, minha esposa, notei que envelhecera um pouco, mas continuava bela e sedutora. As duas davam-se muito bem, o que me trouxe ainda mais alegria. Entretanto, para minha surpresa, surgiu entre elas um garotinho de cerca de nove anos que a chamou de "mãe". Naquele momento, fiquei gelado, pois tinha plena certeza de que tivera uma só filha. Quem seria aquele menino? Como poderia ser filho de Paula, se apenas tínhamos tido uma filha? A resposta não demorou a chegar. Um homem de seus trinta e cinco a quarenta anos aproximou-se dos três e disse, pousando a mão direita nos cabelos loiros de Paula: "Amor, já reservei o hotel para nosso fim de semana". Fiquei petrificado. Não conseguia uma sequência lógica para as minhas ideias. Toda a minha ternura, todo o meu afeto, todo o meu amor caíram por terra. "Então, ela se casou de novo", pensei. Um espírito amigo, que me acompanhava, procurou convencer-me de que ela não incorrera em nenhuma falta e que isso não significava que não me amava mais. "Você deve agradecer a este senhor", disse-me o amigo, "pois é por meio de seu trabalho honesto que seus filhos serão educados e poderão, mais tarde, construir a sua própria trajetória. É também pela dedicação deste homem à sua esposa que ela terá arrimo até o seu desencarne." "Eu só tenho uma filha", repliquei amuado. "Deus lhe concedeu mais um", foi a resposta. "Cabe a você também velar para que ele não se perca no caminho." Mas eu estava totalmente decepcionado para poder escutar as palavras sábias que estavam sendo ditas. A "traição" da minha esposa ferira-me tanto, que perdi toda a vontade de continuar ali. Num piscar de olhos, voltei para Auxílio Divino. Em vez de ajudar os assistidos, tive de ser medicado pelos trabalhadores da casa. Caí num estado de prostração que só não foi mais longo pela intervenção de Rafael e Selena. Aos poucos, fui compreendendo o que meu amigo me dissera naquele dia. Pude entender que não houvera nenhuma traição por parte da minha esposa. Afinal, ela continuava no plano terreno e tinha de tocar a sua vida. O ódio que medrara em meu coração contra aquele senhor pôde também se transformar em simpatia e, mais tarde, em amizade fraterna. Pude igualmente agradecer a Deus pelo novo filho com que me presenteara, além de manifestar a minha gratidão pela moça maravilhosa em que se transformara a minha filhinha. Passado algum tempo, voltei a meu antigo lar e pude, então, orar contritamente por aquela família, que ainda era minha, embora eu já não pudesse lá estar. Passei a reconhecer naquele senhor um irmão, e todos os dias orava por ele, por minha esposa e pelos meus filhos. Hoje, tanto ele quanto a minha esposa já estão na erraticidade. Quanto a meus filhos, já são idosos e curtem a velhice junto aos filhos e netos.

Maurício comoveu-se até às lágrimas diante da história sentida de Arcanjo. Ousou, entretanto, fazer-lhe uma pergunta:

– E quanto aos que aqui se encontram? Qual é o seu relacionamento com eles?

– Norberto – esse é o nome do irmão que ganhei –, vive numa colônia distante daqui. Quanto a Paula, minha esposa, também trabalha num posto de socorro. Sempre que possível, vem me visitar ou eu faço o mesmo em relação a ela.

– Desculpe-me, Arcanjo, mas você já sabe o que acontecerá na sua próxima encarnação, digo, Paula será sua esposa? E quanto a Norberto?

– O casamento de Norberto com Paula foi ocasionado por dívidas pretéritas. Em encarnação anterior, ele fora seu pai e não só descumpriu as suas obrigações como genitor, como chegou a expulsá-la de casa, deserdando-a. Assim, por meio do casamento, ele pôde protegê-la de um modo tal que as dívidas que contraíra puderam ser saldadas. Agora, ele convive com aquela que será sua esposa na próxima encarnação. Quanto a mim, poderei desposá-la novamente. Nossa ligação vem de milênios. Como dizem os amantes na Terra: nosso amor é eterno.

Maurício sorriu completamente tranquilo, pois ficara preocupado com o futuro de Arcanjo. Percebendo o que se passava na mente do amigo, Arcanjo completou:

– A justiça divina não falha.

Depois da conversa que teve com Arcanjo, Maurício pôde amenizar a sua ansiedade em relação à visita que faria ao seu antigo lar. Mas, assim mesmo, a expectativa era muito grande.

***

O tempo passou mais rápido do que Adélia poderia pressupor. Terminados os preparativos, chegou o solene dia da formatura. Quando menos se deu conta, lá estava ela no púlpito, colocado num dos cantos do grande palco, abrindo as folhas do discurso, cujo conteúdo passaria a ler. A família reunira-se na frente e aguardava o momento da alocução. Polidoro, convidado por Ricardo, estava a seu lado, também ansioso pelas palavras que Adélia iria proferir. E, finalmente, teve início o discurso. Feita a introdução, a oradora falou sobre as dificuldades que haviam vivido os formandos durante o percurso pelos escaninhos da Academia. Expôs, ainda, o futuro que os aguardava, afirmando categórica:

– Não existe a profissão de filósofo. Mais que profissão, filosofia é um modo de refletir e viver de acordo com os ditames da razão. Todos que aqui se acham têm a sua profissão. Não foi por essa razão que iniciaram o curso que hoje encerram condignamente. Mas foi, isto sim, para iluminarem o espírito na busca da verdade e para poderem propalá-la a todos quantos se interessam pelos destinos do Homem. Durante os breves anos de estudo, cada um de nós esteve questionando a Vida, por meio da razão, na busca das perguntas essenciais que se faz cada indivíduo humano na noite angustiante da dúvida existencial: "Quem somos nós? De onde viemos? Para onde vamos? Enfim, qual é a nossa missão e o nosso destino?".

A plateia, silenciosa, procurava assimilar cada frase proferida pela oradora que, circunspecta, levava a todos a sua primeira mensagem como estudiosa de pensadores de escol, tais como Sócrates, Platão, Aristóteles, Descartes, Spinoza e tantos outros luminares que contribuíram, cada um a seu modo, para a busca da Verdade. Se os familiares estavam orgulhosos pelos conhecimentos demonstrados pela oradora, Polidoro, pela primeira vez, sentia lá no fundo do coração algo mais que simples admiração. Sentimentos confusos rompiam a barreira do inconsciente, aflorando indômitos na consciência desperta do ex-detetive. Se, a princípio, maquinalmente desviou-os, posteriormente, dada a insistência de sua presença no coração, ficou perplexo por estar se concentrando neles. Na verdade, nada tinham de desrespeitoso. O que passara por sua cabeça fora apenas a constatação da beleza madura de Adélia. Foi quando se flagrou a pensar: "Como não percebi isso antes? Adélia é de uma beleza descomunal e cativante". Seria um exagero o adjetivo descomunal? Isso não tinha a menor importância. Para ele, naquele exato momento, não havia na Terra mulher mais bela que a sua amiga. "Agora pensei corretamente: ela é apenas a minha amiga. E mais: é a profissional para quem presto os meus serviços. Devo-lhe respeito e obediência, e não considerações de ordem sentimental." Assim argumentando, deu por encerrado o episódio que o tomara de surpresa.

Adélia continuou segura na exposição do discurso que preparara com todo carinho e competência. Agradeceu aos familiares, que a apoiaram a dar continuidade a seus estudos e, em particular a Matsumoto, que a reerguera das cinzas, bem como a Teresa, que se privara de momentos com o marido para dar-lhe também suporte, a fim de que pudesse, nessa noite, estar encerrando mais uma etapa de sua vida e dando início a outra. Mas o agradecimento mais comovente foi a Maurício. "Quero, neste momento", disse com grande emoção, "prestar uma justa homenagem a meu esposo, professor Maurício Benevides, já falecido, que foi durante toda a sua existência terrena um professor dedicado e competente, e um coordenador de curso ciente das responsabilidades de suas atribuições. Foi espelhada nele que estudei noites a fio, esquecida das horas, para que pudesse honrar sua memória de forma digna e justa. Quando trabalhador desta casa de ensino, ele não poupou esforços para que a filosofia pudesse ser desmitificada e, assim, mais bem compreendida e utilizada pelos alunos, não como uma disciplina de elite, mas como um saber em proveito do ser humano. Se o filósofo é um "amante da sabedoria", o professor Maurício Benevides conviveu com ela durante todos os dias da sua breve existência. A ele o meu amor, carinho, respeito e admiração". Na pausa que fez para enxugar as lágrimas, uma estrondosa salva de palmas se fez ouvir no auditório da faculdade. Enquanto Luísa dava mostras de um choro incontido, Ricardo não podia ocultar os olhos avermelhados. Ao lado deles, Polidoro quase se afundava na poltrona, envergonhado por ter deixado aflorar sentimentos muito bem represados até aquele momento.

A noite de formatura não poderia ter sido melhor. Muitos risos, muito choro e, principalmente, muita alegria pela conquista obtida à custa de inúmeros sacrifícios. Encerrada a cerimônia, Ricardo convidou a família para um jantar especial num restaurante escolhido a dedo. Polidoro, pela proximidade com os familiares, também foi convidado, mas, alegando uma indisposição, retirou-se apressadamente.

***

Maurício continuava o seu trabalho no Posto 2, com uma dedicação que, outrora, nunca esperaria alcançar. Não via mais nos assistidos seres estranhos e distantes, quase inumanos. Pelo contrário, sentia um incomum amor fraterno por todos eles. Arcanjo notou a mudança, o mesmo ocorrendo com os demais servidores. Foi assim que, certa noite, Selena ficou a observar, pelo vão da porta semiaberta, a maneira como Maurício cuidava de um dos enfermos. Tratava-se de uma senhora um tanto desfigurada, que pronunciava palavras quase intraduzíveis. O trabalhador, entretanto, escutava-a com toda a atenção, sentado diante do leito, com a mão direita pousada na nuca da assistida. Depois de dialogar com ela por alguns minutos, deu-lhe o bálsamo tranquilizador e, pousando a mão diante da fronte da assistida, fez uma prece que lhe saía do fundo coração. Em poucos minutos, a senhora fechou os olhos e dormiu suavemente.

– Gostei de ver, Maurício. É assim mesmo que se trata dos nossos irmãos.

– Você estava aí, Selena?

– Vim convidá-lo a conversar comigo, após o repouso, para acertarmos a data de sua visita aos familiares.

Maurício estremeceu. Se havia muito tempo que esperava por essa oportunidade, agora já sentia certo arrepio por não saber o que iria encontrar quando chegasse à sua antiga morada. Respondeu, porém, que estaria na sala de Selena logo pela manhã. Quando chegou o momento, bateu suavemente na porta e foi recebido pela esposa de

Rafael com um largo sorriso. Depois de algumas amenidades, Selena entrou no assunto principal:

– Maurício, dentro de dez dias você poderá visitar os seus parentes e amigos. Vítor estará junto de você para auxiliá-lo e orientá-lo no que for necessário. Sei que você está ansioso em relação à paisagem terrena que terá diante de si. Quero apenas lembrá-lo que a vida não para. Você mudou muito desde que deu entrada no plano espiritual, não é verdade?

– Creio que sim, Selena.

– Mesmo em relação a seu primeiro dia em Auxílio Divino, houve uma mudança muito acentuada. Todos nós percebemos isso. E é por tal motivo que você obteve o consentimento para visitar os seus na crosta terrestre. Entretanto, lembre-se de que lá também a vida mudou nesses anos. A sua família passou por transformações, assim como você. Não queira que estejam todos do mesmo modo como você os deixou. E, menos ainda, não espere que fiquem à sua mercê, vivendo apenas para a sua pessoa. Contudo, para tranquilizá-lo, devo dizer-lhe que você ainda é muito lembrado pelos familiares, particularmente por seus filhos e esposa. A sua lembrança é respeitada e a conduta que você teve é tida como exemplar. Não se feche num egoísmo devastador, querendo que tudo continue como antes. Faça, nesses dias que antecedem a sua visita, preces por todos os que você vai rever, mas, principalmente, ore para que a sua curta estada na Terra se transforme numa conquista de paz, harmonia e amor. Agindo assim, você voltará feliz e com mais ânimo ainda para dar continuidade ao trabalho que vem realizando com dignidade e competência.

As palavras de Selena calaram fundo no coração de Maurício, que buscou colocar em prática o que lhe fora sugerido, esperando, com a quietude possível, o momento de retornar ao antigo lar.

***

Poucos dias depois da sessão solene de formatura, foi realizado o baile de gala dos formandos. No dia do evento, Polidoro vestiu-se a rigor e foi até a casa de Adélia para levá-la ao Clube Atlético Ipiranga, onde seria realizado o baile. Foram reservadas mesas para os familiares e convidados, tendo transcorrido tudo a contento. Algo, porém, estava diferente. A princípio, Luísa não sabia dizer de que se tratava. Mas, com o passar do tempo, teve um *insight* que a fez estremecer. Sua mãe parecia mudada em relação a Polidoro. Ria por qualquer coisa, olhava-o nos olhos com um interesse incomum e, durante a dança dos formandos, parecia sonhar, com os olhos suavemente fechados, enquanto era conduzida por entre os diversos pares que, sorridentes, rodopiavam pelo salão. "Não pode ser!", pensou Luísa enquanto observava com mais apuro o que se passava entre Polidoro e sua mãe. Estaria ela interessada no ex-detetive? Mas não seria isso uma ironia do destino? Polidoro fora contratado justamente para investigar a conduta da mãe no tocante a algum pretendente. E agora justamente com ele é que sua mãe estaria pensando unir-se? "Não, não. Estou exagerando. Acho que tomei mais vinho do que poderia. Preciso tranquilizar-me." No entanto, não fora apenas ela a perceber que havia um clima diferente entre a formanda e o seu padrinho. Renata também notara que havia um pequeno mistério no ar. No momento em que Ricardo se afastou da mesa com Pascoal, Luísa, um tanto constrangida, tentou conversar com Renata.

– Você notou algo de diferente entre mamãe e Polidoro?

A pergunta fez Renata ficar mais ciente de que, de fato, um sentimento incomum parecia refletir-se no semblante do par, que dançava agora uma valsa de Strauss, antes que tivesse início a seleção de músicas contemporâneas.

– Cá entre nós, Luísa, notei sim. Não se parecem patroa e empregado, nem mesmo simples amigos. Parece reinar entre ambos certa confidencialidade que extrapola os liames da amizade e mais ainda o formalismo das relações de trabalho. Mas isso não deve preocupá-la. Afinal, sua mãe já está viúva há uns bons anos e Polidoro é um ser humano digno de todos os elogios.

– Então, você concorda que os dois... Podem estar...

– Namorando?

– Não me sinto à vontade para dizer isso, mas é realmente o que penso.

– Não, Luísa, não acho que estejam namorando.

Talvez nem eles mesmo tenham notado que estão saindo dos limites da amizade. Entretanto, não se preocupe. Sua mãe continua amando o seu pai, onde quer que ele esteja. Mas ela não pode ficar mofando em sua casa sem a companhia de alguém que a ame de verdade. Tendo alguém digno a seu lado, ela viverá melhor, como merece. Respeito muito dona Adélia e penso que já é tempo de ela voltar a ser feliz.

Luísa ficou muito confusa, pois, de um lado, concordava com Renata, mas, de outro, os ciúmes de filha mimada falavam mais alto. Renata ficou de passar no dia seguinte no apartamento de Luísa para conversarem melhor a respeito, mas procurou tranquilizá-la, lembrando as qualidades de Polidoro, que eram notadas por todos os familiares. Quanto ao ex-detetive, estava mesmo feliz por ter a amiga em seus braços, enquanto dançavam a seleção de valsas, mas, quando se deu conta do que estava sentindo, corou e buscou um assunto mais sério para conversar. Já Adélia, embora notasse estar gostando de Polidoro de um modo particular, não percebera ainda que o que vinha sentindo eram as primeiras flechadas de Cupido. Assim, a noite de gala chegou ao fim e Polidoro, após deixá-la em sua casa, rumou para seu pequeno apartamento, ainda embevecido com uma noite cuja alegria e satisfação não se lembrava de ter sentido nunca em sua vida.

Em meados da semana seguinte, Adélia foi contratada como professora da faculdade, conseguindo, desse modo, realizar o sonho de se tornar educadora.

Diferentemente de Maurício, ela não pensava em erudição, mas em ajudar os alunos a pensar sobre Deus, sobre a vida e sobre o ser humano, buscando respostas às perguntas mais prementes da humanidade. Pouco tempo depois, conseguiu ser aprovada como aluna do mestrado, que teria início em fevereiro. Sem dúvida, era uma nova etapa na vida de Adélia, que depositava maiores responsabilidades nos ombros de Polidoro, para que pudesse se afastar quase que totalmente das lojas e se dedicar à vida universitária. Era com uma dor profunda no coração que ela o fazia, pois fora por meio desse trabalho que conseguira superar muitas dificuldades após o desencarne de Maurício. Mas ao mesmo tempo com muita satisfação, já que poderia agora dar um novo passo em sua vida, aceitando os desafios do magistério superior. Por outro lado, nas mãos de Polidoro, as lojas poderiam crescer ainda mais, pois ele já mostrara a sua elevada competência e o seu extremado comprometimento com o trabalho. Era com alegria que subia um novo degrau, dando prosseguimento à sua renovação interior.

30

A visita

FINALMENTE CHEGOU O DIA em que Maurício faria a sua primeira visita ao globo terrestre, para acompanhar por três dias a vida da família que deixara havia alguns anos. Fez, logo ao se levantar, uma prece, que nasceu do fundo da alma e o levou a tranquilizar-se um pouco mais, pois amanhecera com uma ansiedade incomum. Logo depois, estava com Rafael e Selena, a ouvir os últimos conselhos e encorajamentos, quando Vítor chegou com o sorriso de sempre. Após os cumprimentos, perguntou-lhe com afabilidade:

– E então, está preparado para a visita?

– Creio que sim, Vítor, embora a ansiedade tenha aumentado neste momento.

– Encare a visita como mais uma lição do Pai para que nos aperfeiçoemos e possamos dar bons frutos.

Maurício ainda conversou um pouco mais e, em seguida, partiu para a viagem tão esperada, mas que agora carregava grandes interrogações que o deixavam aflito. Depois de Maurício e Vítor volitarem por entre nuvens acinzentadas e compactas, finalmente Maurício pôde ver a paisagem terrena. Anoitecia na capital paulista.

– Estamos em São Paulo – disse-lhe Vítor.

– É verdade. Acabo de ver o pico do Jaraguá.

– Seguiremos agora para a zona leste, mais exatamente para a faculdade em que você lecionava.

Maurício gostou da ideia. Poderia ver o diretor da faculdade e alguns de seus colegas que ainda estivessem lecionando ali. Lembrou-se, então, dos jovens professores, que quase demitira, Ademar e Suzana. Continuariam na faculdade? Ele esperava pela resposta afirmativa, pois, devido às suas estranhas convicções, pouco faltou para que não fossem demitidos. Vítor, notando as suas conjecturas, procurou tranquilizá-lo:

– Logo chegaremos. Está reconhecendo a Radial Leste ali embaixo?

– Estou.

– Então, é só questão de dois ou três minutos. Você terá uma grande surpresa na faculdade.

– Boa?

– Excelente.

Logo em seguida, pousaram no prédio da faculdade. Vítor convidou Maurício a entrar. Quando, já no chão, deu o primeiro passo rumo ao interior do prédio, um aluno avançou apressadamente em sua direção. Para evitar o choque, Maurício saltou à esquerda, quase perdendo o equilíbrio. Vítor riu e, segurando o seu braço, lembrou-o:

– Maurício, nós somos espíritos desencarnados. Esqueceu-se? Podemos passar pelas paredes e também por pessoas. Não há perigo de choque. E somos igualmente invisíveis. Exceção feita aos videntes.

– É verdade. Desculpe-me.

Rindo, entraram no edifício e foram seguindo pelos corredores até a Diretoria. Havia entre os alunos um clima de nervosismo, pois essa era a semana dos exames finais.

– Há poucos alunos, porque aqui só estão aqueles que estão fazendo a rematrícula.

– É verdade. Estamos em janeiro.

– Bem, entremos na sala do diretor.

Maurício emocionou-se ao ver o seu antigo chefe e amigo. O diretor examinava alguns papéis e conversava com um professor que Maurício não conhecia. "Deve ser novo", pensou.

– Você não vai lhe dizer nada? – perguntou Vítor, com um leve sorriso.

– Ele não poderá responder – rebateu Maurício.

– Mas tenho certeza de que se lembrará de você. Experimente.

Maurício disse ao diretor que tinha uma dívida de gratidão para com ele por tudo o que lhe tinha feito nos anos em que lecionara nessa faculdade e, principalmente, durante o tempo em que fora coordenador de curso. Suas palavras refletiam a emoção que lhe ia no peito e seu gesto foi dar um tapinha nas costas do diretor, embora sua mão não sentisse o corpo físico em que tocava. Imediatamente, o diretor levantou o documento que tinha em mãos e disse ao professor:

– Fico feliz por poder receber a professora Adélia em nossa faculdade. Além de ter sido uma excelente aluna e merecer a oportunidade que lhe dou, ela é viúva de um dos grandes professores que passaram por aqui e meu grande amigo também, professor Maurício, de saudosa memória. Sempre me lembro dele. Eu já estava para me aposentar e ia indicá-lo para ocupar o meu lugar. Mas o infarto o levou quando mais necessitávamos de seu saber e de sua conduta ilibada. O resultado foi que me aposentei, mas não me permitiram deixar o posto. Aqui ficarei ainda por uns dois ou três anos e, em seguida, passarei o bastão para mãos mais jovens. É pena que o professor Maurício tenha partido tão cedo.

Maurício ficou abalado. Por que fora citado o nome de Adélia? Que oportunidade ela estava recebendo? Estaria em situação financeira difícil e tinha pedido emprego como funcionária da faculdade? Mas ele ouvira uma frase, que mais o intrigou: "Além de ter sido uma excelente aluna e merecer a oportunidade que lhe dou". Adélia foi aluna da faculdade? Mas quando? Vítor, notando as dúvidas de Maurício, interveio:

– Eu não lhe disse que você teria uma grande surpresa?

– Como assim? Que surpresa?

– Você ouviu bem: sua esposa foi aluna da faculdade. Ela estudou Filosofia, Maurício.

– Adélia? Filosofia? Vítor, você está brincando comigo?

– Por quê? Você acha que Adélia não tem competência para estudar Filosofia?

– Não, não quis dizer isso. Só não esperava que ela tivesse voltado aos estudos. Fico, porém, muito feliz por esse fato.

– Não só estudou, como foi uma excelente aluna, nas palavras do próprio diretor.

– Sim, agora entendo. Mas qual é a oportunidade que ela está tendo?

– Você já vai saber. Veja quem está entrando na sala, mas contenha-se.

Maurício quase desmaiou quando viu Adélia entrar no recinto. Ela estava muito bem-vestida e sorria discretamente. O diretor a cumprimentou, enquanto o professor, após os cumprimentos, deixou a sala.

– Muito bem, professora. Seus documentos estão em ordem e você começa a lecionar nesta casa em fevereiro. Já está preparando as aulas?

– Estou. Tenho passado várias horas por dia a planejar e organizar o material didático que usarei em sala de aula.

– Ótimo. Tenho fé que você será uma das melhores professoras da nossa faculdade. Espelhe-se no exemplo dos bons professores que teve, mas, sobretudo, modele-se pela conduta do professor Maurício. Ele também foi um dos nossos melhores professores.

– Felizmente, tenho muitos exemplos a seguir e, sem dúvida, particularmente o do meu marido.

Maurício ainda estava perplexo. Adélia sempre lhe dizia que desejava voltar a estudar, mas ele não esperava que fosse filosofia. Afinal, ela usava muito bem do coração, mas não tinha tanta desenvoltura quando se tratava da razão. Ele não a chamava de "sentimental"? Como ela conseguira tirar de dentro de si a dimensão racional de que não fazia tanto uso?

Mais uma vez Vítor interveio:

– Você não acha que esses conceitos, "racional" e "sentimental", estão um pouco ultrapassados, particularmente em relação à sua esposa? E você não acha também que subestimou muito a inteligência que ela possui?

Maurício desestabilizou-se. O que Vítor dizia era a mais pura verdade. Ele estava vendo Adélia com os olhos que tivera quando encarnado. Sim, ele subestimara a inteligência da esposa. Por ser um filósofo, achava que ela nunca conseguiria dominar a terminologia que ele gostava tanto de ostentar para os outros. Então, por que ficar surpreso? Ela, não só se tornara também uma filósofa, como poderia ser muito melhor professora que ele. Nesse momento, as palavras de Margarida reboaram em sua mente. A professora desconhecida e humilde tinha, na verdade, não apenas conhecimentos, mas principalmente a sabedoria que faltava a ele, que se julgava tão superior aos demais. Ele guardava na memória o que ela lhe dissera: "Educar é intervir no desenvolvimento humano. Se aquilo que eu faço em sala de aula não auxilia em nada o desabrochar da vida que está em minhas mãos, eu não sou educadora. Posso ser instrutora, certamente não educadora". "Se o que fui, apesar dos elogios do diretor, não passou da condição de instrutor, como posso duvidar da competência de Adélia para educar?", pensou envergonhado. "Estou notando que não mudei tanto como esperava. Ainda cultivo na alma o preconceito. E este, certamente, está sendo um momento de reflexão e aprendizado."

– Muito bem, Maurício. A visita que você está fazendo é principalmente uma oportunidade para que reflita sobre o seu passado e o seu presente e que, a partir das conclusões, possa dar mais um passo rumo à sua reforma íntima.

Adélia agradeceu ao diretor a sua confiança na competência da nova professora e notificou-o de que já se inscrevera para as provas seletivas do mestrado. Maurício aproximou-se dela com lágrimas a escorrer pela face e pediu perdão pelo julgamento despropositado que sempre fizera da sua inteligência e da sua cultura. A sinceridade do seu gesto tocou o coração dela, que disse ao diretor, com olhos umedecidos:

– Farei o que estiver ao meu alcance para honrar, com minha conduta, a memória de Maurício.

– Tenho certeza disso – respondeu o diretor, satisfeito pela escolha que fizera.

Saindo da Diretoria, Adélia dirigiu-se para a sala dos professores, a fim de contar ao professor Ademar e à professora Suzana que já se consumara o seu ingresso naquela casa de ensino como professora. Ao encontrá-los, abraçou-os alegremente, recebendo grandes elogios.

– Você merece – disse-lhe o professor Ademar. – Sem dúvida foi a minha melhor aluna durante o curso e, agora, será uma das melhores professoras.

– Adélia – completou a professora Suzana –, você, além de excelente aluna, mostrou ser uma pessoa de qualidades incomuns. Parabéns pela conquista.

Ademar, pedindo silêncio, anunciou em voz alta aos professores que ali se encontravam, a nova contratação e pediu uma salva de palmas, que repercutiu pela sala juntamente com a aprovação dos novos colegas. Adélia, um tanto intimidada pela manifestação ruidosa, agradeceu e deixou logo a sala, dirigindo-se para o estacionamento. Maurício ficou, mais uma vez, surpreso. Mas, desta vez, não pôs em dúvida as qualidades daquela que fora a sua esposa em sua última encarnação.

– Vamos acompanhá-la? – propôs Vítor. E, rindo, disse: – Pegaremos uma carona.

– Ela sabe dirigir? – perguntou Maurício desconcertado.

– Por quê? Você acha que ela não tem habilidade para isso?

– Desculpe-me. Creio que tenha, sim.

– Você vai ao lado dela e eu fico atrás.

Maurício sentou-se e ficou a olhar fixamente para a fisionomia de Adélia. "Ela sempre foi bonita", pensou, "mas parece que agora está mais bela ainda. Está mais cuidada, mais bem-vestida. E mais autoconfiante também. Devo confessar que ela mudou para melhor. Antes, ela se mostrava um tanto insegura, apesar do sorriso que sempre estampou no rosto. Talvez essa insegurança, aliada ao fato de não ter concluído o curso superior, levou-me a subestimá-la."

– Você foi um freio na vida de Adélia, Maurício.

– Freio? Como assim?

– Você a limitava muito.

– Desculpe-me, Vítor, mas eu discordo. Dei-lhe sempre liberdade. Ela possuía até o seu próprio negócio, em que nunca coloquei a mão.

– Por que você achava um trabalho inferior, não é mesmo?

– É. Não posso negar, é verdade. Mas ela agia livremente naquela loja. Não digo que fosse uma excelente administradora, mas o lucro que obtinha dava para o gasto.

– Ela nunca quis ampliar o negócio?

– Certa vez quis, mas o investimento seria grande e eu não concordei.

– E ela teve de abortar a ideia, certo?

– Não seja duro comigo, Vítor. Ela não teria competência para administrar uma loja muito grande. Afinal, nunca cursara administração. Poderia dar com os burros n'água.

– Mas ela não poderia contratar alguém que a ajudasse nesse empreendimento?

– Certamente não. Os gastos seriam muito elevados. Já gastávamos muito com as vendedoras, imagine se contratássemos alguém como um gerente, que pudesse auxiliar na administração da loja. Não teríamos o retorno suficiente para continuar no ramo.

– Quem decidiu que não haveria ampliação da loja: ela ou você?

– Eu. Ela era muito emotiva e se deixaria levar pela fantasia, pondo tudo a perder.

– Por que você achava que estava com a razão e não ela? E por que a decisão teria de ser sua?

– Eu sempre fui racional e ela emotiva... Não, não estou querendo simplificar demais as coisas, como fazia naquele tempo, ao usar esses conceitos um tanto estreitos. Mas sempre tive mais os pés no chão. Ela costumava "viajar" muito.

– Esse não foi um dos freios que você representou para ela?

– Ter os pés no chão?

– Não. Pensar que sempre estava certo, sem lhe dar oportunidade de construir o seu próprio caminho?

– Bem... Não sei, Vítor. Você me encostou na parede.

– Não vim aqui para pregar-lhe nenhum sermão. Muito menos para julgá-lo. Apenas estou querendo abrir-lhe os olhos para que você não continue incorrendo em erros que lhe passaram sempre despercebidos e que prejudicaram outras pessoas.

– Eu prejudiquei Adélia?

– Em certo sentido, sim. Mas, com o seu desencarne, ela teve oportunidade de retomar projetos que tinham sido engavetados, para que não entrasse em choque frontal com você. Hoje, ela é uma mulher livre, que tem os pés no chão e os olhos no céu, Maurício. Você quer uma prova disso?

– Seria pedir demais?

– Não. Apenas, vamos acompanhá-la.

Mais alguns minutos e Adélia entrou no estacionamento de uma loja. Ao deixar o carro, entrou por um corredor, indo até uma sala muito bem mobiliada. Pediu, pelo interfone, um cafezinho e ficou a analisar alguns papéis.

– Boa noite, dona Adélia. Aqui está o seu café. Quer mais alguma coisa?

– Não, Cláudia. Muito obrigada. Ah! Faça-me um favor: peça para Luciano vir até aqui.

Maurício estava, mais uma vez, perplexo. Que loja era aquela? Por que Adélia se colocara diante daquela mesa, com pose de chefe? O que estava acontecendo, afinal?

– Pois não, dona Adélia.

– Luciano, fiquei sabendo que recebemos um pedido de quinze computadores para uma montadora de automóveis.

– É verdade. E já estamos providenciando.

– Nós precisamos entregar esse pedido amanhã até meio-dia.

– Fique tranquila, dona Adélia. Seu Polidoro já ligou para mim dizendo a mesma coisa, e tudo está sob controle. Amanhã, às dez horas, estaremos entregando a mercadoria.

– Ótimo. Não podemos perder esse cliente. Outra coisa: já foi trocado o monitor que despachamos com defeito para aquela cliente de Pirituba?

– Sim. Às três da tarde ela já estava recebendo um outro, em perfeitas condições.

– Não permita que saia mercadoria daqui sem ser testada. Produtos com defeito causam transtorno ao comprador. Devemos respeito a todo e qualquer cliente, mesmo que ele compre apenas um alfinete em nossa loja.

– Farei de tudo, dona Adélia, para que isso não aconteça mais.

– Confio em você, Luciano. Obrigada.

Maurício observou com atenção a cena que se desenrolara sob as suas vistas. Ficou muito intrigado e perguntou a Vítor:

– Ela fechou a lojinha e veio trabalhar aqui?

– Não, Maurício, esta é uma das filiais da "lojinha".

– O quê? Não pode ser verdade. Filial?

– Adélia, com a ajuda do gerente-geral, está ampliando o negócio, Maurício. Não era isso que ela queria quando vocês estavam juntos?

– E eu não dei crédito à sua competência, não é mesmo?

– Certamente.

– Não dá para acreditar. Ela conseguiu tudo isso?

– Bem, não foi sozinha que alcançou resultado tão surpreendente. A sua nora, Renata, ajudou bastante. Ela é gerente de Recursos Humanos da empresa. Mas a ajuda maior veio do gerente-geral, contratado a partir da perspicácia de Adélia. Ele é o grande responsável pelo que você está vendo e pelo que ainda não viu.

– Isto me deixa em maus lençóis, Vítor.

– Por quê?

– Se ela tivesse recebido o meu apoio anos atrás, isso tudo teria se concretizado muito antes.

– Não podemos afirmar que o sucesso teria sido tão grande, mas, certamente, Adélia precisava de alguém que a impulsionasse.

– Fui muito ignorante. De cima do meu pedestal de falsa sabedoria, na verdade, eu não sabia nada.

– Ou tinha medo de que ela se tornasse independente...

– Mais essa?

– Pense bem.

– Sou obrigado a me curvar ante a verdade. Lá, bem no fundo, eu tinha mesmo medo que ela crescesse muito, pois poderia me ofuscar. Como fui egoísta, Vítor.

Os olhos de Maurício encheram-se de lágrimas. Ele se aproximou mansamente de Adélia, que assinava alguns papéis, e pediu-lhe um sentido perdão. Tomada por uma sensação de que havia alguém na sala, ela olhou em direção à porta, que permanecia fechada. E uma intensa lembrança tomou conta do seu coração. Quase inconscientemente, ela olhou para um retrato sobre a mesa, em que estava a família reunida, com Maurício ao centro, junto dela. Tomou o retrato nas mãos e falou quase imperceptivelmente: "Como seria bom se Maurício pudesse ver como o nosso negócio prosperou e continua prosperando. Será que ele já tomou conhecimento do nosso sucesso?".

Maurício, soluçando, disse, com os olhos avermelhados:

– Ela falou: "nosso sucesso". Ela não é egoísta, Vítor. O egoísta sou eu.

Do escritório, Adélia foi para casa. Maurício pôde notar a mudança dos móveis, a nova disposição da sala e a cozinha renovada, muito mais clara e funcional. "Que bom gosto!", pensou. Mas o que mais o surpreendeu, foi ver que Adélia, diante da escrivaninha, abriu *O Evangelho Segundo o Espiritismo* e começou a lê-lo compenetradamente.

– Ela se tornou espírita, Vítor?

– Sim. Aos poucos, ela foi conhecendo a doutrina e abraçou-a como sua filosofia de vida.

– Como as coisas mudam. Nós achávamos o Espiritismo o caminho certo para pessoas ignorantes. Mesmo ela, sem muito estudo, nunca se aproximou de um centro espírita.

– Bem, como você disse: "as coisas mudam". Amanhã você terá novas surpresas. Agora, pode ver o que ela está lendo, depois deixaremos esta casa. Você terá de descansar para suportar tudo o que esta visita tem para oferecer-lhe.

Maurício aproximou-se mais da escrivaninha e pôde ler: "Não vos envaideçais do que sabeis, porque esse saber tem limites muito estreitos no mundo em que habitais. Mesmo supondo que sejais uma das sumidades inteligentes desse globo, não tendes nenhum direito de envaidecer-vos. Se Deus, em seus desígnios, vos fez nascer num meio onde pudestes desenvolver a inteligência, é que deseja que a utilizeis para o bem de todos; é uma missão que Ele vos dá, pondo em vossas mãos o instrumento com que podeis desenvolver, por vossa vez, as inteligências retardatárias e conduzi-las a Ele".

– Basta este trecho, Maurício. Antes de adormecer, faça uma pequena meditação sobre ele. Agora, deixemos Adélia aproveitar os frutos da sua leitura e partamos. Eu o levarei para um lugar onde poderá repousar. Amanhã haverá mais para aprendermos.

Depois da meditação sobre o que ocorreu durante aquele primeiro contato com Adélia e sobre o conteúdo da leitura que ela fez, Maurício adormeceu, sendo acordado, na manhã seguinte, por Vítor.

– Você quer ver Ricardo e Renata?

– Claro! Onde eles se encontram?

– Ainda estão em casa. Vamos até lá.

O apartamento de Ricardo e Renata pareceu mais luminoso a Maurício, mais cheio de vida. Havia uma aura de alegria e...

– Hei! Quem é esta garotinha?

– Você já é avô, Maurício – disse-lhe Vítor, com um largo sorriso.

– Avô? Meu Deus! Acho que vou desmaiar.

Vítor ria muito enquanto segurava o ombro de Maurício, que não cabia em si de tanta alegria.

– Esta linda garotinha é minha neta?

– Com certeza.

– E qual é o seu nome?

– Renata vai dizer-lhe.

Não demorou muito e Renata perguntou:

– Luísa, o que você está fazendo?

– O nome dela é Luísa – disse Maurício, todo emocionado.

– É Maria Luísa. Foi uma homenagem que prestaram à sua filha.

– Eu nunca tinha tido a agradável sensação de ser avô. E como é esperta a Maria Luísa!

– Você está se revelando um autêntico avô... Agora, veja a sua nora.

Maurício adiantou-se até a cozinha, onde Renata acabava de tomar o seu café com leite. Olhou emocionado para ela e a abraçou ternamente. Imediatamente, ela pensou no sogro. Olhou para Ricardo, que entrava no recinto e disse, com emoção:

– Hoje estou com saudades do seu pai. Senti agora um aperto na garganta.

– Meu pai ainda faz falta. Eu também sempre penso nele. Ele me dava segurança. Mas a vida é assim: um dia vivo e outro...

– Não fale assim, Ricardo. Vamos pensar nele como vivo.

– É bem melhor mesmo.

Maurício também abraçou Ricardo e, depois, comentou com Vítor:

– Eles estão mais velhos. Mas isso lhes fez bem. Parecem mais maduros, mais adultos.

Ficaram ali mais algum tempo até Vítor convidar

Maurício para se deslocarem à escolinha de Luísa. Foi emocionado que Maurício se despediu dos três, dando um beijo carinhoso em Maria Luísa. Quando saíram do local, a garotinha correu para a mãe e perguntou:

– Mãe, quem é esse homem que me deu um beijo na testa?

– É imaginação sua, Luísa.

– Não é, não. Tinha dois homens aqui e um deles me deu um beijo na testa e me chamou de "netinha".

– O quê?

– É verdade. Eu gostei dele. Quer saber de uma coisa? Gostei dos dois.

Renata ficou sem ação. Afinal, ela também sentira a presença do sogro. O que responder à filha? Sem explicação, preferiu mudar de assunto:

– Você já está pronta para ir ao médico?

– Sim, mãe. Estou. Mas não me sinto doente.

– Você está saudável, filha. É só uma visita de rotina.

Mas o pensamento de Renata estava fixado na visão que Luísa tivera. Será que sua sogra estava certa? Será que a vida continua e os mortos se comunicam com os vivos? Afinal, ela tivera uma experiência incomum. Seria capaz de jurar que Maurício estivera ali. E quem seria o outro de quem falara a filha? Decidiu ligar mais tarde para Adélia, a fim de pedir algumas explicações sobre aquele fenômeno.

Ao chegar diante do prédio a que fora levado por Vítor, Maurício estacou de repente e disse para o amigo:

– Vítor, esta não é a escolinha de Luísa.

– Por que você pensa assim?

– A escolinha fica naquela rua transversal.

– Você quer dizer "ficava"?

– Mas aqui é uma escola grande. Está ali escrito: "Escola de Ensino Fundamental. Não me diga que ela também...

– É isso mesmo: ela também prosperou. Veja que há aqui uma escolinha e também uma escola de ensino fundamental. Notou que está havendo uma reforma no prédio?

– Quer dizer que continua crescendo?

– Acertou. Duas salas eram poucas. Eles estão ampliando as instalações.

– Eles?

– Pascoal mudou de emprego, Maurício. Agora, ele é diretor da escola, juntamente com Luísa.

– Gostei de saber disso. Eles se amam tanto. Nada melhor do que estarem juntos também no trabalho.

Entraram no prédio e viram Luísa conversando com uma senhora que desejava matricular seus dois filhos para o próximo ano letivo.

– Como você pode ver, estamos ampliando as nossas instalações, de modo que teremos duas salas para a primeira série e duas para a segunda. E já estamos em negociação com o proprietário do casarão aqui em frente, a fim de podermos, para o fim do próximo ano, já estar terminando as novas dependências da escola. Afinal, precisamos de salas para a futura terceira série.

Maurício abraçou a filha, desejando-lhe todo

o sucesso do mundo, e foi para a sala onde se achava Pascoal, atarefado em seus afazeres. Ficou sabendo que não tinham filhos, devido a um problema congênito de Pascoal, mas, ao mesmo tempo, alegrou-se por tomar conhecimento de que brevemente estariam adotando um garotinho, cuja papelada já se encontrava com o juiz.

Nos dias em que esteve visitando os parentes, Maurício aprendeu muito. Quando conseguiu permissão para reencontrar seus familiares, ele pensava apenas em matar as saudades e constatar o estado de cada um deles, dado que temia encontrá-los em má situação, fosse financeira ou conjugal. Entretanto, sobre esse objetivo, havia uma finalidade superior: o aprendizado. Após cada visita, Vítor conversava muito com ele e mostrava a lição que resultava desse contato. Maurício, por sua vez, ao mesmo tempo em que se alegrava com o que presenciava, refletia sobre a necessidade que tinha de se aprimorar mais, a fim de que na próxima encarnação não repetisse os erros cometidos na última. E assim, os três dias estavam prestes a se esgotar quando Vítor o convidou a ir até o centro espírita frequentado por Adélia.

Às sete e meia da noite, eles já se encontravam no local, a conhecer as suas dependências. Vítor mostrou-lhe os amigos de Adélia, falando sobre as reuniões dominicais, que ainda eram realizadas com muito ânimo e amizade. Às quinze para as oito, chegou Adélia. Conversou com alguns trabalhadores da casa e, em seguida, foi conversar com Lucinda. Nessa altura, Vítor prestou um esclarecimento a Maurício:

– Adélia concluiu, no início de dezembro, o Curso de Educação Mediúnica. Assim como aconteceu na faculdade, também aqui ela sobressaiu entre os colegas, de modo que vai agora receber um convite.

Maurício quis perguntar que convite seria aquele, mas o amigo pediu que entrassem na sala onde se encontrava a diretora da área de ensino.

– Ouça o que Lucinda vai dizer.

Adélia entrou na sala e foi recebida alegremente pela amiga, que a parabenizou pelos conhecimentos adquiridos durante o curso. Em seguida, ponderou:

– Você foi a melhor aluna que tivemos nestes quatro anos, Adélia. Isto é verdade, mas creio que assim como recebeu os ensinamentos de nossos expositores, poderia agora contribuir com a sua parte, ensinando aqueles que ainda têm de aprender. É claro que o aprendizado continua por toda nossa existência. Nunca devemos parar, achando que sabemos tudo. Mas o que você conhece hoje é o suficiente para atuar nesta casa como expositora. O que você acha?

– Lucinda, este foi o melhor convite que já recebi neste centro espírita. Não somente aceito, como me sinto honrada por poder contribuir para o bom êxito do nosso curso. Sei, entretanto, que a responsabilidade é muito grande, portanto, estudarei dobrado para poder corresponder às suas expectativas.

– Ótimo. Você trabalhará com o segundo ano do Curso de Educação Mediúnica. Aconselho-a a começar a preparar as aulas imediatamente. O início das aulas será em março próximo, mas você sabe como o tempo passa rápido.

– Sem dúvida. Hoje mesmo, chegando em casa, já começarei a me programar.

– Espero que o nosso curso não atrapalhe as suas aulas na faculdade.

– De modo algum. Saberei me planejar de modo a dar conta das duas coisas. E quero agradecer-lhe pela confiança depositada em mim.

– Eu só convido quem sei que tem condições. Não foi pela nossa amizade que você recebeu o convite, mas por sua competência.

Enquanto conversavam, Polidoro enfiou a cabeça pela fresta da porta semiaberta e, ao verificar que Adélia estava na sala com Lucinda, pediu desculpas e se afastou. Lucinda, porém, chamou-o para dento.

– Entre, Polidoro. Podemos conversar os três. O assunto interessa a todos nós.

Polidoro entrou e cumprimentou as duas amigas, beijando-as no rosto e sentando-se na cadeira vaga.

– Acabo de convidar Adélia para ministrar aulas no Curso de Educação Mediúnica.

– A escolha não poderia ter sido melhor. Esta foi a melhor aluna da nossa turma durante todo o curso. Não tenho palavras para elogiar o seu conhecimento, assim como não sei medir as qualidades pessoais que ela possui. Ela é simplesmente fora de série.

Depois de dizer isso de modo tão natural, Polidoro enrubesceu. "Será que falei demais?", pensou, enquanto esfregava uma mão na outra exageradamente. Lucinda olhou para Adélia, deu uma piscada e não conteve o riso. Nesse momento, foi Adélia quem perdeu o jeito, mas logo se recompôs e respondeu sorrindo:

– Polidoro é muito exagerado. O que ele tem de bom projeta nos outros.

Lucinda fez uma pausa e, em seguida, olhou para Polidoro, dizendo:

– Tenho também um convite para você. A sua mediunidade tem aflorado nestes quatro anos e foi devidamente notada pelos expositores. Por que não usá-la em proveito dos semelhantes? Todos sabem que você tem se portado de modo exemplar. E é isso que nós queremos de nossos médiuns. Trabalhamos nesta casa com aquilo que Martins Peralva chama de "mediunidade com Jesus", que você já deve conhecer.

– Sim. Tive a oportunidade de ler E*studando a mediunidade*, de Martins Peralva, onde ele diz algo como: O médium que vigia a sua própria vida controla as suas emoções, pratica as virtudes cristãs e devolve a Deus, multiplicados, os talentos que recebeu por empréstimo, está preparando o caminho de sua elevação rumo a planos espirituais superiores.

– Você é outro estudioso em quem podemos confiar. Pois bem, o convite que lhe faço é para trabalhar como médium passista em nosso centro espírita. Dona Alva, a dirigente da área espiritual desta casa, está de férias e pediu-me para fazer-lhe o convite.

– Pois é o que mais desejo, Lucinda. Aceito e agradeço.

– Você fará primeiramente o Curso de Passe, em seguida, iniciará o seu trabalho na sustentação. Posteriormente, poderá aplicar passes junto com outros membros da equipe. Tudo bem?

– Tudo ótimo.

Movido pelo entusiasmo reinante, Polidoro abraçou Adélia e deu-lhe um beijo no rosto.

– Lembra-se de que foi você quem me deu as primeiras lições? Eu me matriculei com atraso no Curso de Educação Mediúnica. Foi você quem me pôs a par do que estava acontecendo. E, mesmo durante o curso, quantas vezes tive de pedir o seu auxílio para compreender algum termo ou algum fenômeno estudado. Portanto, meu muito obrigado também a você.

Adélia gostou de ser abraçada por Polidoro e teve vontade de dizer-lhe tudo o que se passava em seu íntimo, mas sabia que ali não era o lugar apropriado, e quem poderia dizer que Polidoro estaria sentindo o mesmo que ela? Assim, conteve-se, mas, pegando na mão de Polidoro, respondeu:

– Você não me deve agradecimento algum. A sua presença foi muito importante para mim nestes quatro anos.

Lucinda, descobrindo o que estava ocorrendo, prometeu a si mesma que ajudaria para que daquela amizade surgisse um namoro e, do namoro, um casamento, emoldurado pelo verdadeiro amor. Entretanto, Maurício, que a tudo assistia, não se conteve:

– Vítor, quem é esse Polidoro?

– É o gerente-geral das lojas e amigo de Adélia.

– Isso eu sei, mas por que essa intimidade toda? E por que Adélia retribui?

– Maurício, Arcanjo conversou com você a esse respeito e Selena também, não foi?

– Arcanjo falou a seu próprio respeito e Selena abordou o tema da pessoa que se casa após enviuvar. Você não quer dizer que Adélia...

– Por que não? E se for importante para ela ter um companheiro a quem confiar o que lhe vai na alma? Alguém com quem possa compartilhar os maus e os bons momentos da vida? Alguém que a tire da solidão que sente todas as noites ao chegar em casa? Eu sei que há pessoas que se sentem bem sozinhas e jamais pensariam em unir-se com alguém. Nesses casos, não existe solidão. Mas, por outro lado, há quem necessite da companhia de outra pessoa para poder viver harmoniosamente consigo mesma e com os demais.

– Mas você sabe que existe solidão a dois, não é mesmo?

– O que é solidão, Maurício?

– Bem, é o estado de quem se acha só, isolado dos demais, perdido em seu próprio interior. Apesar da situação em que me encontro, lembro-me, neste momento, de um pensamento de Victor Hugo que bem ilustra o que quero dizer: "Todo o inferno está contido nesta única palavra: solidão".

– Muito bem. Adélia se acha só.

– Mas ela tem o trabalho e muitos amigos.

– Ela quer mais que isso, Maurício. Ela quer a presença de alguém com quem possa confabular, em quem possa confiar e que lhe dê apoio nas horas difíceis da existência, enfim, alguém que caminhe, passo a passo, a seu lado até o momento da partida para o nosso plano. Quanto à solidão a dois, de que você falou, não justifica o fato de ela continuar viúva pelo resto de sua existência.

– Mas e eu? Onde fico?

– Você já não é mais do plano terreno.

– Entretanto, ela continua sendo minha esposa. Minha!

– Você notou o sentido de posse nas suas palavras? Na verdade, você pensa que ela seja sua propriedade. Mas ninguém é propriedade de ninguém, Maurício. Existe um apego muito grande a permear o seu amor. E esse apego acaba por contaminá-lo. Desfaça-se dele e o verdadeiro amor medrará em seu coração.

Maurício começou a chorar desesperadamente. Não podia conceber Adélia com outra pessoa. Sentia-se traído e repudiado.

– O que estou presenciando aqui é o início de uma grande e pérfida traição. E o pior de tudo é que nada posso fazer para pôr fim a esse conluio. Quero ir embora e não voltar aqui nunca mais. Está encerrada a visita, Vítor. Está terminado o meu casamento. Está encerrado o meu amor.

Assim dizendo, sentiu uma profunda dor no peito, sendo amparado pelo amigo, que o levou de volta ao posto de socorro, juntamente com amparadores que o acompanhavam, a pedido de Vítor, e que vibravam numa frequência mais elevada, não sendo percebidos por Maurício. Estava, assim, terminada melancolicamente a visita que Maurício fez a seus familiares.

31

Escuridão na alma

NA NOITE EM QUE RECEBERAM o convite para trabalhar como voluntários no centro espírita, Adélia e Polidoro voltaram para casa muito felizes. Amparadores criaram uma barreira a fim de que tanto Adélia quanto Polidoro não percebessem o que se passava nem sofressem as consequências do desequilíbrio de Maurício.

Chegando ao seu apartamento, Polidoro ficou a imaginar como seria bom se Adélia tivesse alguma afeição maior por ele. Se ela retribuísse o amor, que já despontava em seu coração. Mas, ao mesmo tempo, um pensamento perturbador tomou conta das suas reflexões: ela poderia pensar que ele estava interessado em seu dinheiro. "Por que não ponderei sobre isto antes?", pensou entristecido. "Ela pode estar pensando que sou um aproveitador. Por causa dessa minha pretensão absurda, posso até mesmo perder o emprego. Tenho de pôr um fim a esse caso que nem sequer começou. Infelizmente, tem de ser assim."

É claro que Polidoro exagerava em suas ponderações, mas a austeridade de sua conduta moral fazia com que tomasse uma decisão precipitada, que aniquilaria um romance destinado, talvez, a culminar em um grande amor. Por tal motivo, assim decidido, foi para o trabalho na manhã seguinte.

Adélia também chegou feliz em sua residência. Dali em diante, ela poderia ensinar a outras pessoas tudo o que aprendera naquele centro espírita e mais o que viesse a aprender a partir de seus estudos, que começariam naquela mesma noite, quando abriu *O Livro dos Médiuns*. Entretanto, outro pensamento começou a tomar conta de suas reflexões. Lembrou-se do abraço de Polidoro e do beijo que lhe deu no rosto. Nesse momento, deixou aflorar livremente um sentimento que já se assenhoreava do seu coração. "Como gostaria que Polidoro se declarasse, a fim de que pudéssemos dar livre curso a um sentimento que só nos poderá tornar felizes e ainda mais unidos do que somos. Mas... será mesmo que ele ao menos gosta de mim? Sua gentileza e seu cavalheirismo não serão apenas uma retribuição pelas oportunidades que lhe tenho proporcionado na rede de lojas? Não estarei sendo ingênua? Se ele me amasse de verdade, já se teria declarado. Se não o fez até agora, é porque gosta de mim apenas como amiga e, talvez, até como chefe. Que devo fazer? Vou me aproximar mais dele nesta semana. Se ficar claro que deseja iniciar um compromisso comigo, irei em frente, mas se perceber que tudo não passa de amizade, voltarei à minha situação de viúva, sem nenhuma pretensão, daí para a frente, em relação a amor e casamento." Assim pensando, apagou a luz do abajur e tentou dormir. A manhã custou a chegar.

Adélia usou a manhã para preparar as aulas da faculdade e, em horário próximo ao almoço, foi até a matriz, pensando que iria encontrar Polidoro. Ele, porém, estava resolvendo um problema numa das filiais. Pediu que a secretária o avisasse para que, assim que tivesse solucionado o problema, fosse até onde ela se encontrava. Não demorou muito para que Polidoro entrasse em sua sala.

– Bom dia, Adélia. Demorei-me porque o caso a ser resolvido era um pouco grave.

– Já sei do que se trata. E tenho a certeza de que você encontrou a solução adequada. Entretanto, gostaria de conversar um pouco mais sobre a inauguração da nova filial. O que você acha de irmos almoçar no Luca's? Ali estaremos mais sossegados para trocar algumas ideias.

Polidoro não teve como dizer "não", e foi com Adélia até o restaurante. Embora o diálogo fosse essencialmente profissional, não pôde deixar de notar a beleza madura da amiga. Ela parecia mais alegre, mais jovial, enfim, mais próxima. Quase deixou transparecer o sentimento profundo que lhe ia na alma, porém, a ideia do que ela poderia pensar, fez com que recuasse. Com relação a Adélia, também algo a estranhava. "Estou notando Polidoro mais seco, mais distante. Ontem, ele foi tão gentil, tão romântico. O que aconteceu? Será que ultrapassei os limites e ele percebeu?" Ela se sentiu frustrada. A nova situação parecia caminhar tão bem e, de repente, o cenário se modificava.

Afinal, o que estava acontecendo? O diálogo travado naquele almoço, do ponto de vista profissional, foi altamente produtivo, pois os detalhes da inauguração da loja, que ainda estavam obscuros, foram eficazmente esclarecidos. Entretanto, na dimensão sentimental, caiu uma neblina tão densa que não lhes permitia mais ver a singeleza de um amor nascente. Após tomarem um cafezinho, que lhes pareceu amargo demais, cada um seguiu por um lado diferente. Adélia foi para sua casa e Polidoro para o trabalho. Nenhum dos dois, entretanto, conseguiu se concentrar em seus afazeres. A decepção era muito grande para ambos.

***

Quando Maurício chegou a Auxílio Divino, estava sonolento pelos passes recebidos de Vítor. Em vez de repousar para assumir o trabalho no seu turno, teve de ser socorrido pelos colegas. Não tinha condições de trabalhar em prol dos assistidos, porque se fechara em si mesmo, não sendo capaz de se abrir para os outros. Em sua memória, fixara-se a imagem de Adélia e Polidoro olhando-se com um claro sentimento de amor mútuo. E isso, para ele, não passava de um ato obsceno de traição. Seu coração estava tão amargurado em seu monoideísmo, que não deixava espaço para nenhum outro pensamento. Seu peito voltou a doer muito e uma forte dor de cabeça tomou conta dos momentos em que se achava acamado.

Foi apenas no dia seguinte, à tardinha, que Rafael chegou até a cama de Maurício para uma conversa íntima.

Com sua serenidade costumeira, puxou um banquinho e, sentando-se inclinado para Maurício, começou a falar:

– Maurício, diga-me exatamente como está se sentindo.

Na verdade, Maurício não estava querendo conversar com ninguém, mas a voz suave de Rafael e a autoridade que detinha naquele recinto fez com que se abrisse.

– Sinto raiva, Rafael, muita raiva da pessoa a quem mais amei na Terra. Nunca poderia ter visto aquela cena constrangedora. Foi demais para o meu coração enfraquecido pelos anos de ausência da pessoa amada. Se eu pudesse, faria com que aqueles dois nunca mais se encontrassem, nunca mais tivessem notícia um do outro. Perdi o rumo, Rafael. Já não sei mais o que fazer. Sou um traído... Um mísero traído.

Assim dizendo, entrou num silêncio somente cortado pelos soluços incontidos. Rafael esperou alguns minutos e, muito calmamente, começou a falar.

– Sei como você está se sentindo neste momento.

– Acho que não, Rafael. Você tem uma esposa maravilhosa, que nunca o traiu.

– De fato, ela nunca me traiu, como também Adélia não traiu você.

– Desculpe-me, mas você não deve saber muito bem o que aconteceu comigo.

– Sei, Maurício. Mas não considero o afeto de Adélia por Polidoro uma traição.

– O quê? Que nome daremos então a essa conduta imoral?

– Você sabe quem é Polidoro?

– Vítor me falou que foi um detetive e agora, sei lá por quê, tornou-se o gerente-geral das lojas de Adélia. Parece que a coisa não começou agora, Rafael. Já vem de longe.

– Nisto, pelo menos, você está certo. A "coisa", como você diz, vem de longe.

– Então eu já era traído quando ainda estava na Terra?

– O que quero dizer é que Polidoro foi o marido de Adélia em sua encarnação anterior. E em mais duas encarnações passadas.

– Marido de Adélia?

– Sim. Daí a atração que existe entre eles.

– E eu, que papel faço nesse drama?

– Na última encarnação de Adélia e Polidoro, você foi o filho de ambos.

– Não sei o que pensar, Rafael. Parece que a coisa é mais complexa do que eu estava imaginando.

– Em sua penúltima encarnação, você foi uma pessoa muito inteligente e de grande cultura, mas um filho rebelde e irresponsável. Causou muito sofrimento a seus pais. Contraiu o hábito da bebida e, a partir daí, foi caindo cada vez mais. Em meio a uma conduta vil e repugnante, você desencarnou de enfarto do miocárdio em plena juventude, aos vinte e oito anos de idade.

Maurício emudeceu. A sua mente era um remoinho de ideias e emoções. O que acabara de ouvir não deixava espaço para reflexão. Pediu mais detalhes, que obteve com a mesma tranquilidade com que Rafael o esclarecera até aquele momento. Após tudo ouvir, Maurício refletiu bastante, antes que dissesse com dor no coração:

– Rafael, quem está demais nesse caso sou eu.

– Ninguém está demais. Cada um ocupa o posto que lhe cabe. Durante a sua última encarnação, você teve a chance, junto de Adélia, que sempre o estimulou, de cumprir a tarefa de educar, que deixara pendente na encarnação anterior.

– Mas novamente não consegui cumpri-la, não é mesmo?

– Você a cumpriu em parte, Maurício. E, pela compaixão divina, terá nova oportunidade de levá-la a efeito em encarnação futura.

– Mas por que Polidoro não foi esposo de Adélia nesta encarnação? Eu não poderia ter sido filho de ambos novamente?

– Polidoro também tinha arestas a ser aparadas. Precisava passar pela experiência de viver só. Há aspectos particulares da vida de Polidoro que não posso lhe revelar.

– Certo, mas e na próxima encarnação? Como resolveremos esse triângulo amoroso?

– Você saberá no momento adequado.

– Então, nada me resta no momento senão aceitar que Polidoro se case com Adélia...

– Tenha em mente que Polidoro foi seu pai e Adélia sua mãe.

– Quer dizer que, como bom filho, devo aprovar as núpcias?

– Você foi irônico, o que significa que ainda não concorda com os fatos. Medite com mais vagar e empenho sobre os acontecimentos. Voltaremos a conversar.

Maurício estava perplexo diante de tantas revelações. Conseguiu entender as suas quedas em relação à tarefa particular que tinha por executar, entretanto, não conseguia ainda engolir o casamento de Polidoro com Adélia. Isso lhe parecia muito indigesto. De qualquer modo, a dor no coração diminuíra e a cefaleia também fora reduzida. No dia seguinte, Rafael retornou com um preparado de cor esverdeada. Após a sua ingestão e sob o efeito de passes anestesiantes, Maurício sentiu-se muito melhor. Mas foi só à noite que notou não estar sentindo mais nenhuma dor. Refletira muito sobre a conversa travada no dia anterior e chegara à conclusão que, se não podia mudar os acontecimentos, era melhor aceitá-los. Pensava dessa forma quando Rafael assomou à porta e lhe perguntou sorridente:

– Boa noite, Maurício. Como está se sentindo agora?

– A dor passou. Penso que poderei voltar ao trabalho amanhã.

– Ótimo. Mas e quanto à nossa conversa de ontem?

– Procurei acalmar-me para usar melhor o intelecto. E, refletindo com mais serenidade, cheguei à conclusão que, se cabe a Adélia e Polidoro darem continuidade a uma trajetória comum, que vem de outras encarnações, quem sou eu para tentar impedi-los? Mas confesso que, ao afirmar isto, uma dorzinha ainda teima em se fazer presente em meu coração.

– Cada um tem a sua trilha a percorrer. A deles está bem delineada, assim como a sua. No entanto, para que tudo aconteça de acordo com o previsto, é necessário que você aceite de coração os eventos e, mais que isso, incentive a ligação entre Polidoro e Adélia.

– Incentivar?

– Maurício, eles ainda estão no plano terreno, a buscar o cumprimento de suas tarefas. Quanto a você, já teve a sua oportunidade. Agora está num momento de reflexão, aprendizado e trabalho para uma encarnação mais propícia ao cumprimento de sua empreitada. Não se apegue ao que já passou. O passado só nos deve trazer as lições necessárias para o presente, a fim de que possamos construir um futuro melhor.

– O que devo fazer para facilitar a união de Polidoro e Adélia?

– Em primeiro lugar, deixe de nutrir pensamentos e sentimentos contrários a essa união. Em seguida, vibre e ore para que eles possam, unidos, cumprir as tarefas que ainda têm de executar. E, quando tiver nova oportunidade de visitá-los, permaneça em vibrações elevadas, incentivando-os à paz, harmonia e amor, para que cumpram os seus deveres da melhor maneira possível.

A partir desse diálogo, Maurício procurou mudar, pensando com amor fraterno em Adélia e Polidoro. Não foi fácil.

***

O relacionamento entre Adélia e Polidoro esfriou depois que ele pensou na possibilidade de ser visto como um aproveitador barato. Para manter a sua amizade, sacrificou o amor que nascia em seu peito. Quanto a Adélia, notando o distanciamento de Polidoro, consolidou o pensamento de que fora precipitada ao entender, pelo cavalheirismo do amigo, que ele pudesse estar interessado nela. Desapontada, também mudou a sua conduta diante dele, mantendo a amizade, porém, com um distanciamento que não existia antes, o que fez com que Polidoro interpretasse como um sinal de que ela colocava uma barreira entre ambos, a fim de que ele não ousasse passar de uma amizade sincera. Lucinda, que notara uma aura de amor envolvendo-os, predispôs-se a ajudá-los, já que sabia que Polidoro era bastante reservado e até, nessas circunstâncias, um pouco tímido. "Conversarei com Adélia a respeito", pensou, enquanto encontrava um meio de puxar esse assunto em conversa particular com a amiga. Com a desculpa de que encontrara um livro que poderia ser útil para Adélia preparar as aulas do Curso de Educação Mediúnica, foi até sua casa. Depois de conversarem sobre o livro e sobre o curso, ela jogou uma pergunta à queima-roupa:

– E Polidoro? Como está?

– Creio que esteja bem. Aliás, ele vem desenvolvendo um trabalho exemplar em minhas lojas. Contratá-lo foi a melhor coisa que fiz, uma das minhas melhores decisões empresariais.

– Ele gosta muito de você, não é mesmo?

– Creio que sim. Inúmeras vezes ele me agradeceu por tê-lo contratado, dando-lhe a melhor oportunidade de sua vida. Como gerente-geral, ele vem fazendo as lojas crescer de modo inesperado.

– Não falo no tocante ao trabalho, mas como pessoa. Ele parece gostar muito de você.

Adélia perdeu o jeito e, tentando disfarçar o que lhe ia no peito, respondeu, como se não tivesse entendido a intenção de Lucinda:

– Ele é um bom amigo, sem dúvida, assim como Matsumoto, Teresa, Roberto, Solange e você, certamente.

– Acredito. Mas estou falando que ele parece demonstrar um interesse incomum por você.

– Não sei aonde quer chegar.

– Adélia, abra-se comigo. Ele parece estar interessado em namorar você. Fui clara?

Adélia corou. Então Lucinda também notara o que havia ocorrido entre ambos? Será que ela havia exagerado em sua manifestação e afastara Polidoro?

– Lucinda, você me deixa sem jeito.

– Desculpe-me, mas o que estou dizendo não é para você perder o jeito, e sim para dar um jeito de levar isso adiante, se também estiver interessada. Polidoro é uma excelente pessoa. Muitas mulheres estariam motivadas a tê-lo a seu lado e desfrutar uma vida a dois.

– Bem... Concordo com você. Ele é uma pessoa fora do comum. Mas não sei se está realmente interessado em mim. Nem sei se estou a fim dele.

– Adélia, quanto à possibilidade de ele estar interessado em você, não tenho dúvida. No tocante ao brilho dos seus olhos, quando fala dele, só posso dizer que a atração é mútua.

– Você não está exagerando?

– Creio que não. O que você me diz?

– Está bem. Você venceu. Abrirei o jogo. Seja o que Deus quiser. Eu, até poucos dias atrás, julguei que ele buscasse algo mais do que amizade comigo.

– E como reagiu?

– Da melhor maneira possível.

– Quer dizer que aceita os galanteios de Polidoro?

– Lucinda, não me sinto à vontade com este tipo de conversa, mas já que me lancei na arena, vou continuar. Eu aceitei o que julguei ser um cortejo da parte de Polidoro, mas quando me abri mais para ele, sabe o que aconteceu? Ele se afastou. Ficou frio. Murchou.

– Tem certeza? Não é fantasia de sua parte por temer que ele não tivesse interesse por você a não ser amizade?

– Tenho certeza do que estou falando. Não foi fantasia.

– Mas você procurou saber por que ele se afastou?

– Só pode ser porque eu represento para ele apenas uma boa amiga e sua chefe no trabalho.

– Você procurou verificar se não foi temor de ser rejeitado justamente porque você é sua chefe?

– Não, Lucinda. Entretanto, já não estou mais pensando nisso.

A conversa continuou um pouco mais até Adélia mudar de assunto, mas Lucinda não se deu por vencida. Durante os três dias seguintes, fez orações pedindo orientação ao plano espiritual. Se houvesse possibilidade de união entre Adélia e Polidoro, que ela conseguisse ajudá-los para essa concretização, caso contrário, que o assunto esfriasse e não se tocasse mais nele. No quarto dia após o diálogo, Lucinda encontrou Polidoro no corredor do centro espírita.

– Boa noite, Polidoro. Tudo bem?

– Tudo, Lucinda. E você, como tem passado?

– Graças a Deus, muito bem. Mas o que você está fazendo aqui?

– Estou fazendo o curso de passes.

– É verdade. Que memória! Venha até a minha sala para dizer o que está achando do curso.

Levando-o estrategicamente para a sala da diretoria de ensino, começou falando sobre o curso para, em seguida, perguntar:

– E Adélia, como está?

– Eu a tenho visto menos nos últimos dias. Mas ontem tivemos uma breve reunião e posso dizer que ela está muito contente com a inauguração da nova loja da rede, que será na próxima semana.

– Nunca mais vi vocês juntos. Pensei que estivessem se estranhando.

– Não, não é isso. É que... Que...

– Vocês formam um belo par, sabia?

– O que é isso, Lucinda? Ela é uma viúva muito séria.

– Séria demais, você não acha?

– Não sei. Afinal, ela é minha chefe, deu-me a maior oportunidade da vida em relação ao trabalho. Não posso fazer por desmerecer o crédito que me deu.

– Polidoro, posso fazer-lhe uma pergunta muito pessoal? Antes que responda, quero frisar que não se trata de mera curiosidade, mas de um sincero desejo de colaborar para a melhoria da sua vida.

– Claro! Pode perguntar.

– Você tem algum interesse por Adélia, além de amizade?

Polidoro estremeceu. Não esperava pela pergunta. Teve vontade de defender-se, perguntando se ela não tinha mais o que fazer, além de bisbilhotar a vida alheia. Mas ela mesma havia afirmado que não se tratava de mera curiosidade, e sim de autêntico desejo de ajudá-lo a melhorar a própria vida. Era preciso responder sinceramente, no entanto, ele não se sentia à vontade para falar sobre esse assunto depois de ter levado um banho de água fria ao se dar conta de que poderia ser interpretado como interesseiro. Mas resolveu dizer a verdade, desvelando o que lhe ia na alma.

– Lucinda, você é para mim uma grande amiga, de modo que serei franco no que vou dizer. Por favor, não me interprete mal. Estou abrindo o meu coração como nunca fiz.

– Pode confiar em mim, Polidoro.

– Eu nutri uma afeição muito grande por Adélia até

poucos dias atrás. Meu coração começou a disparar toda vez que me achava junto dela. Era algo que eu não podia evitar. De início, pensei que fosse apenas um reles desejo de conquista, mas, com o passar do tempo, descobri que era o amor que começava a nascer no meu coração. Fiquei muito entusiasmado a imaginar coisas que jamais poderiam acontecer, que jamais poderiam ter passado pela minha mente. Perdoe-me dizer, mas via-me no cartório, casando-me com ela, que olhava para mim com aquele sorriso angelical, que ainda possui e ostenta a sua bela face. Mas cá estou eu falando como se fosse um adolescente apaixonado. Mais uma vez, desculpe-me. Não devia ter dito isso.

– Polidoro, você foi honesto em sua resposta, assim como desejei que fosse. Não há por que pedir desculpa. Só não entendo por que você disse que nutria uma afeição por Adélia. Não nutre mais?

– Lá no fundo do meu coração, ainda sinto amor por ela, embora procure a todo custo não permitir que aflore, a fim de não me machucar.

– Como você chegou a essa conclusão?

– A bem da verdade, foi justamente quando estava pensando em lhe declarar o que sinto por ela. Já estava planejando como agir quando me veio à mente um pensamento perturbador. Ela não é apenas minha amiga, é também a pessoa a quem eu respondo no trabalho. É a pessoa que acreditou no meu potencial e me ofereceu um posto de executivo na empresa da qual é proprietária. Veja a diferença entre nós. Ela é a chefe e eu, o subordinado. Você já pensou no que ela poderia pensar?

– Diga você mesmo.

– Ela poderia pensar que eu sou aproveitador, interessado apenas no seu dinheiro. É isso que ela poderia concluir.

– Você disse bem: "Poderia". Mas esteja certo de que isso nunca passou pela cabeça de Adélia.

– Fico feliz por você tentar, a todo custo, ajudar-me, mas como pode responder por ela?

– Porque conversei com ela a esse respeito, Polidoro.

– O quê? Ela está sabendo do que me vai na alma?

– Pelo menos desconfiava, até você se afastar dela.

– Lucinda, ela não pensou mal a meu respeito?

– Pelo contrário. Ela tem alta estima por você. E não está entendendo o porquê do seu afastamento, do seu retraimento. Acho que você deve rever os seus planos, Polidoro.

– Você tem certeza do que está falando?

– Absoluta.

– Em nenhum momento ela pensou que um simples empregado estava tendo a ousadia e a desfaçatez de declarar-lhe o seu amor?

– Quer saber de uma coisa? Eu acho que ela está esperando por isso. Devo ser mais clara?

Lucinda riu ao fazer essa pergunta e ver que o rosto de Polidoro passara por uma transformação. Ele suava muito e começava a esboçar um sorriso de alegria que não ostentara em nenhum momento dessa conversa íntima.

– Polidoro, para encerrar a nossa conversa: quem tem de checar tudo isso que lhe estou dizendo é você mesmo. Afinal, você não foi, no passado, um excelente detetive? Relembre aquele tempo e faça uma investigação. Acho que você vai ficar feliz com as conclusões.

A conversa terminou. O que nenhum dos dois notara, nem mesmo Polidoro, que era médium vidente, é que sobre eles havia um espírito inspirando aquele diálogo esclarecedor. Quando o colóquio terminou, Vítor sorriu, pois conseguira reverter a situação. Afinal, Polidoro e Adélia precisavam viver juntos para dar continuidade às tarefas que lhes estavam destinadas. Ele ainda continuaria por uns dias a estimular o encontro entre ambos, depois, deixaria que eles seguissem a sua própria trilha.

***

Maurício deu continuidade a seu trabalho, recebendo, vez por outra, orientações de Arcanjo a respeito da sua conduta referente à aproximação entre Polidoro e Adélia. Ouvia muito atento, pois Arcanjo passara pelo mesmo problema e o superara totalmente.

– Arcanjo, seja sincero, você não sente nenhuma pontinha de ciúme sabendo que sua esposa vive com outro homem?

– Não sinto, Maurício. Em primeiro lugar, ela não *é* minha esposa, mas *foi* minha esposa na encarnação passada. É verdade que poderia continuar a ser, de modo que nos uniríamos novamente em próxima encarnação.

No entanto, se nos unimos na encarnação passada foi para resgatarmos dívidas acumuladas anteriormente. O nosso casamento foi um meio de nos desfazermos de débitos, a fim de podermos dar continuidade à nossa reforma íntima. Respeito-a muito por ter contribuído para que isso fosse possível e, daqui, ajudo-a no que me é possível. Mas o seu verdadeiro amor é a pessoa com quem se acha unida hoje. Esse amor vem de outras encarnações e vai persistir pelo futuro, enquanto eles ainda estiverem em níveis evolutivos em que haja os laços amorosos do casamento. Da minha parte, serei sempre um bom amigo, pronto a ajudá-los e a assisti-los no que for necessário.

– É bonito ouvir isso. Espero também poder agir assim no futuro, pois Rafael me colocou a par da situação entre Polidoro e Adélia. Eles também já se uniram em outras encarnações. Já a minha união com ela foi igualmente um meio de resgate de dívidas. Mas guardo ainda uma pitada de ciúme. Creio que seja orgulho ferido. E mais: não sei como será meu futuro. Se ela não é minha esposa verdadeira, quem será?

– Não se preocupe com isso, Maurício. Creia na justiça e na bondade de Deus. Dia chegará em que você saberá com quem vai se unir em sua próxima encarnação. Agora, deve dedicar-se às suas tarefas e deixar o terreno aberto para que Adélia e Polidoro possam se encontrar e seguir o caminho que traçaram, quando estavam aqui, na espiritualidade, antes de partirem para a encarnação atual.

Maurício procurou seguir à risca o que lhe haviam

dito Rafael e Arcanjo. Não era fácil, mas a dedicação ao trabalho fazia com que se aproximasse mais dos assistidos, amando-os como seus verdadeiros irmãos, o que amenizava cada vez mais os resquícios de orgulho ferido e ciúme desenfreado que sentira anteriormente. A escuridão na alma se desfazia pouco a pouco.

32

Festividade

Após a conversa com Lucinda, Polidoro voltou para a casa renovado, afinal ela fora muito clara sobre as intenções de Adélia a seu respeito. Se realmente não havia possibilidade de ela julgá-lo um reles aproveitador, um canalha, o terreno estava aberto para declarar-lhe o seu amor. Pensou em convidá-la para o diálogo decisivo logo no dia seguinte, mas havia a inauguração da nova loja dali a dois dias. Era melhor esperar um pouco mais para não confundir as coisas. Não foi fácil, pois ele se encontrou com Adélia cinco ou seis vezes para discutir detalhes da inauguração. Procurou mostrar-se mais alegre, mais solícito, enfim, mais próximo, o que foi notado por Adélia. "Polidoro está diferente", pensou. "Dá-me a impressão de que voltou a alegria em seu rosto. Sinto-o entusiasmado e atencioso para comigo. Mas não devo alimentar ilusões. Com certeza, ele está assim devido à inauguração da loja. Afinal, os méritos são quase todos dele. Eu também me sentiria assim. É melhor não ficar a imaginar fantasias, pois poderei sofrer mais do que já estou sofrendo. Manterei a cordialidade, mas também a distância necessária para não dar outra demonstração que não de amizade."

Polidoro, ocupado com as atividades preparatórias da inauguração da nova loja, não teve tempo para notar que a distância de Adélia continuava a mesma. Enfim, chegou o dia festivo, que levou muitas alegrias a ambos. A loja, além de grande e bonita, era muito funcional e, acima de tudo, estava oferecendo emprego a várias pessoas. A inauguração deu-se à noite, com muitos convidados, e, no seu breve discurso, Adélia ressaltou a importância de Polidoro na ampliação da rede. "Sem ele", falou, comovida, "esta noite festiva não estaria acontecendo." O gerente--geral agradeceu as palavras elogiosas e teceu também comentários, ressaltando as qualidades administrativas da proprietária da rede.

No dia seguinte, Adélia marcou uma reunião com Polidoro para comentarem o bom êxito da inauguração e discutirem diretrizes a serem efetivadas dali para a frente. Ao final, sorridente, Polidoro convidou-a para um "jantar comemorativo", como fez questão de frisar. Adélia, agradecida pelo excelente trabalho de Polidoro à frente da rede de lojas, aceitou o convite. À noitinha, Polidoro foi buscá-la em sua casa e a levou a um restaurante à meia luz, onde vários casais conversavam em mesas iluminadas por candelabros de prata e ornamentadas com rosas vermelhas, que davam um ar romântico. Adélia achou inadequada a escolha do lugar, pois se notava claramente tratar-se de um restaurante repleto de casais a segredar amores e confabular paixões. Entretanto, achou que fora imperícia de Polidoro na escolha do local. Um tanto desconfortável, começou falando sobre a inauguração da noite anterior, mas Polidoro, com muita perícia, foi mudando o assunto para o respeito que dedicava a ela e a amizade ímpar que encontrara ao conhecê-la. Deixou, em seguida, que viessem os pratos e somente quando saboreavam a sobremesa, depois de muitos elogios à honradez e ao companheirismo de Adélia, iniciou o diálogo que seria decisivo em sua vida:

– Pois bem, Adélia, serei sincero e me abrirei para você, como nunca fiz em toda a minha vida. Trouxe-a aqui para abordar um assunto muito sério, tão sério que quase não encontro palavras para transmiti-lo.

– Algum problema nas lojas?

– Não, não se trata de problema, nem sequer se refere às lojas.

– Mas então...

– Trata-se de nós. Sei que você é uma viúva respeitável, honesta e digna, assim como tenho conhecimento de que seu esposo foi um professor exemplar e um homem ímpar em sua vida.

– É verdade.

– Sei também que você dedicou a mim uma amizade que muito vem me honrando e da qual sempre me orgulharei. Mas você detém qualidades tão elevadas e tão sublimes que não posso ficar impassível diante da aura de luz que sua face irradia.

Adélia corou. Nunca recebera tantos elogios de uma só vez e com tanta sinceridade, como conseguia intuir, ao observar a fisionomia de Polidoro, iluminada pelos reflexos da luz áurea das velas. Resolveu calar-se e esperar que ele desse continuidade ao seu monólogo.

– Sei, Adélia, que você é minha chefe e, mais que isso, é a única proprietária da empresa em que me orgulho de trabalhar. E essa circunstância incomum me faz temer que você interprete mal o que tenho a lhe dizer. Devo, portanto, afirmar-lhe com toda a honestidade de que sou capaz, que tudo que estou a lhe expor brota do fundo da minha alma, do âmago do meu coração, não havendo nenhuma intenção desonesta e abjeta.

Polidoro passou o lenço branco na testa, pois o suor começava a escorrer, ameaçando atingir os olhos. Fez uma breve pausa, a fim de criar coragem suficiente para continuar e, buscando encerrar logo aquela situação angustiante, continuou:

– Nem mesmo sei se você pretende continuar viúva por toda a vida, pois nunca ousei indagar-lhe. Quanto a mim, como você sabe, fui sempre solteiro, não por convicção, mas por não ter encontrado, em todas as circunstâncias por mim experimentadas, uma pessoa que me inspirasse uma vida a dois. Somente... Somente quando passei a conviver mais com você no centro espírita e nas lojas é que notei a joia rara que tinha diante de mim, e meu coração começou a vibrar com mais intensidade sempre que tinha a oportunidade de compartilhar momentos a sós com você. Enfim, Adélia, o que pretendo dizer-lhe, mesmo correndo o risco de ter de me demitir do emprego, é que me sentiria o homem mais feliz do mundo se você me desse uma resposta positiva em relação ao pedido mais sincero que lhe faço: Você aceita compartilhar comigo o amor que me vai na alma?

Adélia, ainda que estivesse a esperar por esse tipo de pergunta, nunca ouvira alguém falar desse modo, que muitos julgariam até mesmo ultrapassado e carregado de um romantismo que não existia mais. Seu coração começou a bater tão forte que, instintivamente, colocou as mãos no peito e, envolta na aura do amor maduro que nascia, respondeu com lágrimas nos olhos:

– Aceito, Polidoro. Sinto-me honrada por saber que uma pessoa tão especial quanto você está interessada em conhecer melhor o meu íntimo e, quem sabe, partilhar comigo os momentos importantes da nossa existência.

Se a pergunta foi feita de forma incomum, a resposta não ficou atrás. Polidoro finalmente escutou o que mais desejava. Iniciava aí uma etapa que seria a continuação de outras vivências em que partilharam os bons e maus momentos da existência. Vítor, que dera passes de paz e harmonia no casal, sorriu satisfeito, pois ambos haviam combinado na erraticidade que continuariam crescendo juntos nesta encarnação, dando prosseguimento à reforma íntima de cada um. Era necessário, entretanto, que Maurício aprendesse a conviver com a sua antiga mãe. Foi o que ele tentou fazer, enquanto foi o seu marido. Agora, quando a oportunidade de Maurício já se encerrara, era o momento propício para Adélia e Polidoro concretizarem o acordo firmado na espiritualidade. Havia, porém, no coração de Adélia, certo sentimento de culpa, uma espécie de consciência de que poderia estar traindo Maurício. Foi por essa razão que, logo após dizer o "sim", o seu semblante turvou-se, desaparecendo o sorriso feliz que ostentara ao ouvir a pergunta de Polidoro. Este notou algo diferente na expressão fisionômica de Adélia e perguntou:

– Alguma coisa errada?

– Não, Polidoro. Tudo está bem, entretanto, devo ser honesta, se quiser ter um relacionamento aberto e transparente com você, não é mesmo?

– Há algo que esteja perturbando a nossa aproximação?

– Não é bem isso. O que acontece é que senti repentinamente certo sentimento de culpa em relação a Maurício. Não sei como, na dimensão espiritual, ele vai encarar esta nova situação. Creio que o bom senso nos recomenda conversarmos com alguém que nos possa dar alguma orientação. Mas não entenda isso como um empecilho. Trata-se apenas de sabermos como lidar com esta situação nova para mim. Continuo muito feliz por antever a possibilidade de compartilhar a minha existência com você.

É verdade que esse repentino sentimento de Adélia toldou um pouco o céu com algumas nuvens cinzas, mas, para que não se tornasse um real impedimento, ambos concordaram em pedir orientação a Lucinda. No dia seguinte, foram até o centro espírita e conversaram com a amiga.

– Fico feliz por saber que, finalmente, vocês estão juntos.

– Eu também – respondeu Adélia, olhando para Polidoro, que rapidamente se posicionou:

– Principalmente eu, que já perdera as esperanças.

A conversa continuou em tom ameno até Adélia entrar no assunto que levara o casal até ali:

– Lucinda, além de agradecer a sua interferência benéfica para que pudéssemos finalmente estar juntos, como você disse, estamos aqui para que nos oriente a respeito de algo que está teimando em tirar o brilho da nossa união.

– Estejam à vontade. Ajudarei no que me for possível.

– Bem, estou convicta a respeito da minha nova relação com Polidoro, mas estou sentindo uma culpa que não existia antes. Parece-me que estou traindo Maurício. Lembro-me de que, ao estudar o livro *Nosso lar*, de André Luiz, tomei conhecimento do seu grande desgosto ao saber que a sua ex-esposa se unira a outra pessoa. Embora ele estivesse na erraticidade, a sua reação foi de profundo desagrado. Não poderia estar acontecendo o mesmo com Maurício?

– É verdade que André Luiz sofreu inicialmente com as novas núpcias daquela que fora a sua esposa na Terra, mas com o passar do tempo, ele não somente aceitou a situação como colaborou para que a vida do casal pudesse transcorrer da melhor maneira possível, não é mesmo?

– Sim. Mas pensar que Maurício talvez esteja sentindo o mesmo que André Luiz, logo que soube do enlace, deixa-me bastante confusa. Eu quero, sim, estar com Polidoro, mas não gostaria que Maurício sofresse. Afinal, não tenho reclamação dos anos em que convivemos como marido e mulher. Pelo contrário, foram até agora os melhores anos da minha vida. Ele tinha os seus defeitos, é claro. Mas eu também tinha os meus. Conseguíamos passar por cima das diferenças e conviver harmoniosamente. Por tal motivo, não quero ser a causa do seu sofrimento.

– Entendo a sua preocupação. E você, Polidoro, como se sente?

– Penso que fui muito egocêntrico, pois não havia pensado nessa possibilidade. Não me lembrei em nenhum momento da passagem de André Luiz, no livro *Nosso lar*. Estava apenas cultivando o sentimento nobre que passei a ter em relação a Adélia. Mas a partir do momento em que ela começou a ter sentimento de culpa, fiquei também numa situação desagradável, mesmo sem nunca ter conhecido o seu marido. Sinceramente, não sei como resolver essa questão.

– Em primeiro lugar, não creio que tenha sido egocentrismo. Você nunca passara por essa situação anteriormente. O mesmo ocorre com Adélia. Se é verdade que Maurício possa estar se sentindo mal em relação ao romance de vocês, também é verdade que ele já está tendo o apoio de espíritos superiores. Ele compreenderá que havia mesmo a necessidade de vocês se encontrarem para dar prosseguimento à renovação interior de cada um, não separadamente, mas em conjunto. Não foi por acaso que vocês se encontraram. Também não foi por acaso que se tornaram amigos. Foi por acaso que você passou a trabalhar na empresa de Adélia? Certamente não. Há, sim, a necessidade desse encontro. E Maurício ainda abençoará a união de vocês.

– Você começa a me tirar um peso da consciência, Lucinda – disse Adélia –, mas ficam ainda algumas questões: Podemos fazer alguma coisa para ajudar nessa situação? E quando nós partirmos para a dimensão espiritual, que tipo de relacionamento teremos os três? E na próxima encarnação? Fico indecisa, sem encontrar respostas.

– Vou procurar responder a essas perguntas. Vocês podem fazer algo para que esta situação se torne uma fonte de bênçãos, e não motivo de preocupações. A prece é o melhor meio de que vocês dispõem. Orem, pedindo a Deus que Maurício seja esclarecido sobre o que está ocorrendo entre vocês, a fim de que possa aceitar a situação e abençoar a união. Enviem-lhe vibrações de paz, harmonia, sabedoria e compreensão fraterna. Façam isso todos os dias, com muita fé e muito amor. Quanto ao que ocorrerá quando vocês partirem para a espiritualidade, deixem que os espíritos encarregados de conduzi-los e orientá-los tomem as decisões justas para este caso. Não se precipitem nem queiram tomar decisões que não lhes caibam. Confiem no amor e na justiça de Deus, que se concretiza pela ação de seus emissários. O mesmo se diga em relação à próxima encarnação de cada um de vocês. Quando chegar o momento, apenas sigam os planos traçados pelos espíritos superiores e tudo vai se encaixar da melhor maneira possível. Vocês não estão ainda em condições de decidir sobre tal matéria. Peçam também a ajuda do espírito protetor. Se vocês tratarem desse assunto com superioridade moral e espiritual, Maurício não só aceitará que caminhem unidos nesta encarnação, como abençoará o enlace matrimonial, colaborando o quanto puder para que tudo se cumpra de acordo com o que foi estabelecido pelo Plano Superior, com a anuência de vocês três. Vocês precisam agora de fé, coragem, compreensão e amor. Ajam como lhes disse e sejam felizes.

As palavras de Lucinda saíam de seu coração, vibrantes e seguras, de tal modo que um silêncio incomum tomou conta do aposento.

As orientações criteriosas de Lucinda calaram fundo no coração de Polidoro e Adélia, que procuraram segui-las à risca. Entretanto, havia ainda um obstáculo a ser derrubado: os familiares. Adélia marcou um jantar em sua casa para anunciar o relacionamento entre ambos. Neste tocante, ela evitava a todo custo a palavra "namoro", pois lhe parecia algo superficial, próprio de adolescentes. Não era assim, porém, que ela via a nova relação com Polidoro. Mais que um simples namoro, tratava-se de uma união que parecia vir de muito longe, mas que ela não conseguia precisar nem tinha palavras para explicar. O seu coração dizia-lhe que fizera a coisa certa. Talvez Polidoro não tivesse contraído matrimônio porque esperava o momento propício para encontrá-la. Era assim que ela via essa nova relação. Polidoro, por sua vez, nunca vivera uma fase melhor em toda a sua existência. Sentia que estava se realizando tanto profissional quanto amorosamente. "Nunca esperei por tanta felicidade", confessava a si próprio, quando, em seu apartamento, colocava a cabeça sobre o travesseiro. Não se deixava, porém, levar por devaneios. Sabia que teria pela frente uma vida nova, com a qual não estava acostumado. Muito rapidamente estava passando de uma vida solitária para um viver a dois. Sabia que precisava se munir de muito empenho, de muita paciência e tolerância para que o amor frutificasse e pudesse concorrer para a reforma íntima de cada um deles. "Casamento não é só romantismo e muito menos apenas sexo", pensava. "É antes um instrumento eficaz para permitir um caminhar conjunto em direção da autorrealização de cada um." Nesse meio tempo, pesquisou a respeito e encontrou citações importantes, que levou muito a sério. Uma delas era de Kardec e dizia que há duas espécies de afeições: uma do corpo e outra da alma. Toma-se muitas vezes uma pela outra. A afeição fundada no corpo é perecível, mas a que nasce da alma, quando é pura e simpática, é durável. Este o motivo pelo qual frequentemente há quem creia amar com um amor eterno, mas acaba por odiar quando cessa a ilusão. Refletindo sobre isso, Polidoro buscava alimentar o amor nascido da alma, embora considerasse Adélia uma mulher belíssima e sensual. Outro pensamento que não lhe passou despercebido foi o do espírito Joanna de Ângelis, que afirmava ser o casamento um contrato de deveres recíprocos, com os quais os contratantes devem comprometer-se para que possam lograr o êxito almejado. Mas o que mais chamou a sua atenção foi quando Joanna afirmou que o matrimônio, na sua generalidade, é laboratório de reajustamentos emocionais e oficina de reparação moral, por meio dos quais espíritos comprometidos se unem para elevados propósitos no ministério familiar. A terceira assertiva que o levou a sérias reflexões foi do espírito André Luiz. Dizia o orientador espiritual que encontramos as pessoas e as situações de que necessitamos para sobrepujarmos as provas do caminho, indispensáveis ao nosso aprimoramento espiritual. É por essa razão que somos atraídos por determinadas pessoas e determinadas questões, nem sempre porque as estimamos em sentido profundo, mas porque o passado nos une a elas, a fim de que por elas e com elas possamos adquirir a experiência necessária à incorporação do verdadeiro amor e da verdadeira sabedoria.

Dada a responsabilidade que lhe era peculiar, Polidoro ponderou com carinho as assertivas de espíritos tão elevados como aqueles que pesquisou a respeito do matrimônio. E, a partir disso, buscou transpor para o seu relacionamento com Adélia o conteúdo aprendido e bem assimilado, convertendo em conduta as conclusões tiradas de tão sábias reflexões. Na noite do jantar em família, ele estava seguro de suas intenções em relação a Adélia e julgava-se pronto para dirimir quaisquer dúvidas relativas a esse assunto tão delicado. Assim, com muita cautela, Adélia iniciou o seu discurso:

– Ricardo, Luísa, Renata, Pascoal, o motivo pelo qual os convidei para jantarem conosco não foi meramente social. Prende-se à vida que tenho levado após o desencarne de Maurício, a quem sempre amei e continuo amando. Os momentos que passamos juntos não serão jamais esquecidos. Creio que também vocês os guardam na memória. O respeito, a reverência que lhe devo continuam intactos no âmago da minha alma. Nestes anos, após o desencarne de Maurício, passei por momentos assaz difíceis, particularmente os primeiros, que só não me levaram a um gesto tresloucado devido à ação benéfica da psicoterapia, da qual já obtive alta, e, particularmente, da doutrina espírita, que me repôs nos trilhos para a caminhada rumo à minha autorrealização. Pode parecer-lhes que eu esteja exagerando e até envolvendo a dor que senti num clima de poesia, mas isso não é verdadeiro. É certo que hoje, alimentada pelos frutos santificados da doutrina espírita, consegui superar o desespero inicial a ponto de sobreviver e poder estabelecer um novo plano para a minha presente existência. A verdadeira razão de ser deste encontro familiar nasceu desse plano, elaborado conjuntamente por mim e Polidoro.

Silenciando-se por alguns segundos, a fim de conseguir ar e coragem para dizer o que estava preso na garganta, ela pronunciou as seguintes palavras num tom de desabafo:

– Bem, meus queridos, Polidoro e eu vamos nos casar.

Num primeiro momento, ninguém conseguiu falar coisa alguma. Depois, Ricardo, buscando as palavras certas, considerou com um leve tremor na voz:

– Por que você não nos consultou, mãe? Tal decisão não merecia as nossas ponderações?

Luísa imediatamente apoiou o irmão:

– É verdade. Isso não significa falta de confiança em seus filhos?

Adélia olhou firmemente nos olhos de Luísa, depois nos olhos de Ricardo e respondeu, agora mais senhora de si:

– Vocês sabem que eu os amo e que tenho confiança ilimitada em vocês. Entretanto, Luísa e Ricardo, essa decisão só compete a mim e a Polidoro. Isso não significa que os tenha posto de lado, tanto assim que os convidei para compartilharem do anúncio que lhes fazemos com muita alegria e amor no coração. Tão grande é o respeito que tenho por vocês, que escolhi fazer este anúncio de modo solene, com toda a família reunida.

– Mas a senhora pensou no papai quando fez essa escolha? – perguntou Luísa, procurando disfarçar o nervosismo e a ponta de ciúme que lhe ia na alma.

– Pensei muito, minha filha. A minha união com Polidoro, além de entretecida com amor puro e genuíno, recebe, estou convicta disso, a anuência de Mao, que sabe, melhor que ninguém, que sempre o amarei, mas que neste plano terreno tenho de dar continuidade ao que foi determinado no intervalo entre esta e a anterior encarnação.

– Bem – respondeu Luísa, mais calma –, não entendo muito de Espiritismo, embora pretenda conhecê-lo. Mas confio no que você nos disse. Não tenho nada a interpor.

Ricardo, esperando a conclusão de Luísa, olhava fixamente para Polidoro. Quando sua irmã silenciou, questionou incisivamente aquele que fora o detetive para investigar a conduta da mãe:

– Polidoro, desde quando você percebeu que o seu interesse por minha mãe ia além da amizade? Ou melhor, quando você fazia as suas investigações já não estava planejando o que agora parece que vai se concretizar? Seja sincero.

– Ricardo, sempre fui sincero com você, desde o dia em que entrou em meu escritório para solicitar uma investigação sigilosa. Não deixarei de sê-lo agora. Não me passava nada pela mente quando fazia a investigação, a não ser o cumprimento do meu trabalho da melhor forma possível. E foi assim que me conduzi até o seu final. Posteriormente, conheci a sua mãe no centro espírita e nos tornamos amigos. Mais tarde, tornei-me seu empregado. Mas o convívio entre nós despertou em meu coração algo mais. A princípio, procurei afastar esse sentimento, pois algumas pessoas poderiam interpretar mal o meu gesto de aproximar-me amorosamente dela. Eu mesmo apartei-me dela, somente me aproximando quando o trabalho o exigia. Consultei-me com Lucinda, e ela, fundamentada na doutrina espírita, mostrou-me o que Adélia acabou de dizer. Temos agora deveres a cumprir que talvez não tenham se realizado ou que apenas se cumpriram parcialmente em outra encarnação. E, visto que, além de respeito e consideração, nutro em minha alma um amor puro e verdadeiro por ela, Lucinda incentivou-me a declarar o que me vai na alma. Entretanto, não foi fácil, pois eu já previa uma situação como esta, além da possibilidade de a própria Adélia interpretar mal a minha declaração. Dei, porém, sequência a meu intento, convicto de que a pureza das minhas intenções superariam quaisquer obstáculos. E é por tudo isso que juntamente com Adélia anuncio a todos vocês, que muito prezo, a nossa intenção de nos unirmos para darmos continuidade ao caminho que nos leva à plenitude da nossa existência.

– Então, Ricardo, está satisfeito com a resposta? E você, Luísa? – perguntou Adélia.

– Não estou querendo colocá-los na parede – disse Ricardo. – Apenas queria ter certeza de que você não estaria cometendo um erro de que viesse a se arrepender no futuro. Mas, diante das suas explicações e das palavras de Polidoro, só me resta uma pergunta: vocês vão se casar com comunhão de bens?

– Você está pensando na herança, meu filho?

– Mãe, não seja cruel. Quero apenas a sua felicidade.

Polidoro, antes que Luísa pudesse dizer alguma coisa, interveio:

– Se você ainda está temeroso quanto à possibilidade

de eu estar pensando no patrimônio de sua mãe, esteja tranquilo. Faço questão de me casar sem comunhão de bens. E mais: com o consentimento de Adélia, nomeio-o, se você aceitar, nosso advogado para que providencie tudo, de modo a que eu não possa receber um centavo, caso sua mãe parta antes de mim para a espiritualidade. Renata e Pascoal podem servir de testemunha em relação ao que acabo de dizer.

Mais uma vez Ricardo ouviu o que não esperava, de modo que apenas se desculpou, dando por encerrada a sua participação no caso:

– Desculpe-me, Polidoro, não quis ofendê-lo. Mas, diante da sua resposta, apenas completo dizendo que me sentirei honrado em poder orientá-los juridicamente. Assim sendo, concluo dizendo que apenas vocês podem decidir sobre um assunto que a vocês pertence. Da minha parte, aceito a decisão tomada.

Luísa, após as últimas considerações de Polidoro, não teve outra saída a não ser concordar com Ricardo:

– Mãe, Polidoro, faço minhas as palavras de Ricardo. Desejo de coração que sejam felizes.

Pascoal e Renata, que nada tinham a opor, congratularam-se com a notícia e também desejaram felicidade ao casal. Faltava, no entanto, mais um anúncio naquele memorável jantar. Desta vez era a respeito de uma decisão tomada por Pascoal e Luísa. Foi ela quem tomou a iniciativa:

– Por favor, escutem-me. Pascoal e eu temos algo importante a participar-lhes.

Num átimo de segundo, o silêncio tomou conta da

mesa. Luísa pigarreou um pouco e, por fim, anunciou com voz carregada de emoção:

– Como é de conhecimento de todos, Pascoal e eu estamos impossibilitados de ter um filho biológico. Isto sempre me fez invejar as mães e os pais que levam os seus filhos a meu estabelecimento. Sempre tive o desejo de embalar um filho nos braços. É claro que poderíamos tentar algum dos meios oferecidos pela medicina para driblar a nossa deficiência. Contudo, depois de muitos diálogos, decidimos, Pascoal e eu, pela opção que julgamos mais nobre e digna: vamos adotar uma criança. Tudo já foi providenciado legalmente, de modo que, ainda nesta semana, já poderemos abraçar o nosso filho querido, com o amor e a emoção de uma verdadeira mãe e de um verdadeiro pai.

O anúncio causou um alvoroço em meio a todos, que se levantaram para abraçar os novos pais. A emoção maior era de Adélia. Ela sempre desejara que Pascoal e Luísa tomassem a decisão de adotar um filho. Chegara mesmo a sugerir essa ideia a Luísa, mas não sabia que a semente lançada frutificara. Quando foi dar um abraço comovido em sua filha, ouviu de sua boca:

– Mãe, segui o seu conselho. E, como sempre, dei-me bem. Obrigada. Que todos os casais sem filhos possam fazer o mesmo. Você é ótima!

O jantar ficou registrado na história da família. Dois anúncios inesperados levaram a momentos de emoção e confraternização, que possibilitaram a união ainda maior daquelas pessoas ligadas a um mesmo núcleo familiar para cumprirem as tarefas comuns que lhes eram destinadas nesta encarnação.

A apresentação de Joel, como se chamou o filho de Luísa, foi motivo para uma grande festa familiar. Todos queriam carregar o garotinho no colo, que desejava mais dormir do que retribuir com um sorriso os beijos que recebia. O lar de Pascoal e Luísa tornou-se mais iluminado com a chegada daquela que se revelou uma criança vivaz e alegre, enchendo de júbilo os pais, que disputavam a sua companhia. Dias felizes estavam previstos para Joel que, no futuro, iria tornar-se um psicoterapeuta competente e comprometido com o desenvolvimento global do ser humano.

Adélia e Polidoro deram continuidade a seu trabalho. Ela, dedicando-se de corpo e alma às aulas na faculdade e apenas fazendo reuniões semanais na sede da empresa. Ele, despendendo esforços para que o empreendimento continuasse a florescer, como vinha acontecendo, desde que ali pusera a mente e o coração. No centro espírita, Adélia também conseguiu a admiração dos alunos e dirigentes pelos conhecimentos profundos que passava aos alunos. Já Polidoro se sentia feliz por poder trabalhar como médium passista, tendo escolhido duas noites de trabalho, a fim de melhor se dedicar aos assistidos. Mas os meses passavam muito rapidamente, e logo fazia seis meses que o casal havia anunciado o seu compromisso mútuo. Polidoro não queria se precipitar, entretanto, quando olhava para Ricardo e Renata ou Pascoal e Luísa, parecia-lhe que cobravam alguma atitude. Não se deixou intimidar, se isso era realmente o que estava acontecendo. Esperou por outros seis meses até o dia em que, num jantar íntimo em casa de Adélia, ele fez o pedido de casamento. Feliz por poder partilhar com mais intimidade a sua vida com Polidoro, Adélia aceitou o pedido, selando com um beijo intenso o real compromisso que agora iria se concretizar. Nessa altura, Ricardo e Renata já tinham um segundo filho, a quem deram o nome de Henrique. Pascoal e Luísa, que estavam adorando Joel, esperavam o momento de poderem abraçar também o seu segundo filho adotivo, desta vez uma garotinha, que se chamaria Flávia.

As núpcias seriam realizadas apenas no civil, visto que a doutrina espírita, na sua dimensão religiosa, não pratica rituais nem cerimônias. A única controvérsia que ainda persistia era sobre a comunhão de bens. Polidoro fechara questão, dizendo que se casaria sem comunhão de bens, ao passo que Adélia queria o contrário.

– Você sabe, Polidoro, que tenho a mais absoluta confiança em suas intenções. A pessoa que mais respeito e em quem mais confio é você. Não faz sentido a ausência de comunhão de bens.

– Acredito nessa confiança e nesse respeito, Adélia, mas o que recebo pelo trabalho dedicado às lojas é mais do que eu poderia prever em qualquer fase da minha vida. Não há motivo para a comunhão de bens. E, se você se recordar, mais alguns anos e eu estarei justamente aposentado. Portanto, a minha decisão é racional e definitiva.

Não foi possível entrarem em acordo. A única saída para o impasse foi pedir o auxílio de Ricardo que, por ser um excelente advogado, quis fazer as vezes de mediador. Foi marcada uma reunião em seu escritório, tendo o casal comparecido com as suas ideias irreconciliáveis. Ficaram duas horas a discutir sobre os pontos de vista de cada um, sem chegar a nenhum acordo, até que Ricardo, tirando do bolso do colete o seu último argumento, sugeriu:

– Polidoro, muito bem, respeito a sua decisão, fundamentada em razões pessoais e sobre a mais ilibada ética matrimonial. Você não terá os cinquenta por cento dos bens da minha mãe, como ela deseja.

Adélia quis contra-argumentar, mas viu o piscar de olhos de Ricardo, de modo que silenciou, permanecendo imóvel em sua cadeira. Polidoro, notando que ela nada dissera, respirou mais tranquilo. Tudo seria feito de acordo com a sua decisão. No entanto, após olhar bem no fundo dos olhos de Polidoro, Ricardo falou assertivamente:

– O casamento será sem comunhão de bens, mas você passa a ter trinta por cento do montante das lojas. O contrato já está pronto. É só assinar.

Polidoro, nesse momento, percebeu que caíra num estratagema bem armado por Ricardo. Se rejeitasse, poderia ser tido por intransigente e intolerante. Justamente no momento em que se discutia a sua união com Adélia, ele não poderia demonstrar essa deficiência de personalidade. Mas, ao mesmo tempo, não queria aceitar o que lhe era oferecido. O que fazer? Sem mais recurso e não sabendo o que alegar em seu favor, apenas sussurrou para Adélia:

– Eu não posso aceitar tudo isso, Adélia. É muito para mim.

– Então, o que você sugere? – apressou-se Ricardo a perguntar.

Vencido, sem forças para continuar a resistir, Polidoro encerrou o desacordo, dizendo com voz sumida:

– Está bem, para vocês não me julgarem uma pessoa rígida, inflexível e cabeça dura, aceito uma parte do patrimônio de Adélia, mas que corresponda a dez por cento.

Ricardo franziu o cenho exageradamente e, sem pedir a opinião de Polidoro, que já se sentia vencido, finalizou rindo ao escandir bem as sílabas:

– Vinte e cinco por cento para o senhor Polidoro Pereira Martinelli.

Assim, ficou encerrado o pequeno desentendimento entre Polidoro e Adélia. Agora, ele seria um dos donos da rede de lojas e, como tal, Adélia fez questão de que o seu cargo mudasse de gerente-geral para diretor executivo, ficando ela como conselheira. Desse modo, afastou-se mais da administração, dando amplos poderes a Polidoro, e podendo se dedicar quase com exclusividade ao magistério superior.

Chegou, enfim, a data marcada para o casamento. Foram convidados para o enlace em cartório apenas os familiares de Adélia e amigos do centro espírita. Polidoro perdera todo o contato com seus familiares, muitos dos quais já haviam desencarnado. "Agora a sua família é minha também", costumava dizer a Adélia. E assumiu mesmo a nova família, sendo amplamente aceito por todos, dada a sua afabilidade, o seu equilíbrio e a sua moral elevada. Para a festa, foram convidados, além dos familiares e amigos, todos os funcionários das lojas que, nesse dia, tiveram as portas fechadas. Um fino banquete foi oferecido aos convivas, porém, sem ostentação, como era do gosto do casal. Quem pensasse que fariam uma viagem de lua de mel a algum país do exterior, num luxuoso cruzeiro, errou redondamente. Em sua simplicidade exemplar, Polidoro sugeriu passarem alguns dias em Serra Negra, o que foi aceito, com muito gosto, por Adélia. Apesar de serem considerados ricos, não perderam as virtudes essenciais para qualquer espírita e cristão: simplicidade, honestidade e humildade. Mesmo se mudando para um amplo apartamento, em busca de maior segurança, o casal continuou a receber com o mesmo despojamento os amigos que, havia alguns anos, reuniam-se todos os domingos para ampliarem seus conhecimentos sobre a doutrina espírita e para cultivarem os laços sagrados de uma verdadeira amizade. Por outro lado, o centro espírita, em que ambos se conheceram, manteve-se para eles como a casa acolhedora, onde empregavam os seus talentos em benefício dos semelhantes. A vida parecia recompensar o trabalho contínuo de renovação interior que tanto Adélia como Polidoro faziam contra todas as oportunidades de se fecharem em si mesmos para, isolados, usufruírem dos bens materiais que conseguiam. "Deus nos está fornecendo bens materiais", disse, certa vez, Polidoro, "a fim de que os repartamos com os que não os possuem." E a forma encontrada de fazer essa partilha foi estabelecer cotas mensais de auxílio a entidades de assistência social e espiritual, como o centro espírita que frequentavam.

O casamento de Polidoro e Adélia fortaleceu-lhes o desejo de servir, incentivado pela doutrina espírita, pois um apoiava qualquer gesto do outro que fosse condizente com a verdadeira caridade, espelhada na vida do Divino Mestre, particularmente em suas palavras exemplares: "Eu vim para servir, e não para ser servido". E foi sob esse lema que Polidoro e Adélia procuraram, dali para a frente, viver em ações aquilo que pregavam. Era um caminhar difícil, mas compensado pela alegria que brotava no coração a cada passo que davam rumo a seu autoaperfeiçoamento. Era também uma decisão para toda a vida.

33

Reconsideração

Os dias que se seguiram às orientações recebidas, tanto de Rafael como de Arcanjo, não foram fáceis. Maurício tentava a todo custo se manter equilibrado, meditando nas sábias palavras ouvidas de seus dois amigos, mas o ciúme era traiçoeiro e, quando menos esperava, lá estava a remoer-se, alimentando a mágoa em seu coração. Entretanto, com a mesma rapidez com que caía, também se levantava. A meta que fixara na mente era servir da melhor maneira possível os assistidos do Posto 2, com a competência que vinha adquirindo e o comprometimento, que fazia dele um dos mais esforçados trabalhadores do posto de socorro Auxílio Divino.

A par do trabalho incessante, Maurício tomou a decisão de não mais visitar Adélia, os filhos e os familiares até que realmente pudesse ajudá-los, de alguma forma, com a sua presença. Ao mesmo tempo, passou a orar diariamente para que a união entre a ex-esposa e

Polidoro fosse coroada de sucesso. Em suas preces noturnas, agradecia a Deus pela oportunidade de ter vivido em tão boa companhia durante os anos dourados da sua última existência e rogava suas bênçãos em favor daqueles dois irmãos, que precisavam caminhar juntos para aparar arestas e dar cumprimento às tarefas que lhes estavam destinadas. Sempre que Adélia surgia em sua memória e uma ponta de ciúme ou mágoa despontava em seu íntimo, imediatamente deixava de alimentar tais sentimentos e fazia uma prece fervorosa em favor de quem merecia a felicidade de conviver com uma pessoa polida e amorosa, tal como notara ser Polidoro, quando de sua visita ao plano terreno. Destarte, conseguia retomar com ânimo renovado as atividades que estivesse executando.

Com a dedicação plena ao trabalho, Maurício teve oportunidade de cortar as aparas que dificultavam o processo de melhoria íntima, particularmente o orgulho. Quando de sua última encarnação como professor universitário e doutor em Filosofia, a arrogância, a soberba e a imodéstia tomaram conta do seu ser. Agora, refazendo-se dessas chagas, lembrava-se Maurício continuamente das palavras de Kardec, cuja leitura era uma constante em sua vida: "Caridade e humildade, tal o único caminho da salvação. Egoísmo e orgulho, tal o da perdição". E para poder trilhar o caminho da caridade e da humildade, buscava arrancar do coração a erva daninha do egoísmo. A leitura de *O Livro dos Espíritos* aclarava-lhe a mente, quando lia a resposta dos espíritos superiores, ao serem indagados sobre qual dos vícios pode ser considerado radical: "Já o dissemos inúmeras vezes: o egoísmo. Dele deriva todo o mal. Estudai todos os vícios e vereis que no fundo de todos há egoísmo. Por mais que luteis contra eles, não sereis capazes de extirpá-los, enquanto não atacardes o mal pela raiz, enquanto não tiverdes destruído a causa. Que todos os vossos esforços dirijam-se para esse objetivo, pois aí está a verdadeira chaga da sociedade. Quem quiser aproximar-se da perfeição moral, ainda nesta vida, deve extinguir do seu coração todo sentimento de egoísmo por ser incompatível com a justiça, o amor e a caridade. Ele neutraliza todas as outras qualidades". Com a lembrança dessa assertiva, buscava Maurício promover a sua renovação interior com tanto empenho que, tendo acumulado méritos, recebeu um convite inusitado: visitar o Templo da Paz, na colônia Paz e Amor, de lembranças amenas e agradáveis.

– O convite que lhe faço – disse-lhe Rafael – é para assistir a uma palestra da irmã Nadir.

– Fico feliz pelo convite. Eu esperava mesmo poder ouvir nova palestra desse espírito superior, que consegue magistralmente nos colocar em contato com a Divindade.

– Mas você ainda não tem permissão para visitar a casa de repouso onde passou algum tempo.

– É pena, pois devo muito àquelas almas caridosas, que tanto me ajudaram sem pedir nada em troca.

– No futuro você poderá fazê-lo, com certeza. No entanto, há uma pessoa com a qual você poderá confabular à vontade, pois ela vai levá-lo e acompanhá-lo na visita ao templo, trazendo-o também de volta.

– Vítor? Sempre que estou com ele aprendo algo para meu aperfeiçoamento.

– Não, Maurício. Não é Vítor. Lembra-se de Amanda?

– Amanda?

– Ela mesma.

– Tenho sentido muita saudade da sua presença. Passei momentos felizes ao seu lado, quando tive permissão para visitar a colônia. A escolha não poderia ter sido melhor.

Amanda chegou ao posto de socorro pouco tempo depois e foi recebida com entusiasmo e muito carinho por Maurício. Na manhã seguinte, partiram para a colônia Paz e Amor, onde se realizaria a palestra. O Templo da Paz continuava magnífico, parecendo ser feito de pedras preciosas, tal o brilho que emanava. Olhar para o esplendor da sua aura levava tranquilidade ao observador. Maurício ficou alguns minutos a contemplá-lo, numa atitude de êxtase.

– Sinto-me aqui como se estivesse no Céu que minha mãe me descrevia quando eu era criança – disse a Amanda, que sorria comovida diante da sua devota atitude.

Em seu interior, o templo estava iluminado por uma luz branco-azulada, que parecia penetrar o íntimo dos poucos espíritos que já se encontravam em seu recinto. Uma música suave e desconhecida por Maurício penetrava-lhe os ouvidos, levando paz e tranquilidade a seu coração. Quando se deu conta, o amplo espaço estava lotado de espíritos a aguardar as palavras de sabedoria, que lhes seriam dirigidas. Nesse momento, Maurício sentiu de modo indescritível a aura de Amanda, sentada a seu lado. Parecia-lhe que entrava no íntimo da amiga, que exalava um tênue perfume de rosas. Um desejo inusitado de permanecer ali por tempo indefinido assomou no seu coração com tal intensidade que perdeu a noção de tempo e espaço, apenas recobrando a consciência quando Margarida, que ele conhecera na casa de repouso, já anunciava a presença da irmã Nadir. Voltando a si, pôde ver a apresentadora e a palestrante envoltas em auras luminosas. Margarida sentou-se à mesa, onde estavam mais dois espíritos, e irmã Nadir, dando início à sua apresentação, cumprimentou os presentes:

– Minhas queridas irmãs, meus queridos irmãos, que a paz de Deus reine em seus corações. Temos aqui reunidos espíritos que passam pelo período da erraticidade, em preparação para uma nova reencarnação, mais positiva e mais produtiva que a anterior. E temos também muitos outros que, já reencarnados, buscam cumprir da melhor maneira possível as tarefas que escolheram ou que lhes foram atribuídas para essa nova oportunidade de refazimento espiritual, na sua caminhada em direção ao Pai. A esses, particularmente, que logo mais estarão executando as suas atividades diárias no plano material, é importante que eu fale a respeito de um tema, cuja falta tem levado o planeta Terra a tantas guerras fratricidas e à situação calamitosa que hoje vivem os seus habitantes.

Mas tão importante é também esse tema para os que vivem na erraticidade, aos quais é imprescindível em sua peregrinação para o Pai: a paz. Disse-nos o divino Mestre: "Deixo-vos a paz. A minha paz vos dou. Não vo-la dou assim como a dá o mundo". Irmãs, irmãos, que tipo de paz nos oferece o mundo? Pensemos um pouco: se falarmos em paz mundial – e aqui nos referimos ao orbe terreno –, esta não passa para o pensamento mundano de um armistício, de um acordo que suspende temporariamente as hostilidades entre os lados envolvidos numa guerra. Não passa de uma trégua, que pode terminar a qualquer momento. Mas isto não é a paz verdadeira. A verdadeira paz não termina com os caprichos de um dos lados contendores. Ela é contínua e persistente. Já se falarmos da paz individual, de que todos necessitamos, podemos ver a falácia com que é apresentada pelo mundo, que a situa fora de nós. Nós só teremos paz, diz o pensamento mundano dos encarnados, se conseguirmos comprar um carro importado, se pudermos saldar todas as nossas dívidas, se pudermos adquirir um apartamento de quatro dormitórios e assim por diante. É verdade que podemos necessitar, para nosso trabalho, de um veículo. É verdadeiro que temos de pagar as nossas dívidas. E também podemos precisar de um apartamento espaçoso para a nossa família numerosa. Entretanto, tudo isso não nos dá a paz nem a felicidade. A partir do momento em que colocarmos em dia a nossa situação financeira, novas necessidades teremos em seu lugar e a falsa paz desmoronará, deixando-nos outra vez na aflição. A paz que o mundo nos dá é exterior. É, portanto, aparente, é enganosa. O mesmo vale para vós, espíritos errantes, que vos preparais para uma nova oportunidade de resgate de passadas dívidas e de construção de uma existência melhor, pautada pela renovação interior. Também vós precisais da paz, da verdadeira paz, ofertada por Jesus Cristo. Mas que paz é essa? Em que ela difere da paz oferecida pelo mundo? A paz que o mundo nos dá, por ser exterior, não nos pode satisfazer. A fim de que vivamos em paz, ela precisa nascer em nosso interior. E aí está a diferença: a paz que o Cristo nos oferta vem de dentro para fora, e não de fora para dentro, como a paz do mundo. A paz que Jesus nos dá não nasce da acomodação e da inércia. A paz que o Mestre nos oferece não vem das drogas e do álcool nem do sexo exacerbado ou da derrota que possamos infligir a nossos irmãos. Nada disso nos proporciona a paz. A verdadeira paz, aquela que nasce do coração, é fruto do nosso trabalho incessante em benefício do semelhante. Ela nasce dos nossos pensamentos elevados, dos nossos sentimentos nobres, das nossas puras intenções e das nossas ações exercidas no serviço aos nossos irmãos. "Servir" é a palavra de ordem. E servir não significa tornar-se o capacho do próximo. Não significa anular a própria dignidade para satisfazer o ego inflado dos nossos irmãos. Servir é praticar a caridade. É identificar as reais necessidades do próximo e agir no sentido de satisfazê-las. Quando, pela palavra, consolamos alguém ferido internamente, estamos exercendo a caridade; quando apoiamos a justa decisão tomada por uma pessoa em benefício de outra, também estamos praticando a caridade; quando orientamos moral e espiritualmente os nossos filhos e quando buscamos recolocar no bom caminho alguém que se transviou, igualmente estamos promovendo a caridade. E caridade, como dissemos, é serviço ao semelhante. Servir, por sua vez, é o meio maior para serenarmos a consciência e construirmos a paz, que se origina em nosso coração.

O templo permanecia num grande silêncio. Apenas se ouvia, ao fundo, uma música suave. Todos ouviam com atenção as palavras de Nadir que, após breve pausa, continuou discursando com a mesma inspiração:

– Disse-nos o Divino Mestre: "Bem-aventurados os pacificadores, pois serão chamados filhos de Deus". Pacificador, meus queridos irmãos e irmãs, é todo aquele que sentiu na alma a paz divina, tornando-se, a partir daí, um promotor desta verdadeira paz, necessária a todos os homens, tanto na sua vestimenta carnal como quando desprovidos dela. Lembremo-nos de que ninguém dá o que não tem. De modo idêntico, não podemos propagar a "paz que o mundo não dá" se não a tivermos experienciado em nosso interior. E como agir para obter essa experiência? Colocando em prática as lições do Evangelho do Cristo. Jesus viveu tudo o que nos aconselhou, tornando-se um modelo vivo para a nossa conduta. A melhor maneira de nos prepararmos para experienciar a paz deixada pelo Mestre é seguirmos à risca a síntese que fez dos mandamentos: Em primeiro lugar, amarmos a Deus de todo nosso coração, de toda nossa alma e de todo nosso entendimento. Este é, segundo Jesus, o maior dos mandamentos. Em segundo lugar, amarmos ao próximo como a nós mesmos. Se cumprirmos esses dois mandamentos, conseguiremos viver em paz, experienciando a paz verdadeira, como no-la deixou o Divino Mestre. O segundo mandamento é também tratado por Jesus como a "Regra de Ouro", expressa nos seguintes termos: "Fazei aos outros o que gostaríeis que os outros vos fizessem". Todos nós queremos um tratamento harmonioso, positivo, pacífico, não é verdade? Então, para que isso se torne realidade, comecemos nós a tratar os nossos irmãos com harmonia, positividade e paz. Na medida em que praticarmos as lições do Evangelho, estaremos experimentando a paz e nos tornaremos pacificadores. E se pudéssemos resumir todo o Evangelho numa só palavra, diríamos: Caridade. Bem disse Allan Kardec, quando promovia a execução da codificação espírita: "Fora da caridade não há salvação". É ainda ele quem afirma que toda moral de Jesus pode ser resumida na caridade e na humildade, ou seja, nas virtudes contrárias ao orgulho e ao egoísmo. Em todos os ensinamentos do Cristo, Ele aponta essas duas virtudes como sendo as que conduzem à eterna felicidade. Portanto, as que nos elevam ao sentimento sublime da paz. Podemos dizer, ainda, que o amor pregado por Jesus e expresso pela caridade está repleto de fé, humildade, esperança, perdão, coragem e sabedoria, transubstanciando-se na paz, que nenhum ladrão nos pode roubar.

Maurício escutava atentamente as palavras da irmã Nadir e procurava fazer correlação com o seu trabalho no Posto 2. Contudo, a partir de um certo momento, sua visão foi se tornando turva e uma imagem se sobrepôs à figura da palestrante. Viu-se caminhando por uma alameda florida, sob um céu azul, tendo Amanda a seu lado, que sorria e lhe dizia palavras que ele não conseguia ouvir. Finalmente, quando chegaram diante de um lago, viu uma fileira de casas cada qual com um jardim à frente. Amanda, apontando para uma delas, disse com ternura: "esta é a nossa casa".

A paisagem foi se desfazendo e novamente Maurício viu a irmã Nadir, que encerrava a sua palestra:

– Enfim, caríssimas irmãs e irmãos, a paz que nos oferta o sereníssimo Mestre não é uma espécie de inatividade ou de indiferença diante dos fatos da vida. É, pelo contrário, o trabalho cotidiano, contínuo de automelhoria, dado que a paz não vem de fora, mas nasce em nosso interior e nos torna pacificadores pelo bem da humanidade, onde quer que se encontre: no plano terreno ou no mundo espiritual. Como nos disse, certa vez, o espírito Emmanuel, na sua peculiar sabedoria: "A paz é dom de Deus, começando em nós". Que a paz do Cristo reine em vossos corações. Muito obrigada.

O silêncio continuou a imperar no recinto por algum tempo, de onde ninguém tinha ânimo para se retirar. O volume da música suave foi aumentado e inundou todos os cantos do templo com a delicadeza de seus acordes.

Em seguida, com vagar, cada um foi se levantando e deixando o amplo salão, a meditar nas palavras ouvidas dos lábios de um ser de grande elevação espiritual.

Maurício ficou envergonhado por ter-se distraído. Pensou em comentar com Amanda, porém, tornou-se ainda mais intimidado, pois ela participara do conteúdo de sua visão. Saíram do templo a conversar sobre a palestra e fizeram um passeio por várias localidades da colônia Paz e Amor ainda desconhecidas de Maurício. Era um prazer singular estar ao lado daquele espírito jovial, amoroso e portador de uma sabedoria que julgava não possuir.

– Agora sei por que não me foi permitido lecionar aqui – disse resignado. – Eu era muito orgulhoso e portador de uma presunção incomum. Não sabia ainda quase nada da vida espiritual e já queria ser um mestre ou doutor, como fui na Terra. Aqui, na verdade, eu deveria me sentar nos bancos escolares para começar a aprender. Só muito mais tarde, quando conseguisse um pouco da sabedoria que você possui, é que poderia ousar pedir licença para dar aulas. E, assim mesmo, com a supervisão direta e próxima de alguém superior a mim.

– Não tenho essa sabedoria que você me atribui, Maurício. Mas noto a mudança que se operou em seu interior. Creia que fico feliz por isso. Um dia você voltará aqui, não mais na condição de um visitante, mas de um trabalhador, que contribuirá, com a experiência adquirida, para o bem daqueles que necessitam de uma mão amiga a impulsioná-los para a sua reforma íntima. Tenha fé e paciência, que esse dia chegará. E se você se sente bem em minha presença, eu também prezo muito a sua companhia e sinto-lhe a falta quando não posso estar junto de você.

Em primeiro lugar, Maurício se lembrou de que ela conseguia ler-lhe os pensamentos, daí estar informada sobre os seus sentimentos. Em segundo, foi tomado de uma grande felicidade ao ouvir as palavras sinceras saídas do coração da sua amiga espiritual.

O passeio prosseguiu até à noitinha, quando se encerrou o período de visitação concedido a Maurício. A volta para o posto de socorro foi confortável e rápida. É verdade que Maurício sentia o desejo de continuar em Paz e Amor com Amanda, porém, o dever o chamava de volta ao trabalho, o que desejava fazer com boa vontade e amor fraterno. Isso também foi notado por Amanda que, ao se despedir, disse-lhe com emoção:

– Maurício, sei da dedicação e do empenho com que você executa o seu trabalho. Continue assim, dedicando todo o seu amor aos assistidos, seus irmãos. Estou orgulhosa das suas conquistas espirituais. Um dia, sem dúvida, poderemos trabalhar juntos, mas agora é preciso que nos empenhemos cada vez com mais ardor no trabalho que o Pai nos concede para a nossa melhoria e preparação para uma encarnação superior à última que tivemos na Terra. Fique com Deus, com a paz do Cristo.

Uma lágrima despontou nos olhos de Maurício, que desejava eternizar aqueles momentos tão prazerosos vividos ao lado da amiga. Entretanto, antes que se virasse para partir, Amanda ainda lhe disse, com um leve sorriso nos lábios:

– Maurício, a visão que você teve é verdadeira. Eu diria que é uma visão premonitória, um pressentimento do nosso futuro...

Maurício ficou muito feliz com as últimas palavras de Amanda. Queria contar a todo mundo a visão que tivera e a confirmação da amiga, entretanto, achou melhor guardar para si. Desse modo, voltou ainda mais motivado a trabalhar no Posto 2, despendendo todos os esforços para a melhoria dos assistidos que estavam sob os seus cuidados. O trabalho era permeado pelas leituras, que faziam com que fosse construindo lentamente os seus conhecimentos, tornando-se cada vez mais apto a decifrar os mistérios que identificara no plano espiritual, quando de sua chegada, tempos atrás. Se quando dera entrada no posto de socorro ficara horrorizado com as tarefas a cumprir, agora as executava com boa vontade, garra e determinação. E mais: com muito amor aos assistidos. Participara, algumas vezes, das excursões de socorro às zonas umbralinas, mas nunca agira ativamente, ficando sempre a dar sustentação espiritual por meio de preces e vibrações. No entanto, chegou também o momento de agir como "ponta de lança" no resgate às almas que pediam auxílio e proteção. Até o momento de chegar ao ponto em que se encontrava um espírito sofredor, Maurício não desconfiava de que ele seria o salvador desse angustiado ser que clamava por socorro. Ficou surpreso quando Rafael, ladeado por um espírito de alta esfera, disse-lhe com voz segura e fraterna:

– Maurício, resgate este irmão que nos implora auxílio.

Se, de início, ficou paralisado, pois nunca fizera isso, quando olhou para o espírito luminoso, notou-lhe o sorriso paterno e o menear de cabeça, que confirmava as palavras de Rafael. Nesse momento, uma onda de energia incomum tomou conta de seu ser. Ali não estava mais um espírito inseguro, sem saber como agir. Pediu ajuda ao Pai e ouviu atentamente as palavras sentidas de um homem de seus oitenta anos, que clamava pela misericórdia divina:

– Meu Deus, tende piedade de mim. Não suporto mais esta vida de dor e sofrimento perpétuos. Compadecei-Vos da minha desgraça e estendei a vossa mão benigna para me tirar deste mar de lama que me sufoca até o íntimo do ser.

Nesse momento, Maurício se deu conta de que o ancião que assim falava estava realmente atolado numa lama negra, que subia até as suas coxas, impedindo-o de andar livremente e fazendo com que se movimentasse com dificuldade extrema. O interessante é que essa lama se portava como um rio, que seguia lentamente até onde a vista podia alcançar. A largura desse rio incomum não ultrapassava os cinco metros, entretanto, o ancião não andava em direção às margens, mas caminhava sempre no sentido da sua extensão, de modo que se atolava cada vez mais, sem possibilidade de sair daquela situação angustiante. Rafael, notando o espanto de Maurício, interveio:

– Não seria muito difícil sair desse leito lamacento, não é mesmo?

– É isso que me está intrigando. Por que ele insiste em caminhar sempre para a frente, quando as margens estão tão próximas?

– Ele está a nos dar uma lição, Maurício. Quantas vezes, em nossas múltiplas existências, caímos no lamaçal dos vícios? E quantas vezes, em vez de caminharmos para as margens, que nos livrariam do seu fundo lodoso, continuamos marchando para a frente, cada vez mais nos enredando com a degenerescência psíquica ou moral que nos consumia as forças? Quantas vezes insistimos em prosseguir na rota do delito quando poderíamos tomar um atalho que nos livrasse das garras desse monstro devorador? Agradeçamos a Deus a lição que estamos recebendo dessa alma sofredora e digna de compaixão.

Num relance, Maurício pôde ver, como numa tela cinematográfica, três ou quatro momentos de suas últimas encarnações, em que também escorregou por rios de vícios, que dificultaram o prosseguimento de seu avanço rumo à plenitude existencial, segundo a lei do progresso. De repente, viu-se também em meio ao lodo, junto daquele homem enfraquecido, que bradava por piedade e misericórdia divina.

– Reconhece-o? – perguntou Rafael.

Se até aquele momento, Maurício não conseguira distinguir bem a fisionomia do ancião, após a pergunta de Rafael, olhou melhor e imediatamente veio-lhe à memória uma velha fotografia que guardara no álbum de família. Era a foto de um senhor idoso, com olhos embaçados, perdidos no espaço, não parecendo ter noção de que estava sendo fotografado. Tratava-se de seu bisavô que, de acordo com os esclarecimentos de sua mãe, enlouquecera depois de ter abusado sexualmente de uma garota impúbere, filha de sua empregada doméstica. O caso foi abafado, mas alguns anos depois ele voltou a ver a garota, desta vez jogada num prostíbulo. Envergonhado e com sentimento de culpa, abandonou a família, passando a caminhar sem destino pelas estradas da vida. Só mais tarde, em estado de saúde mental lastimável, foi encontrado por um dos filhos, que o internou num sanatório de doentes mentais. Esse era o lado negro da família, de modo que era evitado por todos, mas, naquele momento, ficou muito claro para Maurício que se tratava do seu bisavô por parte de pai. Uma onda de compaixão intensa tomou conta de seus sentimentos.

– Rafael, é meu bisavô!

– É ele mesmo. Ouça o que tem a dizer antes que o retire do lamaçal.

O idoso, com os olhos vermelhos pelo choro convulsivo, olhou para o vazio e disse com muita dor na alma:

– Damas e cavalheiros, perdoem-me a intromissão em vossos afazeres, mas não posso deixar de falar-vos a respeito de todo o mal que criei para mim mesmo. Se estou aqui há tanto tempo sem poder sair, não é porque um Deus injusto e desapiedado me castiga sem motivo. Não é porque um demônio cruel me capturou para aumentar a população do inferno desesperançado. Cheguei a pensar nisto, sim, pois era mais fácil culpar os outros, inclusive Deus, do que a mim próprio. Quis distância de Deus durante muito tempo. Seu santo Nome não se fazia ouvir na minha alma, pois eu o renegara para sempre. Pelo menos, assim pensava. Entretanto, depois de muito tempo de tortura, caí na realidade e tomei conhecimento de que, se aqui me encontro é porque juntei, pingo por pingo, deste lodo sem fim, formando um rio de horror e espanto. Na minha primeira infância, fui uma criança pura e inocente como vós. Como vós brinquei, saltitei, chorei, ri e me entusiasmei com qualquer brinquedo que me colocaram diante dos olhos... Até o dia em que uma mulher adulta começou a abusar de mim sexualmente. Era a empregada da minha casa, uma jovem bonita e sensual, como consigo ainda vislumbrá-la. Isso durou por um período, creio eu, de muitos meses, sendo suficiente para deixar em meu ser uma indelével marca de impureza, de impudor e também um indestrutível estigma de lascívia e luxúria.

O ancião olhou, com seus olhos embaçados, para o alto e para os lados, como se quisesse recordar com precisão o que relatava. Depois, enxugando uma lágrima que tremeluzia no canto do olho, continuou em voz alta, para que todos ouvissem:

– A partir dessa época, passei a olhar para as mulheres com outras intenções. Perdi a pureza da infância em troca da sensualidade sem controle. A minha juventude, como a minha vida adulta, passei-as na devassidão dos prostíbulos e nos braços das messalinas compradas por poucos tostões e sem o prazer das relações fundadas no respeito, carinho, amor e comprometimento mútuo. Quando entrei na meia-idade, o desejo por mulheres jovens converteu-se em obsessão por adolescentes, particularmente as impúberes. E não me fiz de rogado, abusando de tantas quantas pude... Até o dia em que, após um intercurso com a filha de minha empregada, a jovem, sangrando, teve de ser levada a um pronto-socorro, deixando à mostra a minha verdadeira identidade. Para que a notícia repugnante não chegasse ao conhecimento de minha esposa e filhos, enfim, para que meu lar não fosse destruído, paguei grande soma à empregada, pedindo-lhe que deixasse a minha casa. No entanto, fui subornado por ela várias vezes, perdendo, pouco a pouco, o dinheiro que me restava. Aleguei aos familiares que era dinheiro evaporado em jogo de cartas. Minha esposa desconfiou que o real motivo da minha bancarrota fosse rabo de saia, mas nunca imaginou o que, de fato, acontecera. Expor a minha família à pobreza foi demais para a minha cabeça, já perturbada pelo remorso do que havia feito e pelo ódio da mulher que me subornava sem dó nem piedade. Mudei-me de cidade, instalando-me em próspera cidade do interior, onde consegui reaver o que me fora surrupiado. Equilibrei as finanças, mas não os sentimentos. O tormento da consciência pelo mal praticado, esse continuava a fustigar-me cruelmente. A gota d'água, porém, foi o dia em que, ao visitar o bordel da cidade, vi sentada numa poltrona vermelha a mesma menina que eu desvirginara alguns anos atrás. O seu rosto, não obstante os indícios de sofrimento, guardava as marcas da inocência perdida, principalmente no sorriso infantil que ainda ostentava diante do freguês, a pechinchar o preço de um encontro libidinoso. Naquela fração de segundo, vi que eu a jogara ali, sendo responsável pela situação abjeta que vivia naquele momento e por tudo o que viesse a lhe ocorrer dali para a frente. Não pude mais olhar a cena, que se me descortinava à luz rubra de uma sala infectada pela fumaça e pelos desvios de quantos ali se achavam em busca de um prazer ilusório. Dei meia-volta e, guardando na memória o sorriso angélico de quem pusera a perder na vida, perambulei pelas ruas, sufocado pelas minhas penosas lembranças. Os pensamentos eram desconexos e os sentimentos resumiam-se no remorso pelo meu gesto insano praticado várias vezes contra seres humanos indefesos, que ainda esperavam pelo desabrochar da vida. O peso da culpa e da inquietação da consciência foi forte demais para mim, de modo que perdi a noção de quem era e de onde me achava. Meus pensamentos tornaram-se embaralhados e confusos e vaguei por ruas e estradas durante um certo tempo até, posteriormente, ser encontrado por meus familiares e ser internado num asilo para loucos. Após alguns anos nesse local de muito sofrimento e solidão, desencarnei e, sem mais nem menos, fui parar numa espécie de deserto, onde sofri de calor intenso, sede e fome, além de ser fustigado por vultos medonhos, que me acusavam dos males que pratiquei em minha amaldiçoada existência. Não sou capaz de precisar os inúmeros anos que passei nessa terra inóspita e abrasante, sempre às voltas com vozes infantis clamando por clemência e socorro ou ameaças de passantes que queriam me linchar ou me jogavam detritos imundos pelo corpo. A música ambiente era o choro das minhas vítimas, que insistia em permanecer no interior da memória e se projetava para o espaço ao meu redor, não me permitindo pensar em outra coisa que não fosse o conjunto nefando dos meus crimes inconfessáveis. Julguei estar no inferno perpétuo e perdi toda a esperança de encontrar um dia braços acolhedores que me perdoassem e me reconduzissem ao caminho reto, que só os puros podem palmilhar. Assim, depois do fogo abrasador do deserto, vim a cair neste sórdido lodaçal imundo, que me envolve em seus braços pútridos a exalar o cheiro execrável dos meus delitos. No entanto, mesmo em meio ao desespero, consegui tirar do fundo do meu ser um resto último de esperança e lancei um brado a Deus, pedindo perdão pelos meus crimes e compaixão pelos meus sofrimentos intermináveis. Agora, vejo que me foi enviada, pelo Criador, uma junta de santos luminosos a quem imploro misericórdia, ainda que só mereça o desdém, o desprezo e o abandono. Santos luminosos, tendes piedade de mim! Tendes piedade da minha alma, que quer se redimir do mal praticado. Não peço a felicidade, apenas o perdão.

O ancião ajoelhou-se no lamaçal, que chegou até o seu pescoço, e implorou o perdão da comitiva. Imediatamente,

Rafael adiantou-se e orientou Maurício para que o ajudasse a levantar o idoso, retirando-o daquele rio de lama.

Outros espíritos foram socorridos nesse dia, tendo depois a comitiva voltado para o posto de socorro. Para Maurício, foi um dia incomum. Além de presenciar, mais uma vez, o tormento de uma alma que se comprometera com o vício e o descaminho, o choque maior foi saber que se tratava de um parente seu da encarnação passada. Mesmo sem nunca tê-lo conhecido pessoalmente, o fato de presenciar o seu desespero diante das faltas cometidas acionou em seu peito a compaixão desinteressada em favor dessa alma sofrida. Anísio, esse era o seu nome, foi encaminhado ao Posto 1, onde recebeu todos os cuidados da nova trabalhadora, que agora cumpria ali os seus deveres. Sempre que podia, Maurício ia visitá-lo, embora ele não estivesse ainda em condições de travar um diálogo normal, dado o remorso que dominava o seu coração e a sua mente, não permitindo que se ativesse a qualquer outra coisa. Só com mais tempo e continuidade da terapia a que era submetido poderia sair da prisão mental em que se circunscrevera, podendo agir positivamente para a própria recuperação.

Vítor, em uma de suas visitas ao posto de socorro, explicou a Maurício que, logo após a sua melhora, Anísio seria transferido para uma casa de repouso, numa colônia próxima, e teria uma breve reencarnação, em que lhe seriam oferecidos todos os recursos para que pudesse saldar as pesadas dívidas que contraíra na encarnação passada. Seria uma existência de muitas provações, em que ele necessitaria do apoio espiritual para que pudesse superá-las. Esse auxílio, ele teria particularmente por parte de sua esposa, que alcançara um nível superior de espiritualidade. Para Maurício, foi mais uma lição sobre a justiça e o amor de Deus. A cada nova experiência, mais ele crescia espiritualmente, já tendo aceitado completamente a vida conjugal de Polidoro e Adélia. Na verdade, ele sempre orava pelos dois e por toda a família que ficara na Terra, pedindo a Deus que abençoasse o caminhar de cada um deles. Fez igualmente muitas preces pela recuperação do bisavô, aplicou-lhe passes e passou muitas horas extras diante do seu leito, tentando reconfortá-lo e oferecendo-lhe esperanças de uma vida melhor.

Maurício já não era o mesmo de outrora. Crescera muito em espírito e Verdade.

34

Corações abertos

As núpcias de Polidoro e Adélia foram um excelente meio para ambos trabalharem a sua renovação interior. Embora fossem pessoas de flexibilidade, o início da convivência não foi muito fácil, pois Polidoro, já próximo dos seus sessenta anos e com uma vida celibatária de muito tempo, criara hábitos que não agradavam a Adélia. Por sua vez, ela, que já fora casada, não conseguia deixar de comparar o primeiro com o segundo marido. E, quando fazia isso, acabava por romantizar o primeiro casamento em detrimento do atual. Polidoro também tinha queixas de algumas "manias" de Adélia, como ele chamava certos comportamentos que ela adquirira com o passar dos anos. O que ajudou decisivamente na solução desses entraves foi a unidade de pensamento espiritualista, que ambos alimentavam e que se expressava pelos ensinamentos da doutrina espírita. As palavras de ordem que o casal buscava incorporar eram:

paciência, tolerância e compreensão. E foi numa palestra especial, realizada no centro espírita, que um conhecido autor de livros tocou fundo o coração do casal. Durante a preleção, ele fez uma citação do evangelista Lucas:

– "É na vossa paciência que ganhareis as vossas almas", como disse Jesus. Paciência para consigo mesmo, mas particularmente paciência para com os defeitos e deslizes alheios. Há quem tenha paciência exagerada em relação a si próprio, mas não consegue a justa paciência em relação a seu irmão. Usamos muitas vezes de medidas diferentes: uma para nos julgarmos e outra para o julgamento dos atos alheios. Entretanto, o Divino Mestre é claro quando afirma que pela paciência é que conseguimos ganhar a nossa alma. E a paciência caminha de mãos dadas com a tolerância. Como diz a nossa irmã Cenyra Pinto: "Pessoas há cuja atitude em face da vida é imbuída de tal fanatismo por aquilo que acham que é certo, que qualquer coisa, qualquer pessoa que não paute sua vida dentro dos princípios verdadeiros, é considerada errada e afastada do seu caminho".

Nesse momento, Adélia pensou a respeito da sua implicância relativa a certos comportamentos estereotipados de Polidoro. "É verdade que isso me irrita, mas eu também cristalizei alguns comportamentos que, certamente, devem enervá-lo. É necessário que eu converse com ele, a fim de que passemos a pratos limpos o que um incorporou que irrita o outro. Isso servirá para nos melhorarmos e tirará uma barreira que colocamos entre o nosso amor." Polidoro, por sua vez, também refletiu: "Devo ser mais tolerante com Adélia. Afinal, eu a amo do fundo do meu coração. Por que deixar que atos insignificantes atrapalhem o nosso relacionamento? Que amor é esse que não consegue passar por cima de pequenos defeitos? E eu também não os tenho? Como posso me arvorar em juiz dos atos alheios deixando os meus sem julgamento?".

O palestrante continuou, citando Emmanuel:

– "Quem ama o próximo sabe, acima de tudo, compreender. E quem compreende, sabe livrar os olhos e os ouvidos do venenoso visco do escândalo, a fim de ajudar, em vez de acusar ou desservir." Meus irmãos, é preciso que coloquemos o nosso coração sob a luz da verdadeira fraternidade. Só assim conseguimos constatar que somos irmãos, que somos filhos de um só Pai. "Enquanto nos demoramos na escura fase do apego exclusivo a nós mesmos, encarceramo-nos no egoísmo e exigimos que os outros nos amem. Nesse passo infeliz, não sabemos querer senão a nós próprios, tomando os semelhantes por instrumentos de nossa satisfação." E não fazemos isto em várias situações da nossa vida? Em vez da paciência, da tolerância e da compreensão, apenas enxergamos no outro um entrave em nosso caminho ou, de outro modo, um meio para conseguirmos aquilo que desejamos. Fujamos dessas atitudes que nos levam a comportamentos que geram débitos morais. Pensemos num tripé que, pelo contrário, impulsiona-nos para a conduta fraterna e nos gera haveres e méritos: tolerância, respeito e amor. Tolerar é suportar com indulgência, diz o dicionário. É admitir, nos outros, maneiras de pensar, de agir e de sentir diferentes ou mesmo diametralmente opostas às nossas. Tolerância é a complacência em relação aos defeitos alheios. Mas a tolerância pressupõe o respeito, a deferência, a consideração pela outra pessoa. Respeito resume-se na estima ou consideração que demonstramos por alguém. Tolerância e respeito reportam-nos ao amor. Principalmente na convivência do nosso cotidiano, com nosso companheiro ou companheira, com nossos filhos, com nossos irmãos, não podemos prescindir da tolerância, do respeito e do amor. Havendo amor, certamente haverá tolerância e respeito, pois dos três elementos o principal é o amor. É dele que nascem os seus complementos. Entretanto, não é apenas com os nossos familiares que devemos agir desse modo, mas em qualquer circunstância da nossa vida: com colegas de trabalho, chefes, subordinados, amigos, conhecidos, enfim, com qualquer ser humano com que venhamos a nos relacionar. Como já se disse e é muito bom repetir: "Tolerar é bom, mas respeitar é melhor. Respeitar é bom, mas amar é melhor".

Para Adélia e Polidoro, as palavras do palestrante calaram fundo, balançando-lhes o coração de tal modo que, daí para a frente, a convivência tornou-se mais fácil e agradável. As pequenas rusgas diminuíram e a coexistência harmonizou-se de tal modo que o amor que um nutria pelo outro se solidificou. A doutrina cristã do Espiritismo foi o farol que sempre norteou as decisões em quaisquer conflitos que porventura surgissem entre eles. Pelos anos afora, o convívio esteve sedimentado no amor, banhado nas águas límpidas do Evangelho.

***

Após desenvolver com todo empenho e dedicação as atividades de auxílio aos assistidos do Posto 2, Maurício foi promovido ao trabalho no Posto 3, onde ficavam aqueles que estavam próximos da transferência para algum hospital ou casa de repouso. Também ali se dedicou integralmente àqueles que estavam sob a sua responsabilidade. Fazia muitas horas extras, nas quais permanecia ouvindo queixumes, passando orientações, administrando remédios e aplicando passes. A sua reação diante do casamento de Adélia com Polidoro mudara totalmente. Agora não só ia visitá-los, quando podia, como orava todos os dias pelo casal e por todos os familiares. O seu amor por Adélia também passara por uma grande transformação. Já não se tratava mais do amor conjugal, mas de um amor fraterno, robustecido pelos cuidados que tinha para que reinasse a harmonia e o carinho entre o casal. Como dizia a seus colegas no posto de socorro, tornara-se um anjo familiar, zelando para que tudo estivesse de acordo com os ditames do amor e da razão. Quanto à sua amizade com Arcanjo, Rafael e Selena, havia também se consolidado. Sempre que encontrava um momento livre, Maurício ia em busca dos diálogos positivos e produtivos que travava com esses espíritos, cientes de suas tarefas regenerativas em benefício do seu próprio aperfeiçoamento. E foi numa dessas conversas que travava com Rafael que escutou uma pergunta inesperada:

– Maurício, você aceita coordenar os trabalhos dos três postos?

Ele nunca pensara nisso e, além do mais, Arcanjo já fazia muito bem esse trabalho. Não havia ninguém ali que conseguisse desenvolver tão bem como ele as funções de supervisão. Por que estaria Rafael sugerindo que ele, Maurício, assumisse esse posto?

– Rafael, ninguém consegue fazer a supervisão tão bem quanto Arcanjo.

– É verdade, mas alguém tem de assumir o posto vago, e quem tem melhores condições para isso é você.

– Posto vago?

– Arcanjo está de viagem marcada para a colônia com que sempre sonhou.

– Verdade? Fico feliz em saber. Realmente ele sempre me falava dessa colônia.

– A sua transferência está prevista para daqui a quinze dias, quando você poderá assumir a supervisão.

– Rafael, não me considero em condições para exercer tarefas tão importantes como as exigidas de um supervisor. Com certeza haverá alguém mais preparado que eu.

– Você já notou que é o mais antigo aqui depois de mim, Selena e Arcanjo?

– Você tem razão. Eu já deveria estar preparado para assumir as funções de supervisor, no entanto...

– No entanto, quinze dias são suficientes para receber todo o treinamento necessário de Arcanjo, não é mesmo? – E concluiu, rindo: – Ou você quer que eu cancele a transferência do seu amigo?

– Vejo que estou num beco sem saída. Neste caso, Rafael, aceito as novas incumbências. Mas, por favor, oriente-me sempre que necessário.

– Você terá toda a orientação de que precisar.

Destarte, Maurício foi promovido a supervisor, acompanhando as atividades de todos os trabalhadores dos postos de atendimento e fazendo palestras regulares para manter o elevado padrão de qualidade exigido de todos os servidores de Auxílio Divino.

***

Ricardo e Renata tiveram mais um filho, que recebeu o nome de Cláudio. Pascoal e Luísa, que já haviam adotado Joel, não fizeram por menos: adotaram uma filha, a quem deram o nome de Flávia. Renata, pouco tempo depois, voltou a trabalhar na rede de lojas da sogra e Polidoro, agora como diretora comercial. Tudo parecia seguir às mil maravilhas, entretanto, dois anos após o casamento de Adélia, Ricardo adoeceu por complicações renais, sendo internado num hospital, onde permaneceu por trinta dias. Quando de volta para casa, ainda teve de manter repouso por mais sessenta longos dias, em que as únicas distrações eram a televisão e a leitura, além das visitas dos familiares.

A doença estacionara, porém, não estava sendo erradicada. Adélia, aproveitando-se dessa situação, ofereceu-lhe um exemplar de *O Evangelho Segundo o Espiritismo* e outro de *O Livro dos Espíritos*. Sem muita opção, Ricardo passou a lê-los diariamente, mudando pouco a pouco o seu parecer sobre a doutrina espírita, a ponto de aceitar tomar passe semanalmente no centro espírita "Luz Divina", em que trabalhavam Polidoro e Adélia. A melhora radical que teve, depois de algumas sessões de passe, contribuiu para que buscasse novas leituras sobre o Espiritismo e, por fim, se matriculasse num dos cursos promovidos pelo centro espírita. Renata, vendo o resultado positivo obtido pelos passes aplicados no marido, também resolveu frequentar o mesmo curso que ele, tornando-se, mais tarde, passista. Quando Ricardo pôde voltar ao seu escritório de advocacia, havia muito trabalho pendente, apesar da dedicação de seus auxiliares. Desse modo, conseguiu dar continuidade à profissão que ele amava e da qual fizera uma missão. Embora não tenha se filiado a nenhum centro espírita, a partir dessa doutrina, estabeleceu uma cota de 10% de atendimento gratuito, que fazia em seu próprio escritório. Quando terminou seus dias nessa encarnação, com dedicação e carinho, havia ajudado centenas de pessoas que, sem o seu apoio, não teriam conseguido fazer prevalecer os seus direitos.

Pascoal e Luísa, felizes com o aumento da família, deram continuidade ao desenvolvimento da escolinha infantil, que se transformou em colégio e que, mais tarde, se tornaria uma faculdade reconhecida pela elevada qualidade do ensino ministrado. Também aderiram ao Espiritismo, aplicando a doutrina não no centro espírita, mas em sua escola, onde adotaram a pedagogia espírita.

***

A família já havia aumentado com a adoção de Flávia por Pascoal e Luísa, quando Maurício conseguiu, com carinho e amor fraterno, fazer nova visita a Adélia e Polidoro. Dessa vez, pôde ir sozinho, pois suas intenções eram de serviço ao próximo e ele se encontrava em elevado grau de equilíbrio interior. Primeiramente, foi ao apartamento recém-inaugurado do casal. Adélia estudava num quarto, onde havia uma estante cobrindo três paredes repletas de livros. Na parede livre, haviam sido instalados um computador e uma impressora. Já no centro ficava uma ampla escrivaninha, onde Adélia preparava algumas aulas. Por sobre os ombros da ex-esposa, viu a belíssima passagem das "Confissões", de Santo Agostinho, em que o pensador se refere à sua aproximação de Deus: "Tarde Vos amei, ó Beleza tão antiga e tão nova, tarde Vos amei! Eis que habitáveis dentro de mim, e eu lá fora a procurar-Vos! Disforme, lançava-me sobre estas formosuras que criastes. Estáveis comigo, e eu não estava convosco! Retinha-me longe de Vós aquilo que não existiria se não existisse em Vós. Porém, chamastes-me com uma voz tão forte que rompestes a minha surdez! Brilhastes, cintilastes e logo afugentastes a minha cegueira! Exalastes perfume: respirei-o, suspirando por Vós. Saboreei-Vos, e agora tenho fome e sede de Vós. Tocastes-me e ardi no desejo da vossa paz". Adélia fizera um recorte desse excerto com a finalidade de aproveitá-lo para um exercício de análise filosófica. Mas, ao lê-lo mais uma vez, sem saber por quê, a imagem de Maurício surgiu em sua mente. Lembrou-se dos tempos felizes em que discutiam sobre os tipos psicológicos, ela sendo incluída entre os "sentimentais" e ele entre os "racionais". E recordou-se também da sua fuga em relação a temas de filosofia, tão caros ao esposo. Sentiu uma ponta de culpa, que Maurício, postado atrás dela, procurou dissipar com a aplicação de um passe de serenidade. A lembrança do marido, com quem convivera bons anos, tornou-se, a partir daí, uma suave recordação de momentos agradáveis. Um suspiro prolongado e sentido fez-se ouvir, e Adélia, deixando por um instante o texto que examinava, iniciou uma prece endereçada a Maurício: "Meu Deus, meu Senhor, em nome do Divino Mestre, agradeço-Vos por todos os benefícios que endereçastes e continuais endereçando a esse espírito maravilhoso, que é o Maurício, a quem, carinhosamente, sempre chamei de Mao. Que neste momento e para sempre, ele viva em paz, harmonia e amor, como merece esse espírito nobre e elevado com quem tive a honra de conviver e que permanece em meu coração por toda a eternidade. Assim seja". Banhado em lágrimas, Maurício abraçou Adélia e fez-lhe também uma prece para uma existência feliz e produtiva junto de Polidoro, de modo a poderem executar com plenitude as tarefas que lhes tinham sido designadas para essa encarnação. Saiu dali reconfortado e feliz por saber que Adélia, mesmo estando junto daquele com quem já convivera noutras encarnações, ainda guardava a lembrança do ex-marido com respeito e veneração. Após visitar os familiares, Maurício foi encontrar-se com Polidoro na sala da diretoria executiva, na rede de lojas. O antigo detetive elaborava, juntamente com Renata, uma circular a ser enviada por "e-mail" a todos os gerentes e supervisores. Maurício teve uma nova visão desse espírito encarnado. Pôde notar em sua aura uma luminosidade branco-azulada, que expressava a sua serenidade diante da vida. Ao mesmo tempo, observou, no diálogo que ele travava com Renata, a sua seriedade e o interesse em melhorar a vida profissional e pessoal de todos os colaboradores da empresa. Agora ele conseguia ver em Polidoro uma excelente pessoa, um homem digno. O desejo de uma aproximação maior começou a nascer no coração de Maurício. Ele abençoou comovido aquelas duas pessoas, uma que amava como sua filha e outro que passara a amar como seu irmão. Depois dessa visita, Maurício intensificou as preces e vibrações em favor de todas essas pessoas que ainda estavam no plano terreno para dar cumprimento às tarefas que tinham de realizar nesta encarnação. Estabelecido esse vínculo com os familiares, pôde Maurício dedicar-se de coração mais aberto a seus assistidos. Foi com a plena aceitação da realidade que ele deu um passo vitorioso rumo a seu desenvolvimento, elevando-se a novo patamar na escala evolutiva dos espíritos.

***

Enquanto Maurício, na erraticidade, cumpria plenamente as suas tarefas, no orbe terrestre, Adélia e Polidoro também davam continuidade a seu aprendizado diante da vida, ao mesmo tempo em que buscavam executar da melhor maneira possível os trabalhos que lhes cabiam nesse momento da sua evolução. Adélia, particularmente, tinha dívidas que precisavam ser saldadas ainda nesta existência, como ela mesma solicitara antes de reencarnar. E assim se fez. Se a sua vida profissional foi coroada de êxito e a pessoal foi marcada pela compreensão e amor, o resgate veio precisamente da esfera familiar. Polidoro só deixou a empresa que dirigira durante vários anos após ter sofrido um enfarte. Renata assumiu a direção geral da organização, e Polidoro, ao deixar o posto, foi homenageado pelos funcionários, que tinham verdadeira admiração pela sua pessoa. Adélia, nessa mesma época, também aposentou-se, para estar mais próxima do marido. Ela já se tornara doutora em Filosofia e coordenava o Departamento de Filosofia da faculdade.

Após a aposentadoria, Polidoro e Adélia ainda conviveram por mais cinco anos de mútuo aprendizado. Adélia continuou ministrando aulas no Curso de Educação Mediúnica do centro espírita, sendo acompanhada, todas as semanas, por Polidoro, que tivera de abandonar os trabalhos de mediunidade. Finalmente, aos setenta e oito anos, ele desencarnou suavemente, enquanto dormia.

O seu desencarne foi muito sentido na empresa que tão bem dirigiu. No centro espírita e entre os familiares, todos acharam que ele havia cumprido as suas tarefas, tendo partido para novas atribuições. Para Adélia, entretanto, apesar de todo o seu conhecimento da doutrina espírita, o desenlace teve um peso bastante grande. Conviver com Polidoro fora um período de privilégios, como ela costumava dizer. Agora, sem a sua presença física, ela teve de redobrar os estudos e afazeres no centro espírita para preencher o vazio que ficara em seu coração. Pois aí é que justamente estava o resgate que solicitara, quando na erraticidade. Apesar de sofrer a ausência de quem tanto amava, a sua segunda viuvez foi muito diferente da primeira, quando não tinha ainda noção da vida após a morte. Não se tratava de desespero, mas de saudade dos bons momentos que vivera junto do marido. Muitas preces ela fazia para que Polidoro pudesse estar bem no plano espiritual. Nesse período, recebeu muitas visitas dos amigos do centro espírita, particularmente de Matsumoto, que já era viúvo, e de Solange, viúva de Roberto. Lucinda desencarnara alguns anos antes. Se foi um período difícil, também foi muito proveitoso para a sua vida espiritual, que se enriqueceu de virtudes, possibilitando-lhe viver mais plenamente a doutrina que abraçara um dia. Resignação, humildade e desejo de servir foram rosas a adornar a sua fronte envelhecida. Conseguiu passar pela provação com galhardia, tendo cumprido exemplarmente as suas tarefas terrenas. Finalmente, numa serena manhã de maio, desencarnou tranquilamente, enquanto lia as bem-aventuranças de Jesus, magistralmente expostas no "sermão da montanha".

35

Uma nova filosofia de vida

NUMA DAS MANHÃS HABITUAIS, em que fazia algumas visitas a assistidos do posto de socorro, Maurício foi chamado para uma reunião com Rafael e Selena. Chegando à sala indicada, foi recebido por Rafael com o costumeiro carinho e conversou sobre alguns assuntos relativos aos trabalhos cotidianos. Em seguida, Selena tomou a palavra e lhe disse que dois espíritos encarnados precisavam da sua ajuda especial nesse dia.

– Trata-se de Adélia e Polidoro.

– Terei imenso prazer em ajudá-los, Selena. Mas o que está acontecendo com eles?

– Polidoro desencarnará nesta noite e é importante que você esteja presente momentos antes, a fim de aplicar passes sedativos em Adélia, que vai sentir bastante a separação momentânea entre ambos.

– E quanto a Polidoro? Já está seguindo uma comissão de espíritos amigos para recebê-lo. Ele seguirá para uma colônia, onde repousará por algum tempo até poder assumir suas novas tarefas na erraticidade. O trabalho a ser executado por você será exclusivamente com Adélia. Não se preocupe com as atividades daqui. Tomarei o seu lugar nos próximos dias.

Após receber algumas orientações, Maurício foi até seu aposento, preparou-se mentalmente para as tarefas que teria de cumprir, fazendo uma sentida prece, e seguiu para o apartamento do casal, em São Paulo. Havia um silêncio aconchegante em suas dependências. Adélia, recostada numa poltrona, colocada num canto do *living*, abria *O Evangelho Segundo o Espiritismo* a fim de meditar sobre um trecho, antes de começar a preparar uma palestra que faria no sábado. Escolhida aleatoriamente uma página, ela deparou com uma parte do capítulo vinte e oito, que contém uma coletânea de preces espíritas. Olhando para o subtítulo, leu, um tanto incomodada: "Por um agonizante". O que habitualmente seria uma leitura tranquila, naquele momento tornou-se difícil, pois uma onda de tristeza tomou conta do seu coração. Entretanto, sem nenhuma reflexão a respeito, deu início à leitura: "A agonia é o prelúdio da separação entre a alma e o corpo. Pode-se dizer que, nesse momento, o homem tem um pé neste mundo e um no outro. Às vezes, essa passagem é penosa para os que se prenderam à matéria e viveram mais para os bens deste mundo do que para os do outro, ou cuja consciência se encontra agitada pelos pesares e remorsos. Ao contrário, naqueles cujos pensamentos se elevaram ao infinito e se desprenderam da matéria, os laços desfazem-se com mais facilidade e os seus últimos momentos nada têm de dolorosos. A alma está, assim, unida ao corpo por um fio, enquanto que no outro caso ela se mantém amarrada ao corpo por profundas raízes. De qualquer modo, a prece exerce uma ação poderosa sobre o trabalho de separação".

Adélia sentia uma opressão no peito, que não costumava acontecer, quando lia sobre o desenlace do espírito em relação ao corpo. A imagem de Polidoro teimava em permanecer em sua mente, embora procurasse afastá-la. Nesse momento, Maurício já lhe aplicava um passe suavizante, que iria levá-la a um estado de mais tranquilidade. Mais calma, ela começou a prece, que vinha a seguir, após as considerações de Kardec, fazendo uma adaptação para que se estendesse a todos os agonizantes do dia, visto que não tinha conhecimento de nenhum conhecido ou amigo que estivesse nessa condição. Assim, fazendo com que as palavras partissem de seu coração, deu início à prece:

– Deus, Onipotente e Misericordioso, há hoje tantas almas prestes a deixarem o seu envoltório terreno para retornarem ao mundo dos espíritos, sua verdadeira pátria. Que ali possam entrar em paz e que a vossa misericórdia se estenda sobre elas. Bons espíritos que as acompanhastes na Terra, não as abandoneis neste momento supremo. Dai-lhes forças para suportarem os últimos sofrimentos pelos quais aqui devem passar para seu progresso futuro. Inspirai-as, para que consagrem ao arrependimento de suas faltas os últimos momentos de inteligência que lhes restem ou que momentaneamente lhes advenham. Dirigi seu pensamento, a fim de que sua ação torne menos penosa para elas o trabalho da separação e que levem consigo, ao abandonar a Terra, as consolações da esperança.

Ao terminar a prece, uma lágrima escorreu em sua face. Entretanto, maquinalmente, ela a limpou com a mão. Depois, tomando consciência do que acontecera, perguntou-se: "Por que fiquei triste repentinamente? Por que estou pensando em Polidoro? Meu Deus, o que está havendo?". Maurício insuflou-lhe o pensamento de que a morte, por mais aterradora que possa parecer, na verdade, não tem existência própria. Nós é que a criamos em nossa mente. "É verdade", pensou Adélia, "por que toda essa tristeza se a morte não existe, se a vida continua por toda a eternidade? É claro que as pessoas que conviverão hoje com o desencarne de seus entes queridos ficarão tristes. Mas não devem pensar que perderam a pessoa. Ela apenas mudou de endereço e, se a amarem de fato, ainda encontrar-se-ão para novas aventuras no processo evolutivo de suas existências. Quanto a mim, que ainda desfruto da presença dos meus entes queridos, preciso aproveitar o mais que puder o seu acolhimento em relação a mim." Assim argumentando, Adélia deixou passar o sentimento de tristeza e dedicou-se inteiramente à preparação da palestra. Maurício, deixando-a a sós por um momento, foi ter com a equipe que preparava o ambiente para o desencarne de Polidoro.

– O seu desencarne será pela madrugada – disse-lhe o espírito que fora o avô de Polidoro em sua última encarnação. – Todos os preparativos já se iniciaram, de tal modo que ele fará a passagem com bastante suavidade. Quanto à Adélia, por ser uma espírita convicta, num primeiro momento sofrerá um grande impacto, porém, em pouco tempo tomará ciência de que Polidoro cumpriu, da melhor maneira que lhe foi possível, as suas tarefas nesta encarnação, partindo para a espiritualidade no momento preciso, a fim de dar prosseguimento a seu processo evolutivo. Mas ela precisará de sua companhia, Maurício, para melhor assimilar tudo o que vai acontecer.

– Farei o possível para tornar o impacto menos doloroso.

– Ótimo. Continuemos os nossos trabalhos.

O restante do dia transcorreu sem incidentes. Polidoro resolveu dormir mais cedo, pois sentia pequena dor no peito. Adélia chamou o médico que cuidava da saúde do marido. Este, após examiná-lo, disse-lhe que continuasse tomando os remédios habituais e ministrou-lhe apenas um calmante, a fim de que pudesse dormir com mais tranquilidade. Entretanto, quando deixou o apartamento, confidenciou a Ricardo, que o conduzira até ali:

– Meu amigo, Polidoro está muito debilitado. O seu coração não vai aguentar por muito tempo. Não quero ser agourento, mas a sua morte está próxima.

– E o que podemos fazer?

– Nada, Ricardo. Ele deve continuar com a medicação que já está tomando. É o que podemos fazer. Quanto ao mais, fica por conta de Deus. Como se trata de uma família espírita, creio que você poderá ajudar a sua mãe a superar o período difícil da separação. Mas não falemos mais nisso. Não posso dizer quando a morte ocorrerá. Apenas sei que está muito próxima. Ore para que Polidoro possa fazer com tranquilidade a sua viagem e para que dona Adélia consiga superar com firmeza a situação.

Ricardo chegou a pensar que talvez o médico estivesse exagerando, mas Maurício, que inspirara as palavras ouvidas por Ricardo, também procurou colocar na mente do filho o desejo de orar por aquele que se tornara o seu melhor amigo, juntamente com Pascoal. E foi o que fez Ricardo ao chegar a seu apartamento.

– Renata, Polidoro não está bem.

– O que o médico disse?

– Que o seu coração não aguentará bater por muito tempo.

– Meu Deus! Mas não será melhor consultar outro cardiologista?

– Poderemos fazê-lo, entretanto, algo me diz que os seus dias estão contados. Creio que o tempo de Polidoro nesta encarnação está se esgotando.

– Precisamos dar todo o apoio à mamãe. Se isso acontecer realmente, ela ficará viúva pela segunda vez.

– Vamos fazer uma prece para que Polidoro possa se restabelecer e, se for outra a vontade divina, que ele esteja preparado para a passagem.

– E, se tiver de ser assim, que mamãe consiga superar com resignação os momentos difíceis por que terá de passar.

Enquanto Ricardo e Renata oravam em sua residência, Maurício dava prosseguimento aos trabalhos preparativos para que Adélia suportasse com equilíbrio os acontecimentos que logo se desencadeariam. Inspirada pelo ex-marido, ela resolveu ir para a cama, ao lado de Polidoro, que dormia serenamente. Após fazer a prece, observou bem o esposo, beijou-o na face e apagou a luz do abajur. O sono veio rapidamente. Maurício aplicava-lhe um passe tranquilizante, enquanto Polidoro, auxiliado por amparadores, iniciava o processo do desencarne.

Eram quatro horas da madrugada quando Adélia acordou e resolveu verificar o estado de saúde do marido. Deitado de costas, com as mãos sobre o peito, ele parecia dormir. Ao tocar, porém, em seu rosto, notou que estava frio. Chamou-o algumas vezes, mas não obteve resposta. Sem saber o que fazer, ligou imediatamente para Ricardo que, juntamente com Renata, foi rapidamente ao apartamento da mãe. Quando lá chegaram, Adélia fazia uma sentida prece junto ao corpo do marido.

– Meus filhos, ele partiu – disse com lágrimas nos olhos. – Partiu com a serenidade que sempre ostentou em seu rosto e em seus gestos. Neste momento, na espiritualidade, ele está sendo recebido pelos seus amigos e familiares. Temos de nos resignar. Afinal, ele foi uma pessoa que sempre cumpriu com suas obrigações e certamente conseguiu dar conta das tarefas que tinha por executar.

Maurício estava feliz por estar conseguindo auxiliar Adélia nessas horas desconcertantes. É claro que ela, dali para a frente, iria sofrer pela ausência física do marido, mas também essa etapa seria vencida por quem já passara pela mesma situação muitos anos antes.

Alguns dias depois, quando sentiu que, tanto Adélia quanto os filhos e familiares já estavam fortalecidos o suficiente para superarem aqueles momentos e darem por si mesmos continuidade a suas atividades rotineiras, Maurício deu por encerrado o seu trabalho na Terra, voltando para Auxílio Divino. Já no posto de socorro, foi cumprimentado por Rafael e Selena, que haviam se certificado de que ele já podia andar com suas próprias pernas pela elevação espiritual que conseguira desde que dera entrada naquela instituição.

Três anos terrenos se passaram, quando novamente Maurício foi convocado a auxiliar num processo de desencarne. Desta vez, tratava-se de Adélia. Uma comitiva de amparadores, amigos e familiares aguardavam para recebê-la, inclusive Polidoro. Tendo-a acompanhado até a colônia, onde deveria ficar internada numa casa de repouso, Maurício voltou aos seus afazeres do posto de socorro. Assim como fez antes com Polidoro, visitou-a algumas vezes, constatando que a sua presença naquela instituição seria breve, dado o seu estágio evolutivo.

Por outro lado, os seus trabalhos em Auxílio Divino continuaram por mais alguns anos, quando, num dia inesperado, Selena anunciou que havia uma visita para ele:

– Quem é? – perguntou.

– Não posso dizer, é uma surpresa. Mas pense bem e você logo saberá, afinal já pode também ler pensamentos, não é mesmo?

Nada mais disse a esposa de Rafael, porém, na mente de Maurício surgiu rapidamente uma imagem clara e distinta.

– Amanda! – disse emocionado. – Quanta saudade eu senti da sua presença.

– Então, vá até a recepção. Ela o espera.

Imediatamente, Maurício desceu até a recepção, onde pôde ver o largo sorriso da amiga.

– Amanda, que bom você vir visitar-me. Senti muita saudade nestes anos em que não pude vê-la.

– E eu também senti saudade de você, Maurício.

A felicidade de Maurício não poderia ser maior. Dispensado de suas atividades, passou todo o dia em conversas animadas e alegres com a amiga. À noite, foi chamado à sala de Rafael para uma reunião. Ali estavam, além de Rafael, Selena e Amanda.

– Entre, Maurício, temos muito a conversar.

Intrigado, ele entrou, fechou a porta e aguardou curioso qual seria o tema a ser tratado. Pelo aspecto solene de Rafael e Selena, soube de imediato que se tratava de um assunto muito sério.

– Amanda está aqui hoje por um motivo muito importante – começou Rafael. – Ela mesma conversará com você logo mais. Agora, Selena e eu queremos agradecer tudo de bom que em tantos anos você fez por Auxílio Divino. Lembra-se de quando chegou aqui?

Imediatamente, surgiram na memória de Maurício as cenas da sua chegada no posto de socorro: o assombro pelo teor das tarefas que teria de executar e a sua decepção por não poder lecionar, como tanto gostaria. Envergonhou-se dessa atitude, que fora suplantada pelo amor que agora dedicava aos assistidos.

– Pois bem – continuou Rafael –, hoje o seu comportamento é muito diverso daquele inicial, e tanto eu como Selena reconhecemos isto por meio da constatação dos frutos que nasceram de seu sacrifício. Em todos os postos que ocupou, o seu trabalho foi digno e amoroso, responsável e competente, de modo que você acumulou méritos que hoje lhe permitem deixar esta instituição, a fim de partir para a colônia de que tanto gostou: Paz e Amor. O seu trabalho em Auxílio Divino está terminado, Maurício. Muito obrigado pelo exemplo que você deixa aos outros trabalhadores.

Rafael levantou-se e abraçou Maurício com emoção. Lágrimas escorreram pela face daquele que agora amava o trabalho cujo término acabava de ser anunciado. Selena também o abraçou, agradecendo-lhe pela presença gratificante naquela instituição.

– Você foi uma mãe para mim, Selena. Eu é que devo agradecer-lhe por todas as orientações que me deu. Sem elas, eu não poderia ter cumprido a contento as minhas atividades. E obrigado a você, Rafael, que foi para mim um pai muito próximo. Nunca pude vê-lo como meu superior. A figura paterna suplantava sempre a de chefe.

Rafael sentou-se novamente, o mesmo fazendo os demais. Maurício sabia que viria a segunda parte do encontro. Foi Selena quem disse, quebrando o silêncio:

– Outra conquista de sua parte, Maurício, foi ter compreendido que Adélia teria de conviver com Polidoro, com quem já vivera em outras encarnações, a fim de que pudessem dar sequência a seu desenvolvimento. Nem tudo foram flores para esse casal. Havia ainda arestas que precisavam ser aparadas. Atualmente, eles já estão prontos para nova convivência numa colônia espiritual, como preparação à encarnação futura. O amor fraterno e a dedicação com que você os protegeu e orientou valeram-lhe também novos méritos de que já pode desfrutar a partir de agora. Feche os olhos e deixe-se levar pelas imagens que começam a chegar. Preste muita atenção naquilo que vê.

Maurício, com os olhos fechados, viu um jovem confabulando com uma moça na sala de uma antiga residência. Pelos móveis, pela roupa e pelos penteados, calculou que se tratasse do fim do século dezoito ou início do século dezenove. Sentiu que havia amor e carinho entre ambos, o que transparecia pela maneira suave de se comunicarem e pelas palavras delicadas que trocavam entre si. Soube tratar-se do início de um casamento que levaria a muita felicidade, mas também a momentos de dor e tristeza. Como num filme cinematográfico, as cenas foram se sucedendo, de modo que viu passagens de anos subsequentes até o momento do desencarne da jovem, acometida por doença fatal. Naquele instante, numa prece comovida, pediram a Deus permitir que se reencontrassem na espiritualidade. Pois foi justamente nesse momento que Maurício, quase num grito, disse com muita emoção:

– Esse sou eu. E a jovem... A jovem... É você, Amanda!

Rafael e Selena mantiveram respeitosamente o silêncio. Amanda, também emocionada, aproximou-se de Maurício e o abraçou ternamente. Foi quando Maurício teve, de fato, consciência de que vivera em outras encarnações com Amanda, e sentiu imediatamente um grande amor assomar em seu coração.

– Neste momento – disse Rafael –, vocês estão recebendo a resposta divina à prece feita tantos anos atrás. Havia necessidade de que cada um de vocês tivesse outra encarnação separados para, então, voltarem à convivência tão almejada por ambos. Diga-lhe, Amanda, a que veio realmente.

Ainda emocionada, a jovem perguntou se Maurício aceitaria viver com ela em Paz e Amor, onde um trabalho, também digno, esperava por ele. Dividiriam a mesma casa, compartilhando todos os comentários sobre as atividades do dia e se preparando para a futura encarnação, em que seriam novamente marido e mulher. O "sim" pronunciado por Maurício foi instantâneo. Mas, logo em seguida, a sua fronte enrugou-se e, um tanto frustrado, falou pensativo:

– Amanda, há um entrave em nossa história. Não se trata de falta de amor por você, nem mesmo da lembrança de Adélia, em quem hoje vejo uma grande amiga, e não mais uma esposa. É a diferença de idade. Nas cenas que pude ver há pouco, éramos jovens ou maduros, mas sempre com idades próximas. No entanto, vejo-a agora com a aparência de trinta anos, sendo que eu aparento muito mais idade. Este é um empecilho sério.

Os três riram diante da objeção de Maurício que, sem saber qual o motivo da graça, perguntou:

– Vocês não consideram isso sério?

Rafael foi buscar um espelho e o entregou a Maurício:

– Por favor, veja a sua imagem.

Maurício levou um grande susto, a sua fisionomia era de um homem de cerca de trinta anos, muito semelhante à que tivera na encarnação em que fora esposo de Amanda. Sem entender o que acontecia, perguntou a Rafael:

– O que se passa? Como me tornei mais jovem, se era um idoso?

– Você precisava de uma nova aparência, Maurício, a fim de manter semelhança de idade com Amanda, não acha? Com o consentimento e o auxílio de espíritos superiores, providenciou-se para que ocorresse essa metamorfose enquanto você dormia. Lembra-se de que o perispírito detém a característica da plasticidade? Podemos moldá-lo de acordo com a nossa vontade, desde que tenhamos o nível evolutivo suficiente para isso e que tenhamos adquirido o mérito para realizar tal operação. Podemos, nesse caso, adequar-nos aos moldes que se harmonizam com as vivências pretéritas e atuais do espírito. Como Selena e eu sabíamos dos méritos que você adquiriu e como tínhamos certeza de que gostaria do resultado, providenciamos a adequação de idade entre você e Amanda. No entanto, a partir de agora, se você quiser, poderá alterar a sua aparência, assim como a vestimenta que usa.

– Agradeço o que fizeram por mim. Estou satisfeito

com a nova aparência perispiritual, de modo que irei conservá-la. E quero agradecer também por tudo o que foi feito em meu benefício. Certamente mais recebi do que pude oferecer, mas em Paz e Amor procurarei doar-me mais àqueles em favor dos quais vou trabalhar. Sou muito grato a você, Rafael, e a você, Selena. Peço a Deus que os abençoe e os brinde com as mais elevadas graças.

Nessa noite, Maurício e Amanda puderam conversar muito sobre o passado comum, mas detiveram-se nos planos para o futuro. Ele ficou mais uma semana em Auxílio Divino, a orientar o novo supervisor que, a partir daquele momento, exerceria as funções que ele tomara a si com tanta dedicação e carinho. Amanda voltou a Paz e Amor, na expectativa da sua chegada definitiva. No dia combinado, ele partiu para a colônia espiritual, guardando no coração todos os bons momentos que vivera no posto de socorro e agradecido a Deus por ter permitido tão nobre estágio em sua trajetória evolutiva. Amanda o aguardava diante do templo em que assistira a duas edificantes palestras de Nadir. O encontro foi mais uma vez emocionante, pois agora Maurício era contemplado com a oportunidade de conviver com aquela que fora a sua esposa tão amada em sua penúltima encarnação. No interior do templo, meditaram durante longos minutos, antes de partirem para a residência que iriam habitar. Quando lá chegaram, Maurício ficou embevecido. Era uma casa de um branco inusitado, que parecia emitir suave aura em sua volta. Tinha na frente um jardim com delicadas flores de cores rosa, branca e amarela. A grama, de um verde desconhecido, tomava conta do solo, de onde brotavam arbustos coroados de flores, que exalavam um perfume suavizante. Do lado direito e esquerdo, outras casas, também simples como aquela, mas decoradas com uma natureza exuberante, faziam a sua vizinhança. Na entrada da sua nova residência, no meio do jardim florido, Maurício notou um chafariz, cujas águas, ao caírem no solo, proporcionavam um som peculiar, semelhante às composições que usamos para relaxamento, porém, muito mais belas. Ainda estava extasiado quando Amanda o "acordou", dizendo para entrarem. Os poucos cômodos da casa eram todos decorados com simplicidade, no entanto, com extremo bom gosto. O que mais chamou a atenção do novo morador foi a extensa biblioteca, que ocupava uma parte do *living* e quase a totalidade dos dois dormitórios. Pegando ao acaso dois livros, verificou que tinha em mãos *O Livro dos Espíritos*, de Kardec, e O *Discurso do Método*, de René Descartes. Riu satisfeito:

– Vejo que terei muito o que pesquisar aqui, Amanda.

– Está como você quer?

– Supera em muito o que eu poderia desejar.

Num dos cantos do *living* havia um piano com uma partitura aberta. Maurício leu: Grande Valsa em Mi Menor. Frédéric Chopin.

– Não fui muito chegado em música em minha última encarnação, mas de Chopin eu gostava muito.

– Eu sei. Foi por essa razão que deixei esta partitura

aberta. A partir de agora, você vai colocar a sua sensibilidade em dia. Como você já sabe, nós não somos apenas razão.

– Aprendi isso a duras penas, Amanda. Já não penso mais como antes. Acho que vou precisar mesmo de muita arte para burilar mais a minha sensibilidade um tanto enferrujada.

– Maurício, você progrediu muito. O piano está aqui, na verdade, para que ambos possamos refinar-nos sentimentalmente.

– Você é pianista?

– Fui uma pianista medíocre na última encarnação. Agora estou melhorando a técnica aprendida e a própria sensibilidade, a fim de que possa executar mais tarde com maestria obras de nível tão elevado quanto as de Chopin, Beethoven ou Mozart. Temos em Paz e Amor um grande compositor, que me dá aulas regulares de execução. Logo você vai conhecê-lo.

– Que bom! E fico feliz por poder ouvir recitais que você fará de modo exclusivo para mim.

– Lembre-se de que fui uma pianista medíocre – falou Amanda, rindo, enquanto levava Maurício para conhecer os demais aposentos.

A mudança não poderia ter sido melhor para quem já se habituara à vida sacrificada do posto de socorro. No entanto, lembrando-se do seu humilde aposento em Auxílio Divino, Maurício teve uma ponta de sentimento de culpa. Enquanto tantos outros estavam se sacrificando pelo bem do semelhante, ele passaria agora a viver de um modo que já não fazia parte do seu estilo de vida. Seria justo? Seria correto? Amanda, lendo o que se passava no íntimo do companheiro, apressou-se em tirar-lhe a dúvida:

– Maurício, você fez por merecer a vida que terá daqui para a frente. Aqueles que hoje estão em situações diferentes da nossa passam por um estágio imprescindível a seu desenvolvimento espiritual. Se for da vontade deles, assim que obtiverem o mérito necessário, eles também viverão como você ou até num nível superior. Não há motivo para sentimento de culpa. E mais, meu caro, quem disse que você não vai ter aqui um novo trabalho? – E rindo, acrescentou: – Pensa que vai ser apenas a moleza de ouvir recitais de piano?

Maurício riu, mas depois tornou-se sério, perguntando:

– É verdade. Vim aqui para executar novas atividades, no entanto, até agora ninguém me disse quais serão. Todos desconversam.

– Você está apenas chegando. Amanhã cedo vou levá-lo a seu novo local de trabalho. Agora, sente-se confortavelmente e ouça um pouco de Chopin.

Sentada ao piano, Amanda concentrou-se e, em seguida, iniciou os acordes da Valsa Brilhante, como também é conhecida a Grande Valsa, do compositor polonês. A execução passou depois pelo *Concerto Para Piano* Nº 2, pelo Scherzo em Si Bemol e por alguns Prelúdios. Para encerrar, Amanda executou algumas obras de Bach.

Enquanto ouvia os acordes do piano, Maurício

começou a ter uma visão nítida de cenas de sua penúltima encarnação, quando fora esposo de Amanda. Ele se chamava Fernão e ela Francisca. As cenas sucediam-se com rapidez, mas com o tempo necessário para que observasse muitos pormenores. A cada passagem, mais ele recordava o amor que o unira a Amanda naquela encarnação. E mais se ampliava o carinho e a atração que sentia agora por quem estava se tornando a sua companheira diária, a fim de partilhar com ele todos os momentos fundamentais de sua nova existência na erraticidade. Tudo era tão belo e comovente, que lágrimas caíam de seus olhos, enquanto ouvia embevecido melodias suaves executadas pelas mãos e pelo coração de Amanda.

***

Era ainda muito cedo quando Maurício se deu conta de que estava em seu novo lar, em Paz e Amor. Amanda já estava arrumada, de modo que não demorou muito para que deixassem a casa em direção a um local ignorado por ele. Admirar os jardins floridos por onde passavam era muito agradável, e o tênue perfume que as flores exalavam parecia tranquilizar-lhe a mente, um tanto agitada pela ânsia de saber qual seria o seu novo trabalho. Durante o curto trajeto, conversaram sobre amenidades até que Amanda lhe disse, olhando em seus olhos:

– Maurício, você gostaria de fazer um curso, uma espécie de treinamento, antes de começar a trabalhar?

– Sem dúvida. Em Auxílio Divino fui muito bem orientado antes de dar início às minhas tarefas.

– Pois, também aqui, você receberá instruções detalhadas sobre o seu trabalho.

Quando se deu conta, Maurício notou que estavam diante do mesmo prédio que visitara tantos anos atrás: a casa de ensino onde Amanda lecionava. A cor creme-claro era a mesma e permanecia uma suave aura ao seu redor. O silêncio era, às vezes, quebrado por risos alegres de crianças e jovens.

– Hoje você terá contato com a ala juvenil e o setor de apoio à maturidade.

Foram diretamente ao primeiro andar, onde havia quatro auditórios de tamanhos variados. Maurício ficou boquiaberto com a beleza, o conforto e os instrumentos audiovisuais de que dispunham essas instalações. Amanda lhe explicou que os auditórios eram usados tanto para palestras como para concertos e peças teatrais. No segundo andar, havia um grande salão destinado às exposições de artes plásticas e diversas salas para aulas de música e canto. Já no terceiro e quarto andares estava instalado o departamento de desenvolvimento juvenil, com várias salas de aula e laboratórios para as pesquisas científicas dos alunos. Finalmente, no quinto andar, funcionava o departamento de apoio à maturidade. Ali havia salas de aula e uma enorme biblioteca. Após conhecer as instalações, Amanda conduziu Maurício à sala da coordenação. Já o esperavam duas mulheres e um senhor. Amanda fez as apresentações:

– Apresento-lhe Beatriz, a nossa diretora. Este é

Raul, coordenador deste departamento, e Margarida, que você já conhece. Ela fez questão de estar presente hoje a fim de dar-lhe as boas-vindas.

Maurício ficou muito feliz por encontrar Margarida, que lhe dera uma verdadeira lição de pedagogia quando de seu primeiro encontro. E que lhe ofertara, principalmente, uma lição de humildade e amor fraterno. Após cumprimentar Beatriz e Raul, foi abraçado por Margarida, que lhe passou uma energia incomum de vitalidade e bem-estar.

– Fico feliz por ver que você aproveitou muito bem o seu estágio na erraticidade. Quando conversamos da primeira vez, havia necessidade de aparar arestas que haviam ficado da encarnação precedente. No entanto, hoje, já existe a possibilidade de você usar os conhecimentos que detém em benefício de irmãos carentes de apoio afetivo e orientação precisa, a fim de que possam melhorar o seu percurso evolutivo na próxima existência. Estou aqui, Maurício – prosseguiu Margarida –, para lhe dar as boas-vindas e me colocar à sua disposição sempre que for necessário. Acredito em você, no seu potencial e na sua vontade de servir. Seja feliz em suas novas tarefas em benefício dos semelhantes.

Maurício agradeceu as palavras de Margarida, mas ficou um tanto confuso por não saber ainda quais tarefas seriam essas. Foi Raul, o coordenador do departamento de apoio à maturidade, quem iniciou os esclarecimentos:

– Maurício, como é de seu conhecimento, é necessário que você receba orientações seguras antes de dar início às suas atividades como professor desta instituição...

Ao ouvir isso, Maurício deixou escorrer lágrimas de agradecimento. Muitos anos atrás, parecer-lhe-ia muito lógica a afirmação, dado que se considerava um excelente professor, onde era apenas um aluno iniciante. Agora, com a humildade característica daqueles que já galgaram alguns degraus acima da média, na escalada para a plenitude espiritual, ele ficou surpreso e grato pelo convite, embora não se considerasse em condições de atendê-lo. Olhou instintivamente para Amanda, como a buscar uma confirmação daquilo que ouvira. Vendo o assentimento da companheira com um aceno da cabeça, voltou-se para Raul e, pedindo desculpas por interrompê-lo, asseverou com sinceridade:

– Raul, agradeço-lhe de coração o que acabo de ouvir, entretanto, penso que não tenho ainda competência para exercer uma profissão cujos conhecimentos ainda não estão claros para mim. Não seria melhor conseguir um trabalho na casa de repouso, onde estive por algum tempo, como paciente? Tenho a experiência acumulada em Auxílio Divino. Talvez fosse mais útil naquela instituição.

– A sua insegurança, Maurício, é mais fruto da sua humildade do que da sua incompetência. É claro que seus préstimos em Auxílio Divino seriam muito bem recebidos, mas, no momento, será mais útil para você dedicar-se a ampliar a cultura daqueles que, mais cedo ou mais tarde, retornarão à Terra, a fim de prosseguirem no seu caminho para a perfeição.

– Desculpe-me mais uma vez, Raul, mas o que poderei ensinar a tais pessoas?

– Filosofia, Maurício, que você tão bem conhece. Mas uma filosofia eivada de espiritualidade, portanto, com uma orientação diversa daquela que você imprimia nas aulas que ministrava. Entretanto, não fique intranquilo, pois, além de receber breves orientações, de início, você será apenas assistente de um professor experimentado, que lhe servirá de exemplo e modelo. Mais tarde, quando tiver assimilado todo conteúdo, método e conduta no trato com os alunos, poderá assumir as aulas como titular. – E concluiu sorrindo: – Não há motivo para pânico.

– É verdade – disse a diretora –, tudo virá a seu tempo, e sempre estaremos aqui de portas abertas para recebê-lo quando precisar de apoio ou orientação. A própria Amanda será de ajuda inestimável.

Amanda colocou o braço sobre o ombro de Maurício e lhe disse com suavidade:

– Estarei sempre a seu lado, pronta a dar-lhe a mão quando necessário.

Depois do que ouvira, Maurício acalmou-se e ficou no aguardo das primeiras orientações, antes de conhecer o professor a quem iria auxiliar.

Quando Amanda o deixou para se dirigir à sala de aula, Maurício começou a ouvir os ensinamentos de Raul sobre as suas novas funções. À noitinha, ao voltar para casa, já assimilara a ideia de lecionar, agradecendo a Deus pela oportunidade que lhe fora concedida. No dia seguinte, prosseguiu o contato com Raul, que o colocou a par tanto do conteúdo do curso quanto do método empregado naquela instituição com os adultos. No terceiro dia iria conhecer o professor, que já havia sido muito elogiado e cujo respeito e carinho por parte dos alunos haviam sido conquistados pela competência e dedicação permanentes em relação a eles.

– Maurício – disse-lhe Raul, assim que chegou à instituição –, vamos conhecer o seu novo colega.

Antes do início das aulas, seguiram até o quinto andar e, ao entrarem numa das salas de aula, o coordenador, cumprimentando o professor, que lia um texto, apresentou Maurício:

– Ademar, este é Maurício, o novo professor assistente.

Antes que pudesse dizer qualquer coisa, Maurício sentiu-se desfalecer, tamanho o impacto daquela situação. O professor era ninguém menos que o jovem Ademar que, juntamente com a professora Suzana, ele quase demitira da faculdade em sua última encarnação. Aparentava mais idade, no entanto, guardava a jovialidade dos velhos tempos. Sorrindo para Maurício, foi ao seu encontro, a fim de cumprimentá-lo. Amparado pelo coordenador, Maurício adiantou-se um pouco e, totalmente constrangido, cumprimentou Ademar que, sorrindo e com ar humilde, disse-lhe:

– Fico extremamente agradecido por poder compartilhar as aulas com você, Maurício. Sei perfeitamente bem que, ao deixar as atividades nesta casa, elas estarão em boas mãos.

Ainda abatido e cabisbaixo, Maurício, soluçando, pediu-lhe perdão:

– Professor Ademar, perdoe a minha ignorância por ter pensado em demiti-lo da faculdade. Quem, de fato, merecia o título de professor e de educador era você, e não eu. Se tudo estivesse ocorrendo neste momento, creia-me que estaria grato por poder abrir as portas a um professor de tanta competência e dedicação aos alunos. E esteja certo de que o mesmo vale para a professora Suzana, jovem tão exemplar quanto você. Fico terrivelmente envergonhado por ter alimentado pensamentos errôneos a seu respeito, mas, ao mesmo tempo, fico feliz por poder corrigir o erro cometido. Perdoe-me, professor Ademar, perdoe-me.

Comovido e também com lágrimas nos olhos, Ademar abraçou Maurício e disse sinceramente:

– Você não me deve desculpas, Maurício. Eu é que lhe devo agradecimentos, pois só pude permanecer naquela faculdade porque você não me demitiu. Quando soubemos do seu desencarne, Suzana e eu nos sentimos na rua, mas qual não foi a nossa surpresa quando, diante do diretor, ele nos comunicou que um de seus últimos desejos fora permitir que continuássemos lecionando. Disse-nos que você adiaria a decisão de nos demitir, a fim de não praticar nenhuma injustiça. Portanto, devemos a você o fato de termos tido a oportunidade de seguir uma carreira de muito sacrifício, mas também de muitos méritos.

– É verdade, professor. Era meu desejo dar mais tempo a vocês, a fim de que comprovassem a qualidade do ensino que ministravam. Entretanto, hoje, eu não agiria dessa forma, pois não cogitaria jamais demiti-los, justamente vocês, que eram dois dos melhores professores daquele estabelecimento.

Trocaram mais algumas frases embebidas de forte teor emocional e, por fim, novamente se abraçaram, agora como verdadeiros amigos. Raul, que a tudo observava com emoção, ficou feliz ao ver que se cumpria um resgate pelo qual Maurício teria de passar, mais cedo ou mais tarde.

– O horário do início das aulas está próximo. Conversem mais um pouco e, quanto a você, Maurício, desejo-lhe tudo de bom neste início de trabalho em nossa instituição de ensino. Fiquem com Deus.

Antes que começassem a conversar sobre o curso, Ademar, sorrindo, pediu a Maurício que não chamasse ninguém de professor, pois ali todos dispensavam os títulos:

– Sei que na Terra os títulos são importantes e há mesmo quem, fazendo mau uso deles, aproveita-se para humilhar aqueles que não tiveram a oportunidade de consegui-los. Quanto a nós, estamos apenas interessados em servir quem chega para beber da fonte da sabedoria, que não brota de nós, mas de Deus. Somos tão somente o canal por onde ela passa para chegar àqueles que a procuram.

Logo começaram a chegar os primeiros alunos e Ademar pediu para que Maurício aguardasse até à tarde, quando poderiam conversar melhor sobre o curso que se iniciava. Nas primeiras semanas, ele apenas observaria as aulas para, logo depois, participar ativamente delas como professor assistente.

Para Maurício não foi difícil assimilar o conteúdo filosófico das aulas a serem ministradas. Quanto ao método, que era essencialmente participativo e recheado com muitas dinâmicas, ele pensou que teria certa dificuldade para dominar. No entanto, o período que passara no posto de socorro não fora em vão, e a mesma dedicação que tivera naquela instituição, continuava a ter onde se encontrava agora. Isso fez com que entrasse com o coração nessas atividades, de modo que se mostrou logo um excelente condutor das mais diversas dinâmicas que se realizavam em classe ou fora dela. Ademar sentia-se feliz por ver o progresso do colega, agindo como um grande amigo, e não como superior. Isso fez com que nascesse uma grande amizade entre ambos. Amanda sempre convidava Ademar para longas conversas aos domingos e, às vezes, para irem a concertos que eram realizados com frequência fora da instituição escolar. Num desses encontros, Ademar e uma amiga foram com Maurício e Amanda a um concerto no anfiteatro da colônia, onde se apresentaria um grande pianista, que vinha de uma colônia distante. Quando o pianista se apresentou no recinto e foi declinado o seu nome, lembrou-se Maurício que se tratava de um grande virtuose, quando de sua última encarnação. Especialista em Beethoven, quando na Terra, executou juntamente com a orquestra a famosa *Sinfonia* Nº 5 *em* Dó *Menor, Opus* 67, a também conhecida *Sonata Para Piano* Nº 14 *em Dó Sustenido Menor, Opus* 27 Nº 2, *Sonata Ao Luar*, e outras belíssimas composições do mestre alemão. Entretanto, para surpresa de Maurício, após essas execuções, o pianista deu início a uma série de composições totalmente desconhecidas para ele, que perguntou a Amanda:

– De quem são essas composições tão maravilhosas?

– São do próprio pianista. Aqui, na espiritualidade, ele deixou extravasar a sua sensibilidade como compositor, tendo recebido aulas de um músico que foi um dos maiores compositores na Terra.

– Mas as suas músicas conseguem igualar-se às de Beethoven ou até superá-las. Noto que há na orquestra instrumentos musicais desconhecidos na Terra.

– As composições terrenas são meras cópias de composições realizadas em planos elevados da espiritualidade. Quando os compositores chegam até aqui e ouvem tais composições, logo pensam em mudar o que fizeram por estarem qualitativamente abaixo do que é composto nos níveis elevados. E, então, eles dão continuidade ao seu aprendizado para poderem superar a si mesmos.

Após o concerto, Maurício, ainda embevecido com o que ouvira, comentou com Ademar:

– Acabei de vivenciar o que tanto ensinei sobre Platão, de modo apenas teórico. Há realmente um mundo superior, o Mundo das Ideias ou das Essências, sendo as realizações terrenas simples cópias apagadas dessa realidade. Platão estava certíssimo.

Ademar riu e acrescentou:

– Ainda temos de crescer muito, Maurício. Saiba que as composições que acabamos de ouvir e que nos extasiaram tanto são ainda diminutas diante das esferas que estão num nível evolutivo que escapa à nossa imaginação. Estamos falando da "lei do progresso".

Esse e outros inúmeros passeios realizados por Maurício e Amanda constituíam-se num meio de desenvolvimento espiritual de ambos que, cada vez mais, esforçavam-se por crescer e desenvolver-se moral e espiritualmente. Amanda continuava a lecionar com grande devotamento e a ter aulas de música, pois em sua próxima encarnação daria um passo à frente, com a possibilidade não só de ser musicista como de executar as suas próprias composições. Quanto a Maurício, assessorava Ademar, conduzindo as dinâmicas de grupo nas classes em que trabalhavam e, vez por outra, substituía-o, lecionando o conteúdo principal das aulas.

Durante o tempo em que trabalhou no departamento de apoio à maturidade, recebeu visitas de amigos, como Vítor, Margarida, Arcanjo, Rafael e Selena, entre muitos outros, assim como da sua mãe e de seu pai, agora num nível evolutivo que lhe possibilitava esse contato. Seus filhos já haviam desencarnado e até netos e bisnetos já se achavam na erraticidade. Ele tinha, de tempos em tempos, notícias de Adélia e Polidoro que, segundo as informações, estavam muito bem e já trabalhavam na espiritualidade. Reconhecido pelos alunos, Maurício esmerava-se em ministrar excelentes aulas, sempre que Ademar lhe possibilitava essa oportunidade. Quanto às dinâmicas, que ele continuava a conduzir, eram tidas como muito alegres, animadas e instrutivas. Sua vida com Amanda crescia em união e espiritualidade elevada, com muito amor, compreensão e um carinho constante, que transpassava todas as atividades em que se envolviam. Como costumava dizer, brincando com os amigos, ele levava a vida que pedira a Deus. Foi assim que, numa tarde, ao preparar-se para deixar o instituto, foi chamado por Raul:

– Maurício, você pode ficar mais alguns minutos?

– Claro.

– Então, venha até aqui por favor.

Maurício dirigiu-se até a sala da coordenação e esperou que Raul falasse.

– Como estão as aulas?

– Como sempre, maravilhosas. Tenho me esforçado bastante para torná-las cada vez melhores para os alunos.

– Gostei de ouvir "para os alunos". Você sabe que, lá na Terra, há muitos professores que buscam tornar as aulas "melhores para eles próprios", sem se importarem com os alunos, a quem elas se destinam.

– Conheço muito bem isso, pois agi assim quando lá estive em minha última encarnação. Talvez seja por essa razão que me esforce tanto, pensando sempre nos alunos a quem me cabe servir.

– Pois essa competência e dedicação estão sendo agora recompensadas, Maurício. Você assumirá dentro de uma semana o posto de Ademar. Você será promovido a professor titular.

– Fico muito feliz ao ouvir isso, mas... E quanto ao meu amigo?

– Estará deixando a nossa instituição. Vai começar a preparar-se para uma nova encarnação. Ele diz ter débitos que pretende saldar e pediu a oportunidade de uma nova experiência terrena. Façamos muitas preces, a fim de que tudo corra da melhor maneira possível.

– Sem dúvida. Ademar merece essa chance. Trata-se de um espírito elevado, que tem se esforçado muito para dar continuidade à sua reforma interior. Aprendi a admirá-lo, Raul, e devo a ele muito do que consegui realizar nesta instituição.

– É bom ouvir palavras como essas. Amanhã colocarei em sala de aula um professor para substituí-lo. Quanto a vocês, passarão o dia conversando sobre a continuidade do plano de ensino, que prosseguirá, acredito, com o mesmo nível qualitativo que vem alcançando.

– Tudo farei para que isso aconteça, Raul. Muito obrigado pela confiança depositada em minha pessoa.

A semana passou muito rápida, mas todos os itens foram exaustivamente discutidos, de modo que Maurício estava preparado para dar continuidade aos trabalhos. Nesse meio tempo, Raul preparava o espírito escolhido para ser seu assistente. No dia da despedida de Ademar, houve uma solenidade em sua homenagem, sendo anunciada oficialmente a promoção de Maurício e sendo igualmente feito um convite para a aula inaugural, na manhã seguinte. Ele se preparara durante toda a semana para esse evento, entretanto, quando entrou no salão nobre, sentiu um friozinho na região do plexo solar. Estava lotado de professores, alunos e convidados. A diretora fez a abertura e passou a palavra a Raul que, após algumas considerações, anunciou o início da aula inaugural. Maurício levantou-se e, colocando-se ao lado da mesa diretora, onde também se achava Margarida, olhou solenemente para o auditório. Ia dizer as primeiras palavras quando notou, na primeira fila, Polidoro e Adélia que, sentados ao lado de Amanda, sorriam e acenavam para ele. Ali também estavam Ricardo, Renata, Pascoal e Luísa, como também o seu pai, a sua mãe e Vítor. Logo atrás, na segunda fileira, pôde ver Matsumoto e Teresa, Roberto e Solange, acompanhados de Lucinda, e, ao lado, Rafael, Selena e Arcanjo. Um pouco mais atrás, Alencar, com quem fizera um "pacto de vida", sorria e agitava a mão para ele. As lágrimas começaram a despontar em seus olhos, mas, controlando a emoção intensa, quase avassaladora, deu início a uma aula, considerada magnífica pela mesa diretora. Entretanto, enquanto fazia o seu discurso, cenas desenrolavam-se à sua vista: Viu-se chegando à casa de repouso e os primeiros dias em que se achava aturdido, sem saber muito bem o que estava acontecendo. Viu Marlene e Júlia, médica e enfermeira que tão compassivamente cuidaram dele enquanto lá esteve. Viu as visitas de Vítor, amigo de todas as horas e seu avô em encarnação passada. Lembrou-se dos espíritos que conheceu naquela instituição, quando descia ao pátio e desenvolvia longas conversações. Não pôde deixar de ver o seu primeiro encontro com Amanda, quando sentiu no coração um palpitar diferente, que prenunciava a redescoberta de um amor milenar. Ao mesmo tempo, viu o momento em que, entristecido, irado e enciumado, quando de sua visita à família, notou o elo amoroso entre Adélia e Polidoro. Agora, tendo-os diante de si, o que sentia era um grande amor fraterno e uma amizade indestrutível, desejando sempre merecer o carinho de tão queridos espíritos. Lembrou-se também da sua chegada no posto de socorro Auxílio Divino e da decepção que sentiu tanto em relação ao lugar quanto ao trabalho que iria desenvolver. Em seguida, lembrou-se dos momentos felizes que ali passou, sob a orientação segura e amorosa de Selena e Rafael, e da amizade sincera de Arcanjo. Lembrou-se da compaixão que sentia pelos assistidos e do devotamento contínuo que lhes dedicava. Viu também o momento em que teve de deixar o posto de socorro para conviver com Amanda em Paz e Amor. Se, de um lado, sentia uma felicidade transbordante, de outro, estava triste por deixar aqueles a quem aprendera a amar. Lembrou-se do momento em que, já na colônia, ficou defronte a Ademar, sabendo que seria seu assistente. Inicialmente, uma onda de arrependimento brotou do seu coração, depois, com o passar do tempo, uma grande amizade tomou o seu lugar. Agora, ao assumir o posto de professor titular, não poderia estar mais feliz por tudo de bom que acontecera em sua estada na erraticidade. A presença de tantos amigos deixou-o extasiado, esperando o momento de poder conversar com cada um deles. Se lhe perguntassem como conseguiu ministrar uma aula de nível tão elevado, nem ele saberia responder, pois esteve o tempo todo mergulhado em caras recordações, que lhe aqueciam o coração de modo inusitado. O tempo que teve para cumprimentar a todos aqueles amigos amáveis e dizer umas poucas palavras foi muito curto. Abraçou a cada um, agradecendo pela amizade que lhe dedicava. O encontro com Polidoro e Adélia foi particularmente comovente. Ele deixou escorrer lágrimas quando desejou toda a felicidade possível àqueles amigos especiais, com quem já convivera em algumas encarnações e com os quais ainda voltaria a conviver. Seu pai, na última encarnação, ficou muito emocionado ao abraçá-lo depois de tanto tempo. Recebeu também a bênção da mãe, que habitava um círculo superior pelos méritos que adquirira por meio de uma vida dedicada a Deus e aos semelhantes. Enfim, aquela manhã foi repleta de emoções agradáveis e sentimentos nobres. Ao meio-dia, quando todos já haviam partido, acompanhado por Amanda, Maurício foi à sala da coordenação a fim de conhecer a sua assistente. Quando entrou no aposento, foi recebido com muita alegria por Raul, agora um grande amigo. Pedindo que se sentassem, conversou um pouco sobre a festividade da manhã e, em seguida, quando bateu à porta a nova professora, apresentou-a a Maurício, que empalideceu:

– Eu não acredito! É Suzana.

– Estou feliz por poder colaborar um pouquinho com as suas aulas, professor Maurício.

– Suzana, devo-lhe desculpas pelo que a fiz passar.

Mais que isso: peço-lhe perdão. Quase a demiti da faculdade, em nossa última encarnação. Justamente você que, ao lado de Ademar, era uma das professoras mais competentes e comprometidas daquela casa de ensino. Ao mesmo tempo, fico feliz por ter a oportunidade de sanar o mal que cometi.

– Professor, você não cometeu nenhum mal. Pelo contrário, fez com que Ademar e eu revíssemos a nossa didática e até a nossa vida, a fim de que pudéssemos cumprir a missão que havíamos abraçado com muita motivação. O senhor foi muito importante para nós. E agora, nesta nova situação, continuará a ser. Conversei com Ademar e só ouvi elogios a seu respeito. Portanto, estou muito feliz e orgulhosa por poder contribuir, ainda que pouco, com as aulas deste instituto, que servirei com satisfação e bom ânimo.

Amanda despediu-se e foi para sua sala de aula, enquanto Maurício teria toda a tarde para pôr Suzana a par de todas as atividades que iria desenvolver a partir do dia seguinte.

À noite, quando confabulava com Amanda sobre todos os acontecimentos, Maurício recebeu uma visita inesperada. Margarida viera despedir-se, pois começaria a se preparar para uma nova encarnação.

– Estou ansiosa por voltar ao mundo terreno. Terei oportunidade de aparar muitas arestas e dar mais um passo rumo à perfeição possível às criaturas de Deus. A cada novo degrau que subimos, retiramos mais um véu que recobre a centelha divina incrustada em nosso âmago. E é sobre isso que também quero falar-lhe, Maurício.

– Esteja certa de que muitas preces faremos por você, Margarida. Temos muito respeito por sua pessoa e particularmente eu, que muito aprendi com as suas palavras e o seu exemplo.

– É justamente sobre isso que quero falar-lhe, Maurício. Você cresceu muito desde aquele dia em que fui visitá-lo na casa de repouso. Muito tempo se passou e você soube aproveitá-lo da melhor maneira possível. Não tenho mais nenhum exemplo a ofertar-lhe, pois você tem sido um exemplo vivo para todos os que com você convivem. Em sua última encarnação, o professor Maurício era detentor do conhecimento e da erudição. Agora, vem adquirindo a sabedoria. O professor Maurício centrava-se nas aulas, esquecendo-se dos alunos. Agora, ministra as suas aulas, tendo como foco os alunos que precisam da sua sabedoria para se aprimorarem moral e espiritualmente. O professor Maurício tinha a mente aberta e o coração fechado. Agora, tem a mente ainda mais aberta e conseguiu escancarar as portas do coração. Existe uma nova filosofia de vida em seu coração e em sua mente. A lição foi muito bem aprendida por você, Maurício. E Amanda não deixará que ela se perca. Continue de coração aberto e sua nova encarnação será muito bem aproveitada. Lembre-se de que todos caminhamos incessantemente para Deus, que jaz aqui mesmo em nosso coração. Daí a importância e a necessidade de deixá-lo preparado para irradiar amor.

Parabéns, Maurício. E valha-se bem da presença contínua de Amanda, que só poderá ser um estímulo positivo para o seu progresso espiritual. Fiquem com as bênçãos de Deus!

Margarida abraçou o casal e deixou a residência. Restou na casa uma luminosidade branco-azulada e um ar de paz, tranquilidade e amor. Lágrimas brotaram nos olhos de Maurício e Amanda, que se uniram num abraço terno e amoroso. Era uma nova etapa que se iniciava na vida de ambos. Era uma preparação fervorosa para uma futura encarnação de verdadeira paz, mais amor e de um serviço proveitoso em benefício dos semelhantes. Com a mente banhada na sabedoria do Evangelho e o coração aberto ao amor sublime, Maurício e Amanda entregavam-se plenamente às bênçãos do Pai Eterno, a fim de dar continuidade às suas atribuições...

Fim

Leia os romances de Schellida!
Emoção e ensinamento em cada página!
Psicografia de Eliana Machado Coelho

Corações sem Destino – Amor ou ilusão? Rubens, Humberto e Lívia tiveram que descobrir a resposta por intermédio de resgates sofridos, mas felizes ao final.

O Brilho da Verdade – Samara viveu meio século no Umbral passando por experiências terríveis. Esgotada, consegue elevar o pensamento a Deus e ser recolhida por abnegados benfeitores, começando uma fase de novos aprendizados na espiritualidade. Depois de muito estudo, com planos de trabalho abençoado na caridade e em obras assistenciais, Samara acredita-se preparada para reencarnar.

Um Diário no Tempo – A ditadura militar não manchou apenas a História do Brasil. Ela interferiu no destino de corações apaixonados.

Despertar para a Vida – Um acidente acontece e Márcia, uma moça bonita, inteligente e decidida, passa a ser envolvida pelo espírito Jonas, um desafeto que inicia um processo de obsessão contra ela.

O Direito de Ser Feliz – Fernando e Regina apaixonam-se. Ele, de família rica, bem posicionada. Ela, de classe média, jovem sensível e espírita. Mas o destino começa a pregar suas peças...

Sem Regras para Amar – Gilda é uma mulher rica, casada com o empresário Adalberto. Arrogante, prepotente e orgulhosa, sempre consegue o que quer graças ao poder de sua posição social. Mas a vida dá muitas voltas.

Um Motivo para Viver – O drama de Raquel começa aos nove anos, quando então passou a sofrer os assédios de Ladislau, um homem sem escrúpulos, mas dissimulado e gozando de boa reputação na cidade.

O Retorno – Uma história de amor começa em 1888, na Inglaterra. Mas é no Brasil atual que esse sentimento puro irá se concretizar para a harmonização de todos aqueles que necessitam resgatar suas dívidas.

Força para Recomeçar – Sérgio e Débora se conhecem e nasce um grande amor entre eles. Mas encarnados e obsessores desaprovam essa união.

Lições que a Vida Oferece – Rafael é um jovem engenheiro e possui dois irmãos: Caio e Jorge. Filhos do milionário Paulo, dono de uma grande construtora, e de dona Augusta, os três sofrem de um mesmo mal: a indiferença e o descaso dos pais, apesar da riqueza e da vida abastada.

Ponte das Lembranças – Ricos, felizes e desfrutando de alta posição social, duas grandes amigas, Belinda e Maria Cândida, reencontram-se e revigoram a amizade que parecia perdida no tempo.

Mais Forte do que Nunca – A vida ensina uma família a ser mais tolerante com a diversidade.

Livros da médium Eliane Macarini

Resgate na Cidade das Sombras

Virginia é casada com Samuel e tem três filhos: Sara, Sophia e Júnior. O cenário tem tudo para ser o de uma família feliz, não fossem o temperamento e as oscilações de humor de Virginia, uma mulher egoísta que desconhece sentimentos como harmonia, bondade e amor, e que provoca conflitos e mais conflitos dentro de sua própria casa.

Obsessão e Perdão

Não há mal que dure para sempre. E tudo fica mais fácil quando esquecemos as ofensas e exercitamos o perdão.

Aldeia da Escuridão

Ele era o chefe da Aldeia da Escuridão. Mas o verdadeiro amor vence qualquer desejo de vingança do mais duro coração.

Comunidade Educacional das Trevas

Nunca se viu antes uma degradação tão grande do setor da Educação no Brasil. A situação deprimente é reflexo da atuação de espíritos inferiores escravizados e treinados na Comunidade Educacional das Trevas, região especializada em criar perturbações na área escolar, visando sobretudo desvirtuar jovens ainda sem a devida força interior para rechaçar o mal.

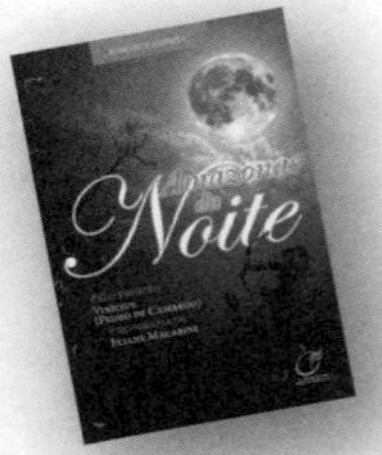

Amazonas da Noite

Uma família é alvo de um grande processo obsessivo das Amazonas da Noite, uma falange de espíritos comandada pela líder Pentesileia. Elas habitam uma cidadela nas zonas inferiores e têm como inspiração as amazonas guerreiras de tempos remotos na Grécia.

Vidas em Jogo

Nesta obra, a catastrófica queda de jovens no mundo dos vícios e torpezas até a ascensão, que liberta e dignifica a própria existência. Uma lição de vida, que toca fundo no coração.